MATTHEW REILLY urodził się w 1974 w Sydney, gdzie mieszka do dziś. W trakcie studiów prawniczych na University of New South Wales zajął się scenopisarstwem i reżyserią filmową. Angażując własne środki wydał pierwszą książkę – thriller science-fiction *Contest* (1996). Jego druga powieść, *Stacja lodowa* (1998), szybko zdobyła ogromne powodzenie w Australii; wkrótce potem trafiła na listy bestsellerów w USA i krajach europejskich, a wytwórnia Paramount kupiła prawa filmowe. Kolejne tytuły pisarza – Świątynia (2000), *Strefa 7* (2001), *Nieuchwytny cel* (2003) i *Siedem cudów starożytności* (2005) – także odniosły międzynarodowe sukcesy. Reilly jest ponadto autorem czterech powieści dla młodzieży – *Hell Island*, *Crash Course*, *Full Throttle* i *Hover car Racer*. Do ekranizacji tej ostatniej książki przymierza się Walt Disney Pictures.

W serii LITERKA m.in.:

MATTHEW REILLY

NIEUCHWYTNY CEL

Z angielskiego przełożył

PIOTR ROMAN

WARSZAWA 2007

Tytuł oryginału:
SCARECROW

Redakcja: Lucyna Lewandowska

Ilustracja na okładce: Jacek Kopalski

Projekt graficzny okładki i serii: Andrzej Kuryłowicz

ISBN 978-83-7359-477-7

WYDAWNICTWO ALBATROS
ANDRZEJ KURYŁOWICZ
Wiktorii Wiedeńskiej 7/24, 02-954 Warszawa

Wydanie II (kieszonkowe – I)
Skład: Laguna
Druk: B.M. Abedik S.A., Poznań

DEDYKUJĘ NATALIE,
PO RAZ DRUGI

Podziękowania za zgodę na przedruk

Drugie przyjście W. B. Yeatsa — przedruk dzięki uprzejmej zgodzie A. P. Watt Ltd w imieniu Michaela B. Yeatsa.

Robert Kaplan, *The Coming Anarchy: Shattering the Dreams of the Post Cold War*. Publikacja oryginalna w „Atlantic Monthly", luty 1994. Copyright © Robert Kaplan 1994. Przedruk za zgodą Brandt & Hochman Literary Agents, Inc.

Patrick J. Buchanan, *The Death of the West: How Dying Populations and Immigrant Invasions Imperil Our Country and Civilization*. Copyright © Patrick J. Buchanan 2002. Przedruk za zgodą St. Martin's Press, LLC.

Podjęto wszelkie wysiłki w celu skontaktowania się z właścicielami praw do publikacji materiałów, zamieszczonych w niniejszej książce. Jeżeli ktoś został niechcący pominięty, wydawca zrekompensuje to przy pierwszej nadarzającej się okazji.

Podziękowania

Nie wiem jak wy, ale kiedy ja czytam książkę, zazwyczaj większość nazwisk na stronie z „podziękowaniami" nic mi nie mówi. Są to albo przyjaciele Autora albo osoby, które pomogły mu zbierać materiały lub sfinalizować publikację.

Uwierzcie mi — ludzie ci jak najbardziej zasługują na wielkie, publiczne podziękowania.

W jednej z moich poprzednich książek napisałem na stronie z „podziękowaniami" następujące słowa: „Każdemu, kto zna jakiegoś pisarza, powiem: nie lekceważ potęgi swojej zachęty".

Uwierzcie mi — pisarze, a właściwie wszyscy kreatywni ludzie, żyją z zachęty. Zachęta nas napędza i popycha do przodu. Jedno słowo zachęty może przyćmić tysiąc krytycznych komentarzy.

Choć ty, Drogi Czytelniku, możesz nie znać ani jednej z poniżej wymienionych osób, każda zachęciła mnie na swój sposób. Dzięki ich pomocy ta książka jest bogatsza.

A więc.

Jeśli chodzi o przyjaźń:

Kolejny raz dziękuję Natalie Freer za towarzystwo, uśmiech i ponowne czytanie książki w 60-stronicowych kawałkach, Johnowi Schrootenowi, mojej mamie i bratu Stephenowi za to, że mówili, co naprawdę mieli na myśli. Tacie za ciche wsparcie.

Nik i Simonowi Kozlinom za zabieranie mnie na kawę, kiedy tego potrzebowałem, a Bec Wilson za kolacje w środowe wieczory. Darylowi i Karen Kayom oraz Donowi i Irene Kayom za to, że byli cierpliwymi obiektami badawczymi, upartymi inżynierami i dobrymi przyjaciółmi.

Jeśli chodzi o stronę techniczną:

Specjalne podziękowania należą się niezwykłemu Richardowi Walshowi z BHP Billiton za zabranie mnie na fantastyczną wycieczkę po kopalni węgla w Appen — dzięki temu doświadczeniu opisane w tej książce sceny w kopalni są znacznie bardziej autentyczne! Oczywiście dziękuję Donowi Kayowi za zorganizowanie naszego spotkania.

Ponownie, oczywiście, szczere podziękowania moim znakomitym amerykańskim doradcom z zakresu wojskowości, kapitanowi Paulowi Woodsowi z wojsk lądowych USA i starszemu sierżantowi korpusu piechoty morskiej (w stanie spoczynku) Krisowi Hankinsonowi. Wiedza tych chłopaków jest niesamowita, więc wszelkie błędy, zawarte w tej książce idą na moje konto i zostały popełnione wbrew ich protestom!

Znów dziękuję wszystkim w Pan Macmillan — za wielki wysiłek. W wydawnictwie tym pracuje znakomity zespół: od redaktorów przez reklamę po działających w terenie przedstawicieli handlowych.

Każdemu, kto zna jakiegoś pisarza, powiem: nie lekceważ potęgi swojej zachęty.

M.R.

KOŁUJĄC CORAZ TO SZERSZĄ SPIRALĄ,
SOKÓŁ PRZESTAJE SŁYSZEĆ SOKOLNIKA;
WSZYSTKO W ROZPADZIE, W ODŚRODKOWYM WIRZE;
CZYSTA ANARCHIA SZALEJE NAD ŚWIATEM...

Drugie przyjście — Walter B. Yeats
(przekład Stanisław Barańczak)

WSZYSCY DZIELNI JUŻ NIE ŻYJĄ

rosyjskie przysłowie wojskowe

PROLOG

WŁADCY ŚWIATA

Londyn
20 października, godzina 19.00

Było ich dwunastu.
Sami mężczyźni.
Wyłącznie miliarderzy.
Dziesięciu z tej dwunastki ukończyło sześćdziesiąt lat. Pozostali dwaj nie ukończyli jeszcze czterdziestu, ale do Rady należeli dawniej ich ojcowie, co gwarantowało lojalność synów. Choć członkostwa nie uzyskiwało się poprzez dziedziczenie, już od wielu lat panował zwyczaj, że synowie zastępowali ojców.

Innym sposobem uzyskania członkostwa było zaproszenie, rzadko to jednak robiono — nic dziwnego w przypadku tak dostojnego zgromadzenia.

Współtwórca największej na świecie firmy wytwarzającej oprogramowanie komputerowe.

Magnat naftowy z Arabii Saudyjskiej.

Głowa szwajcarskiej rodziny bankierskiej.

Właściciel największego na świecie towarzystwa żeglugowego.

Najlepszy na świecie makler giełdowy.

Wiceprezes zarządu Amerykańskiej Rezerwy Federalnej.

Człowiek, który niedawno został spadkobiercą imperium, składającego się z szeregu fabryk sprzętu wojskowego, produkujących lotniskowce na zamówienie rządu Stanów Zjednoczonych.

Ponieważ powszechnie wiadomo, że fortuny baronów medialnych opierają się na kredytach i spekulacjach giełdowych, nie byli oni reprezentowani w Radzie. Mimo to Rada miała wpływ na działania mediów, kontrolując banki, finansujące baronów medialnych.

Nie było także przywódców państw, doskonale bowiem zdawano sobie sprawę z tego, że politycy reprezentują najpodlejszy rodzaj władzy: przemijający. Podobnie jak baronowie medialni są dłużnikami tych, którzy pozwolili im uzyskać wpływy. Rada niejednokrotnie kreowała i zrzucała z piedestału prezydentów i dyktatorów.

Nie było również kobiet.

Zdaniem członków Rady na świecie jeszcze nie pojawiła się kobieta godna miejsca przy ich stole. Nie zasłużyła na to miejsce nawet królowa — ani tym bardziej Francuzka Lillian Mattencourt, właścicielka koncernu kosmetycznego, której majątek osobisty oceniano na 26 miliardów dolarów.

Od 1918 roku Rada spotykała się z niezmienną regularnością: co sześć miesięcy.

Tego roku zwołano jednak dziewięć posiedzeń.

Był to szczególny rok.

Choć Rada nie była ciałem jawnym, jej zebrania nigdy nie odbywały się w tajemnicy. Spotkania ludzi posiadających ogromną władzę zawsze wywołują zainteresowanie, Rada jednak sprytnie to obchodziła: jej członkowie uważali, że najłatwiej zachować sekret, jeżeli się go nie ukrywa — niech cały świat ich widzi, ale nikt nie może dostrzec prawdy.

Tak więc zjazdy Rady odbywały się zawsze wraz z innymi dużymi międzynarodowymi zgromadzeniami — w trakcie corocznych spotkań Światowego Forum Ekonomicznego w Davos czy posiedzeń Światowej Organizacji Handlu. Kiedyś nawet zorganizowano spotkanie w Camp David, podczas nieobecności prezydenta.

Dziś zebrano się w wielkiej sali konferencyjnej hotelu Dorchester w Londynie.

Decyzja, uzyskana w wyniku głosowania, była jednomyślna.

— A więc postanowione — powiedział przewodniczący. — Polowanie rozpocznie się jutro. Lista celów zostanie rozpowszechniona już dzisiaj, zwykłymi kanałami, a nagrody będą wypłacane wykonawcom, którzy przedstawią *monsieur* Delacroix z AGM-Suisse niezbędny w takich przypadkach dowód, że dany cel został wyeliminowany. Jest piętnaście celów, nagrodę za każdy ustalono na osiemnaście koma sześć miliona dolarów amerykańskich.

Godzinę później spotkanie się zakończyło i członkowie Rady przeszli w drugi koniec sali na drinka.

Na stole konferencyjnym pozostały notatki. Na notatkach przewodniczącego leżała kartka.

Była to lista nazwisk.

Nazwisko	Kraj	Org.
1. ASHCROFT, William H.	GB	SAS
2. CHRISTIE, Alec P.	GB	MI6
3. FARRELL, Gregory C.	USA	DELTA
4. KHALIF, Iman	AFG	AL KAIDA
5. KINGSGATE, Nigel E.	GB	SAS
6. McCABE, Dean P.	USA	DELTA
7. NAZZAR, Yousef M.	LIB	HAMAS
8. NICHOLSON, Francis X.	USA	USAMRMC
9. OLIPHANT, Thompson J.	USA	USAMRMC
10. POLANSKI, Damien G.	USA	ISS
11. ROSENTHAL, Benjamin Y.	IZR	MOSAD
12. SCHOFIELD, Shane M.	USA	KPM USA
13. WEITZMAN, Ronson H.	USA	KPM USA
14. ZAWAHIRI, Hassan M.	AR-SAU	AL KAIDA
15. ZEMIR, Simon B.	IZR	IAF

Lista robiła wrażenie.

Znajdowali się na niej żołnierze najbardziej elitarnych jednostek wojskowych świata: brytyjskiego SAS, oddziału specjalnego sił lądowych USA Delta i korpusu piechoty morskiej USA.

Reprezentowana była też armia Izraela oraz służby wywiadowcze: Mossad i ISS (Intelligence and Security Service), jak brzmiała nowa nazwa CIA, a także organizacje terrorystyczne: Hamas i al Kaida.

Była to lista szczególnych ludzi, specjalistów śmiercionośnych profesji, których należało usunąć z powierzchni Ziemi do północy 26 października — wedle standardowego czasu wschodnioamerykańskiego, czyli EST.

PIERWSZY ATAK

SYBERIA
26 PAŹDZIERNIKA, GODZINA 09.00 CZASU LOKALNEGO
EST (NOWY JORK) 25 PAŹDZIERNIKA, GODZINA 21.00

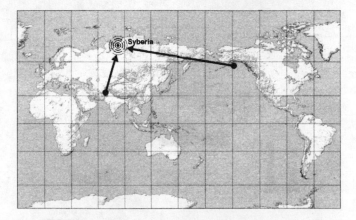

Współcześni łowcy nagród są pod wieloma względami podobni do swoich protoplastów z dawnego Amerykańskiego Zachodu.

Wielu łowców nagród to „samotne wilki" — są nimi byli wojskowi, niezależni zabójcy albo ludzie, którym udało się zbiec z ośrodków penitencjarnych. Pracują samodzielnie, a każdy z nich używa broni tak niepowtarzalnej, tak szczególnego pojazdu lub działa w tak charakterystyczny sposób, że można to uznać za jego podpis.

Istnieją „firmy", które uczyniły z polowania na ludzi interes. Paramilitarne organizacje najemników często są wykorzystywane do polowania na ludzi wtedy, gdy trzeba wejść na międzynarodowy poziom.

Jest także oczywiście wielu łowców okazji — są to dowódcy oddziałów specjalnych, którzy wraz ze swoimi ludźmi „dorabiają na boku", nie przerywając oficjalnego działania, albo agenci służb zajmujących się egzekucją prawa, dla których wyznaczona nagroda okazała się bardziej kusząca od wynagrodzenia za wykonywanie obowiązków służbowych.

Nie każdy zdaje sobie sprawę z tego, jak skomplikowanych działań wymaga w obecnych czasach zdobycie nagrody za czyjąś głowę. Nieobce są przypadki współdziałania łowców nagród z rządami, które nie chcą być łączone z pewnymi przedsięwzięciami, znane są milczące ugody między łowcami nagród a państwami, udzielającymi im w ramach zapłaty za tego rodzaju „roboty" bezpiecznego schronienia.

Jedno jest pewne: dla łowców nagród, działających w skali międzynarodowej, granice państw niewiele znaczą.

Cytat z: *Biała Księga Narodów Zjednoczonych:*
Siły nierządowe w strefach pokojowych ONZ,
październik 2001 (UN Press, Nowy Jork).

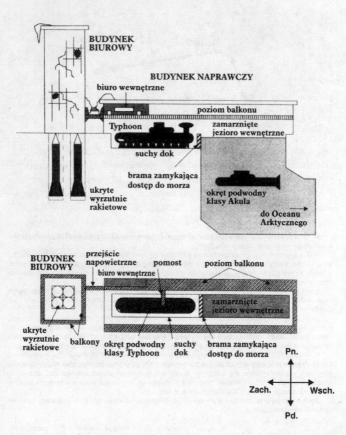

KRASK-8: OŚRODEK KARNY I NAPRAWCZY
PÓŁNOCNA SYBERIA, DAWNY ZWIĄZEK RADZIECKI

BUDYNEK BIUROWY

BUDYNEK NAPRAWCZY

biuro wewnętrzne

poziom balkonu

Typhoon

zamarznięte jezioro wewnętrzne

suchy dok

brama zamykająca dostęp do morza

okręt podwodny klasy Akula

do Oceanu Arktycznego

ukryte wyrzutnie rakietowe

BUDYNEK BIUROWY

przejście napowietrzne

biuro wewnętrzne

pomost

poziom balkonu

zamarznięte jezioro wewnętrzne

ukryte wyrzutnie rakietowe

balkony

okręt podwodny klasy Typhoon

suchy dok

brama zamykająca dostęp do morza

Pn.

Zach. ←→ Wsch.

Pd.

Przestrzeń powietrzna nad Syberią
26 października
Godzina 09.00 czasu lokalnego
(25.10., godz. 21.00 EST)

Samolot pędził po niebie z dwukrotną prędkością dźwięku. Choć był duży, nie pojawił się na ekranie żadnego radaru. Bez trudu pokonywał barierę dźwięku, ale odbywało się to w zupełnej ciszy — dbało o to niedawno wynalezione urządzenie, neutralizujące falę dźwiękową.

Rozpoznawalne z daleka dzięki unikalnej sylwetce, pomalowane specjalną czarną farbą, pochłaniającą fale radaru, bombowce B-2 Stealth, których okna w kokpicie przypominają z zewnątrz groźnie zmarszczone brwi, zazwyczaj nie latają na tego typu akcje.

Maszyna może wziąć na pokład ładunek do 18 ton — od kierowanych laserowo bomb po pociski rakietowe z głowicami termonuklearnymi.

Dziś jednak samolot nie miał na pokładzie bomb.

Jego ładownię zajmował niecodzienny fracht: jeden lekki pojazd szturmowy oraz ośmiu komandosów korpusu piechoty morskiej Stanów Zjednoczonych.

Stojący w kokpicie bombowca kapitan Shane M. Schofield nie miał pojęcia, że pięć dni temu stał się celem w największym w historii ludzkości polowaniu na ludzi.

W srebrnych przeciwodblaskowych szkłach jego ściśle przylegających do głowy okularów odbijało się szare syberyjskie niebo. Okulary miały skrywać dwie pionowe blizny na powiekach Schofielda — rany, zadane mu podczas jednej z poprzednich akcji, dzięki którym zyskał kryptonim operacyjny „Strach na Wróble". Miał pięć stóp i dziesięć cali wzrostu, był szczupły i umięśniony. Szarobiały kevlarowy hełm zakrywał obcięte na jeża czarne włosy i pożłobioną zmarszczkami przystojną twarz. Ceniono go za bystry umysł i umiejętność zachowania spokoju nawet pod największą presją i cieszył się wielkim szacunkiem wśród niższych stopniem marines — znany był jako dowódca, który dba o swoich ludzi. Krążyły plotki, że jest wnukiem sławnego Michaela Schofielda, którego wyczyny w czasie II wojny światowej były tematem licznych legend, krążących w korpusie.

B-2 mknął po niebie, kierując się w głąb Rosji — ku porzuconemu sowieckiemu ośrodkowi wojskowemu na nagim syberyjskim wybrzeżu.

Oficjalna sowiecka nazwa tego miejsca brzmiała: Krask-8 — Ośrodek Karno-Remontowy — i było ono najbardziej wysuniętym kompleksem z ośmiu baz, otaczających arktyczne miasto Krask. Nazywały się one kolejno: Krask-1, Krask-2, Krask-3 i tak dalej.

Jeszcze cztery dni wcześniej Krask-8 był jedynie dawno zapomnianym byłym posterunkiem wojskowym na krańcach sowieckiego imperium — w połowie gułagiem, w połowie stacją techniczną, w której pracowali więźniowie polityczni. Po byłym Związku Radzieckim pozostały setki podobnych instalacji — gigantycznych, zanieczyszczonych ropą naftową monolitów, tworzących przed 1991 rokiem przemysłowe serce ZSRR, a teraz pozostawionych na pastwę losu, zamienionych w miasta duchy, relikty zimnej wojny.

Ale dwie doby temu, 24 października, wszystko się zmieniło.

Tego dnia oddział terrorystyczny, złożony z trzydziestu dobrze uzbrojonych i wyszkolonych islamskich Czeczenów, przejął Krask-8 i poinformował rząd Rosji, że zamierza wystrzelić stamtąd na Moskwę cztery rakiety SS-18 z głowicami atomowymi — rakiety, które w chwili rozpadu Związku Radzieckiego w 1991 roku pozostawiono w podziemnych wyrzutniach — chyba że Rosja wycofa swoje oddziały z Czeczenii i złoży deklarację, gwarantującą rebelianckiej republice prawo do samostanowienia.

Ostateczny termin wyznaczono na 26 października, na godzinę 10.00 rano.

Data ta nie została wybrana przypadkowo — rok wcześniej, też 26 października, rosyjski oddział specjalny przeprowadził szturm na moskiewski teatr, opanowany przez czeczeńskich terrorystów, kończąc trzydniowy horror i zabijając przy tym wszystkich terrorystów oraz ponad stu zakładników.

Dzień ten był także pierwszym dniem świętego miesiąca muzułmanów, ramadanu, tradycyjnym dniem pokoju, ale ten fakt nie wpłynął na zmianę decyzji islamskich terrorystów.

To że Krask-8 okazał się czymś więcej niż reliktem zimnej wojny, zaskoczyło rząd Rosji.

Po zbadaniu dokumentów, zamkniętych od dawna w sowieckich archiwach, stwierdzono, że terroryści nie blefują — Krask-8 był pilnie strzeżoną tajemnicą, o której odchodzący komunistyczny reżim nie poinformował nowego rządu w trakcie demokratycznej transformacji.

Rzeczywiście znajdowały się tam rakiety z głowicami jądrowymi — szesnaście interkontynentalnych rakiet balistycznych SS-18, umieszczonych w podziemnych silosach o takiej konstrukcji, aby nie mogły ich wykryć amerykańskie satelity szpiegowskie. „Klony" Kraska-8 — identyczne ośrodki rakietowe zakamuflowane jako zakłady przemysłowe — można byłoby znaleźć także w państwach, będących w przeszłości „klientami" Sowietów: Sudanie, Syrii, Jemenie.

W rządzącym się nowym porządkiem świecie — postzimnowojennym świecie, który przeżył 11 września — Rosjanie poprosili Amerykę o pomoc.

W odpowiedzi na ten apel rząd amerykański natychmiast posłał do Kraska-8 lekki oddział antyterrorystyczny Delta, dowodzony przez Grega Farrella i Deana McCabe'a.

Wzmocnienia miały nadejść później — pierwszym była jednostka czołowa korpusu piechoty morskiej Stanów Zjednoczonych pod dowództwem kapitana Shane'a M. Schofielda.

Schofield wszedł do przedziału bombowego samolotu. Miał na twarzy maskę tlenową, przeznaczoną do oddychania na dużych wysokościach.

Jego spojrzenie spoczęło na średniej wielkości kontenerze towarowym, w którym znajdował się scout — lekki pojazd szturmowy oddziałów zwiadowczych.

Był to bez wątpienia najlżejszy i najszybszy uzbrojony pojazd bojowy, a wyglądał jak skrzyżowanie samochodu sportowego z humvee.

W środku smukłego wehikułu siedziało siedmiu marines oddziałów rozpoznania, przypiętych pasami do foteli — byli to pozostali członkowie grupy Schofielda. Wszyscy mieli na sobie jasnoszare opancerzenie osobiste, jasnoszare hełmy i jasnoszare kombinezony bojowe. Każdy patrzył prosto przed siebie z miną pokerzysty.

Obserwując poważne twarze swoich ludzi, Schofield znowu poczuł się zaskoczony ich młodym wiekiem. Może to dziwne, ale mając 33 lata czuł się w ich obecności staro.

Pomijając jedną osobę, nie był to jego stały oddział.

Ludzie z jego stałego oddziału — z Libby „Lis" Gant i Geną „Matką" Newman — operowali w górach północnego Afganistanu, ścigając Osamę bin Ladena i Hassana Mohameda Zawahiriego, człowieka numer dwa po przywódcy terrorystów.

Gant, która dopiero co ukończyła Szkołę Kandydatów na Oficerów i została awansowana do rangi porucznika, dowodziła w Afganistanie oddziałem rozpoznania. Matka, doświadczony sierżant zbrojmistrz, była teraz jej sierżantem sztabowym.

Schofield miał do nich dołączyć, ale w ostatniej chwili zupełnie niespodziewanie został wyznaczony do poprowadzenia innej misji.

Jedynym ze stałych ludzi, których udało mu się zabrać ze sobą, był sierżant Buck Riley junior, kryptonim „Book II". Ten cichy mężczyzna o refleksyjnej naturze i sile ducha nietypowej dla dwudziestopięciolatka był wspaniałym żołnierzem. Schofield, który doskonale pamiętał jego ojca, „Booka" Rileya — o takim samym szerokim czole i poobijanym płaskim nosie — uważał, że syn coraz bardziej się do niego upodabnia.

Wcisnął klawisz radia satelitarnego i zaczął mówić. Przytykający do jego szyi laryngofon VibraMike wychwytywał drgania krtani, przetwarzając je na impulsy elektryczne.

— Baza, tu Mustang Trzy — powiedział. — Poproszę o raport sytuacyjny.

W słuchawce tkwiącej w jego uchu rozległ się głos radio-operatora sił powietrznych z bazy sił powietrznych McColl na Alasce — centrum komunikacyjnego misji.

— *Mustang Trzy, tu Baza. Mustang Jeden i Mustang Dwa starli się z przeciwnikiem. Raportują, że przechwycili rakiety i spowodowali ciężkie straty wroga. Mustang Jeden utrzymuje silosy i czeka na wsparcie. Mustang Dwa informuje, że kilkunastu agentów wroga walczy w głównym budynku technicznym.*

— W porządku — odparł Schofield. — Co z dalszym wsparciem?

— *W drodze jest cała Osiemdziesiąta Druga Kompania Powietrzna, Strachu na Wróble. Stu ludzi, mniej więcej godzinę za tobą.*

— Doskonale.

— Co jest, Strachu na Wróble? — spytał siedzący w pojeździe bojowym Book II.

— Zaraz wyskakujemy — oświadczył Schofield.

Pięć minut później z wnętrza niewidzialnego bombowca wypadł towarowy kontener i zaczął mknąć ku ziemi jak wolno puszczony kamień.

W kontenerze — a właściwie w znajdującym się w środku pojeździe — siedziała ósemka marines pod dowództwem Schofielda, podrygując i dygocząc podczas spadania.

Schofield obserwował szybko zmieniające się liczby na zamontowanym na ścianie wysokościomierzu.

50 000 stóp...

45 000 stóp...

40 000... 30 000... 20 000... 10 000...

— Przygotować się do otwarcia spadochronów na pięciu tysiącach stóp — powiedział kapral Max „Clark" Kent, odpowiedzialny za kontrolę opadania i lądowanie. — Według systemu GPS idziemy dokładnie na cel. Kamery zewnętrzne potwierdzają, że SL jest wolna.

Schofield bez przerwy obserwował cyferki wysokościomierza.

8000 stóp...

7000 stóp...

6000 stóp...

Jeżeli wszystko pójdzie zgodnie z planem, wylądują mniej więcej 15 mil na wschód od Kraska-8 — tuż za linią widzianego z kompleksu horyzontu, niewidoczni dla znajdujących się w środku bazy obserwatorów.

— Uruchamiam spadochrony... teraz! — zawołał Clark.

Siła szarpnięcia gwałtownie zabujała kontenerem. Schofield i jego ludzie podskoczyli w fotelach, zostali jednak przytrzymani przez sześciopunktowe pasy i rury przeciwkapotażowe.

Po chwili płynęli powoli w powietrzu, niesieni na trzech spadochronach ślizgowych.

— Jak wygląda sytuacja, Clark? — spytał Schofield.

Clark sterował lotem za pomocą dżojstika, wykorzystując obraz, podawany przez zainstalowane na zewnątrz kamery.

— Dziesięć sekund. Celuję w polną drogę pośrodku doliny. Przygotować się do lądowania za trzy... dwie... jedną...

Kontener załomotał o twardy grunt, jego przednia ściana odskoczyła i do wnętrza wpadło dzienne światło. Napędzany na cztery koła lekki pojazd szturmowy Scout ruszył z miejsca i po chwili wyprysnął w szary syberyjski dzień.

Pojazd mknął błotnistą polną drogą, osłanianą po obu stronach przez pokryte śniegiem wzgórza. Ze zboczy sterczały upiornie szare szkielety drzew, przez dywan śniegu przebijały czarne głazy.

Okolica była surowa i groźna. I bardzo zimna.

Witamy na Syberii.

Schofield siedział z tyłu scouta.

— Mustang Jeden, tu Mustang Trzy, słyszysz mnie? — zapytał.

Nie otrzymał odpowiedzi.

— Powtarzam: Mustang Jeden, tu Mustang Trzy. Słyszysz mnie?

I tym razem nic się nie wydarzyło.

To samo pytanie zadał drugiemu oddziałowi Delty Mustangowi Dwa. Ale od niego także nie uzyskał odpowiedzi.

Wcisnął klawisz częstotliwości satelitarnej i nadał komunikat na Alaskę.

— Baza, tu Trójka. Nie mogę złapać ani Mustanga Jeden, ani Mustanga Dwa. Masz z nimi kontakt?

Głos z Alaski odpowiedział:

— *Rozmawiałem z nimi przed chwilą i...*

Słowa zamieniły się w głośny szum.

— Co się dzieje, Clark? — zapytał Schofield.

— Przepraszam, szefie, ale sygnał zanikł — odparł Clark, siedzący przy konsolecie radiowej scouta. — Straciliśmy ich. Cholera, myślałem, że te nowe odbiorniki satelitarne są niezawodne!

Schofield zmarszczył czoło.

— Coś zagłusza sygnały?

— Nie. Jesteśmy na otwartej przestrzeni. Nic nie powinno zakłócać sygnału. Coś musi być nie tak u nich.

— Coś nie tak u nich... — Schofield przygryzł wargę. — To brzmi jak cytat z kolekcji sławnych ostatnich słów.

— Sir — wtrącił się kierowca, siwy weteran, sierżant „Byk" Simcox — w ciągu trzydziestu sekund powinniśmy wejść w zasięg widoczności.

Schofield spojrzał nad jego ramieniem do przodu.

Pod opancerzoną maską scouta przemykało ciemne błoto drogi — zbliżali się do szczytu wzgórza.

Za nim leżał Krask-8.

W tym samym momencie młody radiooperator, siedzący w wyposażonej w sprzęt najnowszej generacji centrali komunikacyjnej bazy sił powietrznych McColl na Alasce, który utrzymywał kontakt z Schofieldem, rozglądał się ze zdziwieniem dookoła. Nazywał się James Bradsen.

Kilka sekund temu, bez jakiegokolwiek ostrzeżenia, nastąpiła całkowita przerwa zasilania.

Do pomieszczenia wszedł szybkim krokiem dowódca bazy.

— Sir... — zaczął Bradsen. — Właśnie...

— Wiem, synu — odparł dowódca. — Wiem.

Bradsen ujrzał stojącego za dowódcą mężczyznę.

Nigdy przedtem go nie widział. Obcy był wysoki i mocno zbudowany, miał marchewkowe włosy i paskudną, szczurzą gębę, ubrany był w tandetny garnitur, a jego czarne oczy w ogóle nie mrugały. Omiótł całe pomieszczenie chłodnym, beznamiętnym spojrzeniem.

— Wybacz, Bradsen — powiedział dowódca bazy. — Odebrano ci tę misję. To sprawa wywiadowcza.

Pojazd szturmowy wjechał na szczyt wzgórza.

Schofield głęboko wciągnął powietrze.

Przed nimi leżał Krask-8.

Kompleks stał pośrodku rozległej równiny i składał się

z grupy pokrytych śniegiem budynków: hangarów, szop, gigantycznego magazynu i piętnastopiętrowego biurowca ze szkła i betonu. Wyglądał jak miniaturowe miasto.

Teren otaczał dwudziestostopowej wysokości płot z drutu kolczastego, a w oddali — w odległości dwóch, może trzech mil — widać było wybrzeże i wzburzone fale Oceanu Arktycznego.

Czas po zakończeniu zimnej wojny nie posłużył dobrze kompleksowi.

Minimiasto było opustoszałe.

Uliczki pokrywał śnieg. Po prawej — pod ścianami gigantycznego magazynu, konstrukcji o podstawie wielkości boiska piłkarskiego — leżały sterty zdezelowanego sprzętu. Z lewej strony stał biurowiec, połączony z magazynem napowietrznym mostkiem. Z jego płaskiego dachu zwisały potężne, zdające się pełznąć ku dołowi lodowe szpony — znieruchomiałe, zaprzeczające istnieniu siły ciążenia.

Zimno zrobiło swoje. Szyba niemal każdego okna skurczyła się i albo wypadła z ram, albo — mocno spękana — ledwo się w nich trzymała. Kłujący syberyjski wiatr przewiewał każdy budynek na wylot.

Było to miasto duchów.

Gdzieś pod tym wszystkim stało szesnaście rakiet z głowicami atomowymi.

Scout z rykiem przemknął przez już wcześniej wysadzoną bramę — z prędkością 40 mil na godzinę — i ruszył w dół spadzistej uliczki, kierując się na główny budynek. Jeden z ludzi Schofielda siedział w wieżyczce zamontowanego z tyłu smukłego pojazdu karabinu maszynowego kalibru 7,62 mm.

Kapitan stał za Clarkiem i obserwował ekran monitora komputera, obsługiwanego przez młodego kaprala.

— Sprawdź ich lokalizatory — polecił. — Musimy wiedzieć, gdzie są chłopcy z D.

Clark postukał w klawisze, wprowadzając na ekran kilka map Kraska-8.

Jedna z map ukazywała kompleks z boku:

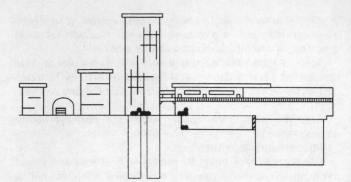

Widać było na niej dwie grupy migających czerwonych kropek: jedna znajdowała się na parterze biurowca, druga wewnątrz gigantycznego magazynu.

Dwa oddziały Delty.

Coś było jednak nie tak z obrazem.

Żaden z migających punktów nie poruszał się.

Wszystkie były nieruchome. Dziwne...

Schofield poczuł na karku lodowaty podmuch.

— Byk... — powiedział cicho. — Weź Bata, Tommy'ego i Hastingsa. Sprawdź wieżowiec. Ja wezmę Booka, Clarka oraz Koguta i zabezpieczę budynek techniczny.

— Zrozumiałem, Strachu na Wróble.

Scout mknął dalej opustoszałą uliczką. Przejeżdżał pod betonowymi wiaduktami, rozpryskiwał leżący wszędzie śnieg.

Po chwili zahamował przed ogromnym magazynem, zarzucając na boki. Zatrzymał się przy drzwiach dla personelu.

Opancerzony tył pojazdu otworzył się gwałtownie i na zewnątrz wyskoczyli Schofield oraz trzech marines w śniegowych kombinezonach, którzy natychmiast podbiegli do drzwi.

Ledwie wysiedli, scout odjechał w kierunku stykającego się z magazynem biurowca.

Schofield najpierw wsunął do środka broń.

Miał pistolet maszynowy MP-7 firmy Heckler & Koch,

następcę starego MP-5, z krótką lufą i mimo kompaktowej budowy, bardzo dużą siłą ognia. Poza MP-7 Schofield miał też samopowtarzalny pistolet Desert Eagle, nóż komandoski K-Bar, a w kaburze na plecach strzelbę Armalite MH-12 Maghook — miotacz linki zakończonej magnetyczną głowicą, z której można wysuwać hak.

Poza standardowym uzbrojeniem Schofield zabrał na tę akcję sześć termitowo-amatolowych granatów burzących. Każdy z nich miał siłę eksplozji wystarczającą do zmiecenia z powierzchni ziemi sporego budynku.

Grupa Schofielda pobiegła krótkim korytarzykiem, z którego wchodziło się do leżących po obu stronach biur. Doszli do drzwi na końcu.

Zatrzymali się.

Zaczęli nasłuchiwać.

Cisza.

Schofield ostrożnie pchnął drzwi i ujrzał kawałeczek otwartej przestrzeni — ogromnej otwartej przestrzeni...

Pchnął drzwi dalej.

— Jezu...

Magazyn, w którym wedle jego informacji wykonywano prace remontowe, wyglądał jak wielka zatoka załadunkowa, a przez spękany szklany dach widać było syberyjskie niebo.

Tyle że wcale nie była to zatoka załadunkowa.

Ani magazyn kolonii karnej.

Mniej więcej trzy czwarte powierzchni zajmował gigantyczny prostokątny dół.

Po tej jego stronie, gdzie stał Schofield ze swoimi ludźmi, ponad podłogę wznosił się wsparty na betonowych blokach okręt podwodny o długości około 600 stóp.

Wyglądał niesamowicie.

Tkwił niczym gigant na tronie, otoczony pomostami i galeryjkami, przeznaczonymi dla ludzi o mikroskopijnych w stosunku do niego rozmiarach.

Wszystko pokrywała skorupa lodu i śniegu.

Nad kadłubem okrętu krzyżowały się dźwigi i napowietrzne przejścia, wąskie poziome pomosty łączyły go z betonową podłogą hangaru. Pojedynczy napowietrzny pomost łączył wysoki na trzy piętra kiosk okrętu z górnym poziomem umieszczonych na ścianie hangaru balkonów.

Schofield zamrugał, próbując przyzwyczaić umysł do niesamowitego widoku, i gorączkowo zaczął analizować zastaną sytuację.

Znał ten typ okrętu.

Typhoon.

Okręty klasy Typhoon były klejnotami w koronie sowieckiego oceanicznego arsenału nuklearnego. Choć zbudowano jedynie sześć sztuk, te długonose jednostki, przewożące na swoich pokładach rakiety balistyczne, stały się sławne dzięki powieściom i hollywoodzkim filmom. Ale mimo iż wyglądały imponująco, były straszliwie zawodne — wymagały nieustannych napraw i prac konserwacyjnych. Do dziś jednak pozostają największymi jednostkami podwodnymi, jakie zbudował człowiek.

Gdy opuszczano Krask-8, musiano akurat pracować nad przednimi wyrzutniami torped tego egzemplarza, bo kadłub wokół nich był rozpruty, rozebrany płyta po płycie.

Ale w jaki sposób okręt podwodny klasy Typhoon znalazł się wewnątrz hangaru naprawczego, dwie mile od wybrzeża Oceanu Arktycznego?

Aby uzyskać odpowiedź na to pytanie, wystarczyło spojrzeć na wnętrze fałszywego biurowca.

Za ogromnym suchym dokiem znajdowała się potężna przegroda ze stalowych płyt, oddzielająca go od reszty dołu w podłodze.

Za przegrodą była woda.

Wielka prostokątna przestrzeń częściowo zamarzniętej, przykrytej dachem wody, oddzielonej od suchego doku zaporą ze stalowych płyt.

Schofield doszedł do wniosku, że za zbiornikiem wody musi znajdować się system podziemnych jaskiń, dochodzących do brzegu. Pozwalało to wpływać okrętom podwodnym do doku w celu dokonania napraw — w ukryciu przed amerykańskimi satelitami szpiegowskimi.

Sprawa była oczywista.

Krask-8 — zbudowany trzy kilometry od arktycznego brzegu,

określany na mapach jako ośrodek pracy przymusowej — był supertajnym sowieckim ośrodkiem naprawczym okrętów podwodnych.

Schofield nie miał jednak czasu na dalsze rozważania, bo w tym momencie ujrzał ciała.

Leżały na skraju suchego doku: cztery martwe postacie, ubrane w kombinezony śniegowe armii amerykańskiej, wyposażone w amerykańskie opancerzenie osobiste i...

...podziurawione jak sita.

Wszystko pokrywała krew. Pochlapała twarze, porozpryskiwała się na klatkach piersiowych, rozlała po podłodze.

— Jasna cholera... — wymamrotał Clark.

— Jezu, człowieku, to przecież chłopcy z D... — jęknął kapral Ricky „Kogut" Murphy. Tak jak kapitan — być może po to, aby go naśladować — nosił okulary ze srebrnymi szkłami antyrefleksyjnymi.

Schofield milczał.

Mundury na zwłokach były nie do końca regulaminowe. Dwaj żołnierze nie mieli opancerzenia na prawym barku, dwaj obcięli rękawy swoich śniegowych kombinezonów na wysokości łokci.

Dostosowywanie mundurów do indywidualnych potrzeb było charakterystyczną cechą chłopców z D. — komandosów Delty.

Na dole, trzydzieści stóp poniżej jego górnej krawędzi, leżały jeszcze dwa trupy. Także poszatkowane jak sito.

Wokół leżały setki łusek — pozostałość po ogniu komandosów Delty. Ze sposobu ich ułożenia Schofield bez trudu wywnioskował, że ginąc, strzelali niemal w każdym kierunku...

— Ilu w sumie?

— Tylko tych czterech tutaj. Ale Oddział Niebieski zgłasza jeszcze czterech w biurowcu.

— Który z nich to Schofield?
— Ten w lustrzanych okularach.
— Snajperzy, przygotować się! Na mój znak!

Jedno z ciał zwróciło uwagę Schofielda.
Zamarł.
Z początku tego nie dostrzegł, ponieważ górna część ciała zwisała poza krawędź dołu — teraz jednak widział wyraźnie.
Temu człowiekowi odcięto głowę.
Schofield skrzywił się.
Nie wyglądało to zbyt pięknie.
Z pozbawionego głowy karku zwisały poszarpane strzępki ciała, widoczny był rozerwany przełyk i tchawica.
— Matko Boska... — jęknął Book II, który podszedł do Schofielda. — Co tu się, do diabła, działo?

Niemal dwadzieścia par oczu obserwowało cztery maleńkie postacie — Schofielda i jego ludzi — analizujące scenerię na skraju doku.
Obserwatorzy byli rozrzuceni po całym hangarze — w strategicznie dobranych punktach. Choć wszyscy mieli na sobie identyczne kombinezony kamuflujące, ich uzbrojenie bardzo się różniło.
Przyglądali się marines w napiętym milczeniu, czekając, aż dowódca wyda rozkaz likwidacji przeciwnika.

Schofield ukląkł obok bezgłowych zwłok i obejrzał je dokładnie.
Chłopcy z D. nie noszą blaszek identyfikacyjnych ani pagonów, nie potrzebował jednak nic takiego, aby domyślić się, czyje zwłoki ma przed sobą. Mógł to stwierdzić po wyglądzie ciała.
Był to Dean McCabe — jeden z dowódców Delty.
Kapitan rozejrzał się. Nigdzie nie było głowy. Zmarszczył czoło. Zabitemu nie tylko odcięto głowę, ale na dodatek ją zabrano...

— *Strachu na Wróble!* — buchnął w jego słuchawkach głos jednego z marines. — *Tu Byk. Jesteśmy w biurowcu. Nie uwierzysz!*

— Sprawdź.

— *Wszyscy nie żyją. Farrellowi... obcięli głowę...*

Wzdłuż kręgosłupa Schofielda przebiegł lodowaty prąd.

Przez głowę przemykały mu setki myśli. Rozejrzał się — spękane szyby i pokryte warstewką lodu ściany rozmazywały mu się przed oczami.

Krask-8. Opuszczony i odcięty od świata ośrodek...

Ani śladu czeczeńskich terrorystów...

Stracili kontakt radiowy z Alaską...

Wszyscy chłopcy z D. zginęli... trupy McCabe'a i Farrella nie miały głów...

W tym momencie w głowie Schofielda wszystko się ułożyło.

— Byk, natychmiast do mnie! — krzyknął. — Zostaliśmy wystawieni! Weszliśmy w pułapkę!

Ledwie skończył mówić, zauważył niewielki wzgórek śniegu w rogu potężnego hangaru i w jego polu widzenia zmaterializował się kształt za wzgórkiem — człowiek w białym kombinezonie ochronnym, celujący mu prosto w głowę z karabinka szturmowego Colt Commando.

Cholera!

Dwudziestu rozrzuconych po hangarze zabójców otworzyło ogień do Schofielda i jego ludzi. Hangar z suchym dokiem stał się polem bitwy.

Schofield odruchowo pochylił się i dwa pociski śmignęły tuż nad jego głową.

Book II i Clark zrobili to samo, nurkując między ciała komandosów z Delty, by uchronić się przed deszczem pocisków, który zabębnił o betonową podłogę.

Czwartemu z komandosów, Kogutowi, nie udało się to jednak. Może powodem tego były lustrzane okulary na jego nosie — które miały sprawić, by wyglądał jak Schofield — a może jedynie zabrakło mu szczęścia. Grad pocisków uderzył w jego ciało z takim impetem, że choć martwy, jeszcze długo podrygiwał, jakby tańczył.

— Do dołu! Tempo! — wrzasnął Schofield, spychając Clarka i Booka II z linii ognia. Cała trójka stoczyła się z krawędzi suchego doku, o którą w tym samym momencie załomotało tysiąc pocisków.

Uzbrojony po zęby dowódca otaczającego ich oddziału uważnie obserwował przebieg wydarzeń.

Nazywał się Wexley — Cedric K. Wexley — i w swoim poprzednim życiu był majorem w elitarnym oddziale zwiadu Republiki Południowej Afryki.

A więc to jest ten sławny Strach na Wróble, myślał Wexley, patrząc na Schofielda. Człowiek, który w Utah pokonał Gunthera Bothę. Cóż... przynajmniej ma dobre odruchy...

Wexley był kiedyś jasno świecącą gwiazdą Reccondos — głównie dlatego, że był oddanym zwolennikiem apartheidu.

33

Jakimś sposobem przetrwał transformację demokratyczną, jego rasistowskie poglądy pozostały niezauważone. Potem w obozie wojskowym zabił czarnego żołnierza — zatłukł go na śmierć podczas ćwiczeń walki wręcz. Nie zdarzyło się to po raz pierwszy, tyle że teraz zostało zauważone.

Gdy tacy żołnierze jak Cedric Wexley — psychopaci, socjopaci i zwykłe zbiry — są wyrzucani z oficjalnych sił zbrojnych, zazwyczaj trafiają do nielegalnych formacji.

W taki właśnie sposób Wexley został dowódcą stacjonującej w Krasku-8 jednostki — oddziału specjalnego jednej z „najwybitniejszych" organizacji najemników na świecie, z siedzibą w Afryce Południowej, zwanej Executive Solutions* albo w skrócie: ExSol.

Choć ExSol specjalizuje się w „misjach zabezpieczających" w krajach Trzeciego Świata — na przykład we wspieraniu dyktatorów w zamian za udziały w zyskach z kopalni diamentów — kiedy pojawia się okazja i pozwalają na to inne zadania, angażuje się w znacznie bardziej lukratywny biznes polowania na ludzi, którzy z jakichś względów są niewygodni dla rządów niektórych państw.

Przy niemal 19 milionach dolarów za głowę obecne polowanie było najlepiej opłacane w całej historii tego procederu, a dzięki przyjacielowi z Rady ExSol dostało duże fory w ściganiu trzech osób wymienionych na liście.

Radiooperator Wexleya podszedł do niego.

— Sir, Oddział Niebieski przekazuje, że poza jednym wszyscy marines w biurowcu zostali wyeliminowani.

Wexley skinął głową.

— Powiedz im, żeby dokończyli sprawę i wrócili do suchego doku przez most.

— Jest jeszcze coś...

— Tak?

— Neidricht raportuje z dachu, że przejął na radarze zewnętrznym dwa sygnały... — Radiooperator zamilkł na chwilę, po czym dodał:. — Jest przekonany, że to Węgier i Czarny Rycerz.

— Jak daleko są od nas?

---

* Executive Solutions — rozwiązania wykonawcze.

— Węgier mniej więcej piętnaście minut. Rycerz dalej, może dwadzieścia pięć.

Łowcy nagród, pomyślał Wexley. Pieprzeni łowcy nagród... Nienawidził misji, których celem było ściganie ludzi dla nagrody, ponieważ nienawidził łowców nagród. Jeżeli sami nie dotarli wcześniej do celu, zmuszali człowieka do wykonania brudnej roboty, a potem siedzieli mu na karku aż do miejsca, w którym następowała weryfikacja, kradnąc mu po drodze „dowód" wykonania zadania i żądając pieniędzy dla siebie.

W konfrontacji militarnej zwycięża ten, kto jako ostatni pozostaje na nogach. W polowaniu na nagrody jest inaczej — zwycięzcą jest ten, kto przedstawi dowód wykonania zadania w „bazie" — niezależnie od tego, czy rzeczywiście sam je wykonał, czy tylko przejął dowód.

Wexley jęknął.

— Z Węgrem sobie poradzę, to prostak, ale Czarny Rycerz pewnie okaże się problemem... — Dowódca ExSol popatrzył na dół w podłodze hangaru. — A to oznacza, że powinniśmy się pospieszyć. Załatwcie tego jebanego Schofielda i przynieście mi jego głowę.

Schofield, Book II i Clark spadali w dół tuż przy ścianie suchego doku.

Przelecieli trzydzieści stóp, po czym z tępym łoskotem wylądowali na ciałach dwóch komandosów oddziału Delty.

— Szybciej! Ruszać się! Tempo! — Schofield wciągnął obu swoich ludzi pod wielki czarny kadłub ustawionego na olbrzymich blokach okrętu podwodnego.

Każdy blok miał rozmiary małego samochodu i był wykonany z betonu. Okręt wspierały cztery szeregi takich bloków, tworząc pod kadłubem typhoona plątaninę wąskich, przecinających się pod kątami prostymi alejek.

Biegnąc zygzakiem ciemnym labiryntem, Schofield równocześnie mówił do laryngofonu:

— Byk! Byk Simcox! Słyszysz mnie?!

Odpowiedział mu głos wyraźnie zdesperowanego Byka:

— *Strachu na Wróble, cholera! Jesteśmy pod ciężkim ostrza-*

łem! Wszyscy wyeliminowani, a ja... jestem ciężko ranny. Nie mogę... o kurwa! — nie!!!

Rozległ się głośny terkot broni maszynowej i sygnał zamarł.

— Cholera! — zaklął Schofield.

Nagle za jego plecami rozległy się ciche tąpnięcia.

Odwrócił się błyskawicznie z przygotowanym do strzału MP-7 i przez las betonowych bloków dojrzał pierwszą grupę napastników, zjeżdżającą do suchego doku na linach.

Z Bookiem II i Clarkiem za plecami kluczył mrocznymi alejkami pod okrętem podwodnym, starając się znaleźć osłonę przed ogniem.

Prześladowcy weszli do labiryntu — było ich może dziesięciu — i parli do przodu, posyłając w kolejne alejki długie serie i zaganiając Schofielda wraz z jego ludźmi w głąb suchego doku.

Schofield analizował taktykę wroga, przyglądał się broni przeciwników. Taktykę mieli standardową: wykonywali manewry służące przepychaniu przeciwnika, ale ich broń...

Broń.

— Co to za ludzie? — spytał Book II.

— Myślę, że... ale chyba ci się to niezbyt spodoba.

— Sprawdź mnie.

— Popatrz na ich broń.

Book II uważnie przyjrzał się ścigającym ich ludziom. Zamaskowani na biało napastnicy mieli MP-5, francuskie karabinki szturmowe FAMAS i amerykańskie Colt Commando. Niektórzy mieli także stare AK-47 oraz chińską wersję AK-47 typ 56.

— Widzisz, jak są uzbrojeni? — spytał Schofield. — Każdy ma co innego.

— Cholera jasna! Najemnicy!

— Właśnie.

— Ale dlaczego nas zaatakowali?

— Nie mam pojęcia — przyznał Schofield.

— Co robimy? — spytał Clark.

— Cały czas się nad tym zastanawiam — odparł Schofield, przyglądając się stalowemu kadłubowi w górze i starając się znaleźć drogę ucieczki.

Przyciskając plecy do betonowego bloku, wyjrzał zza węgła — widział stąd całą długość suchego doku. Ujrzał w głębi stalową ścianę, oddzielającą suchy dok od basenu z pokrytą lodem wodą.

Bez trudu przypomniał sobie mechanizm działania suchego doku.

Aby wpłynąć okrętem do środka, należy opuścić stalową ścianę i zalać suchy dok. Następnie — po wprowadzeniu okrętu — trzeba podnieść zaporę i wypompować wodę, by kadłub osiadł na betonowych blokach.

Zamykająca suchy dok stalowa ściana...

Schofield uważnie jej się przyjrzał, oszacował ilość znajdującej się za nią wody. Potem popatrzył w przeciwnym kierunku, ku dziobowi okrętu.

To była ich jedyna szansa.

Odwrócił się do swoich ludzi.

— Macie przy sobie maghooki? — zapytał.

— Eee... tak.

— Tak.

— Przygotujcie je do użycia — powiedział Schofield i jeszcze raz popatrzył na wysoką na trzy piętra i szeroką na dziewięćdziesiąt stóp stalową zaporę. Wyjął swojego maghooka z kabury na plecach.

— Idziemy tędy? — spytał Clark.

— Nie. Pójdziemy w przeciwnym kierunku, ale najpierw musimy wysadzić tę ścianę.

— Wysadzić... ścianę? — jęknął Clark i popatrzył na Booka II.

Book II wzruszył ramionami.

— To żaden problem. Ten granat niszczy różne rzeczy...

Nie dokończył, bo wokół nich o beton załomotały pociski. Strzelano od strony stalowej ściany.

Schofield kucnął za betonowym blokiem, wyjrzał zza niego i zobaczył, że do doku zjechali kolejni najemnicy.

Jezu, zostaliśmy uwięzieni między dwiema grupami wroga, pomyślał.

Najemnicy zaczęli posuwać się do przodu.

— Pieprzyć to — mruknął Schofield.

Cedric Wexley obserwował z góry wydarzenia na dnie suchego doku.

Widział dwa oddziały swoich ludzi, zbliżające się z dwóch stron do Schofielda i jego żołnierzy.

Na jego twarzy pojawił się krzywy uśmieszek.

To było zbyt łatwe.

Schofield wyjął z kombinezonu dwa granaty termitowo-
-amatolowe.

— Panowie, przygotujcie swoje maghooki.

Wyjęli strzelby.

— Teraz zróbcie to co ja. — Podszedł do lewej burty typhoona, uniósł maghooka i strzelił z bliskiej odległości w kadłub.

Clark i Book II zrobili to samo.

Schofield popatrzył pod spodem okrętu, wzdłuż kadłuba.

— Kiedy uderzy fala, zacznijcie rozwijać linki, żebyśmy mogli przesuwać się wzdłuż kadłuba.

— Fala? — zdziwił się Clark. — Jaka fala?

Schofield nie odpowiedział.

Wziął do rąk granaty i nastawił czas opóźnienia zapalnika.

Na granacie termitowo-amatolowym są trzy przyciski: czerwony, zielony i niebieski. Wciśnięcie czerwonego daje pięć sekund opóźnienia, zielonego trzydzieści sekund, a niebieskiego minutę.

Schofield wybrał czerwony.

Rzucił oba granaty w głąb suchego doku, tuż nad głowami zbliżających się najemników. Pomknęły w kierunku stalowej ściany niczym mocno uderzone tenisowe piłki.

Pięć sekund. Cztery...

— To będzie boleć... — mruknął Book II, owijając linkę maghooka wokół przedramienia. Clark zrobił to samo.

Trzy... dwie...

— Sekunda... — szepnął Schofield, obserwując ścianę. —
Teraz!

Podwójna eksplozja wstrząsnęła budynkiem.

Dzielącą baseny stalową przegrodę rozjaśnił oślepiający biały błysk. Z miejsca wybuchu wystrzelił poziomy słup dymu, natychmiast wypełniając alejki między potężnymi betonowymi blokami, po czym rycząc, pomknął dalej, otoczył znajdującą się bliżej przegrody grupę zabójców i spowił wszystko ciemnością — także Schofielda i jego ludzi.

Przez chwilę panowała upiorna cisza.

Potem rozległ się trzask — potężne, rozrywające uszy TRRRZZZ!!! Stalowa zapora pękała pod naporem znajdującej się za nią wody i po chwili 100 milionów litrów wody wystrzeliło prosto w kłęby dymu.

Ściana wody.

Potężna masa wody z rykiem pędziła wzdłuż suchego doku pieniąc się, kipiąc i burząc.

Wszyscy najemnicy przy przegrodzie zostali przewróceni przez wodną górę i pomknęli z nurtem na zachód.

Schofield, Book II i Clark byli następni.

Ściana wody zabrała ich z miejsca, w którym się zatrzymali — w jednej sekundzie stali tam, a w następnej już ich nie było. W mgnieniu oka zostali uniesieni ponad dno doku i rzuceni jak szmaciane lalki w kierunku dziobu typhoona i teraz podskakiwali przy potężnym kadłubie jak spławiki.

Po chwili woda zaatakowała drugą grupę najemników i pchnęła ich na betonową ścianę sześćsetstopowego doku, a kiedy fala czołowa uderzyła o skraj dołu, część z nich natychmiast zginęła.

Schofield i jego ludzie nie dotarli do ściany suchego doku. Unoszeni przez ryczącą falę, mocniej chwycili maghooki, których linki rozwijały się z ogromną prędkością.

Kiedy znaleźli się na wysokości dziobu okrętu podwodnego, Schofield wrzasnął:

— Blokada!

Wcisnął klawisz na uchwycie swojego maghooka, blokując dalsze rozwijanie się linki.

Book II i Clark zrobili to samo — i cała trójka z potężnym szarpnięciem zatrzymała się w miejscu, tuż przy dziobie typhoona. Pędząca woda wznosiła wokół nich fontanny.

Na wyciągnięcie ręki mieli zionący czernią otwór zniszczonych lewych przednich wyrzutni torped — naprawianych w chwili, gdy załoga otrzymała rozkaz opuszczenia Kraska-8.

Wyrzutnie znajdowały się kilkanaście cali nad poziomem wody.

— Do wyrzutni! — wrzasnął Schofield. — Do okrętu!

Book i Clark natychmiast wykonali rozkaz i choć musieli walczyć z szalejącą wodą, błyskawicznie wślizgnęli się do potężnego kadłuba.

Schofield wsunął się do wyrzutni jako ostatni. Byli we wnętrzu sowieckiego okrętu podwodnego, przeznaczonego do transportu rakiet balistycznych.

Natychmiast zrobiło się cicho.

Znajdowali się w świecie zimnej stali. Środek przedziału bojowego zajmowały półki, na których kiedyś leżały torpedy. Wzdłuż sufitu biegły szeregi rur. Powietrze było przesycone smrodem ludzkich ciał — był to typowy dla okrętów podwodnych odór strachu.

Do ciasnego pomieszczenia wlewały się — przez niezamknięte wyrzutnie — dwa wodospady morskiej wody, szybko wypełniając ciasną przestrzeń.

Było dość ciemno. Jedyne światło — szarawe światło syberyjskiego dnia — wpadało przez zalewane wodą otwory w kadłubie. Komandosi zapalili zamocowane na korpusach maghooków latarki.

— Tędy — powiedział Schofield i ruszył ku wyjściu z przedziału bojowego. Jego stopy przy każdym kroku zagłębiały się w kilkucalowej warstwie wody.

Następnym pomieszczeniem był przedział silosów: długa, wysoka komora z dwudziestoma gigantycznymi wyrzutniami rakiet — potężnymi pionowymi rurami, sięgającymi od podłogi do sufitu. Wyglądali przy nich jak karły.

Kiedy je mijali, Schofield zauważył, że włazy dostępowe części z nich są otwarte, a w środku nic nie ma. Ale włazy ostatnich sześciu silosów były zamknięte, a więc znajdowały się w nich rakiety.

— Dokąd teraz? — spytał Book II.

— Centrala dowodzenia! Potrzebuję informacji o tych skurwielach! — odkrzyknął Schofield.

Wskoczył na najbliższą drabinkę i pomknął w górę.

Trzydzieści sekund później Shane Schofield wszedł do centrali dowodzenia typhoona.

Wszędzie leżał kurz. W kątach kwitła pleśń. Jedynie błyski latarek na ich maghookach zdradzały, że pod warstwą pyłu znajdują się błyszczące metalowe powierzchnie.

Schofield podbiegł do pulpitu z peryskopem. Szarpnął go w górę i odwrócił się do Booka.

— Sprawdź, czy jest gdzieś trochę mocy. Okręt powinien być podłączony do geotermicznego źródła bazy. Może została jakaś resztka prądu. Uruchom ESM i anteny radiowe.

— Robi się.

Po chwili peryskop był już wyciągnięty na całą wysokość i Schofield przytknął oko do okularu. Na szczęście było to urządzenie optyczne, działało więc bez zasilania z zewnątrz.

Schofield widział wnętrze hangaru — zalewającą suchy dok wirującą wodę i stojących na jego krawędzi najemników, obserwujących, co się dzieje w dole.

Po przekręceniu peryskopu popatrzył wyżej, na umieszczone nad suchym dokiem balkony.

Byli tam kolejni najemnicy — jeden z nich wściekle gestykulował, posyłając ludzi na pomost, łączący jeden z balkonów z kioskiem typhoona.

— Widzę cię... — mruknął Schofield pod nosem. — Book? Co z prądem?

— Jeszcze sekundę, trochę zapomniałem rosyjski... już się... Nacisnął kilka przełączników i nagle zamigotało kilka zielonych światełek.

— Spróbuj teraz — powiedział Book.

Schofield szybkim ruchem chwycił zakurzone słuchawki i włączył antenę Elektronicznych Działań Wspomagających — ESM. Jest to urządzenie montowane na większości współczesnych okrętów podwodnych i służy do przeszukiwania różnych częstotliwości radiowych.

W słuchawkach natychmiast rozległy się wrzeszczące głosy:

— *...pieprzony drań wywalił tę kurewską przegrodę!*

— *...weszli do środka przez wyrzutnie. Są w środku!*

W kakofonię wrzasków włączył się spokojniejszy głos. Patrząc przez peryskop, Schofield stwierdził, że należy do osobnika z balkonu — najwyraźniej dowódcy.

— *Oddział Zielony — szturm na okręt przez kiosk. Oddział Niebieski — znaleźć inny pomost i wykorzystać go. Podzielić się na dwie grupy po dwóch i wejść do okrętu przez przednie i tylne włazy ewakuacyjne...*

Schofield uważnie wsłuchiwał się w ten głos.

Ostry akcent. Południowoafrykański. Opanowany i spokojny głos.

Nie wróżyło to zbyt dobrze.

Dowódca, który widzi, jak kilkunastu jego ludzi spłukuje potężna fala, zazwyczaj jest nieco poruszony, ten człowiek jednak zachowywał całkowity spokój.

— *...sir, tu radar. Pierwszy zbliżający się kontakt powietrzny został zidentyfikowany jako myśliwiec szturmowy Jak-sto czterdzieści jeden. To Węgier...*

— *Szacowany czas przylotu?*

— *Jeśli utrzyma obecną prędkość, pięć minut, sir.*

Dowódca zdawał się analizować tę wiadomość. Po paru sekundach powiedział:

— *Kapitanie Micheleux, proszę przysłać mi wszystkich pozostałych ludzi. Muszę to zakończyć, zanim zjawią się konkurenci.*

— *Oczywiście, sir* — odparł głos z francuskim akcentem.

Umysł Schofielda wszedł na najwyższe obroty.

Zamierzali podjąć szturm na typhoona przez właz na szczycie kiosku oraz przez przednie i tylne włazy ewakuacyjne.

W drodze było ich wsparcie... tylko skąd i kiedy miało przybyć?

Spokojnie, skarcił sam siebie. Jeszcze raz! Myśl!

Twój wróg?

Grupa najemników.

Po co tu przybyli?

Nie wiadomo. Jedyną wskazówką były brakujące głowy. Głowy McCabe'a i Farrella...

Co jeszcze?

Południowoafrykańczyk wspomniał o „konkurentach", którzy się zbliżają. Dziwne określenie: „konkurenci"...

Jakie masz możliwości?

Niewielkie. Nie mamy kontaktu z bazą, żadnych bezpośrednich dróg ucieczki, przynajmniej nie do chwili przybycia 82. powietrznej, a to co najmniej 30 minut...

Jasna cholera, zaklął w myślach Schofield.

Pół godziny albo nawet dłużej.

To była największa przewaga wroga.

Czas.

Jeśli nie brać pod uwagę wspomnianych „konkurentów", wróg miał wystarczająco dużo czasu, by ich pojmać.

Wobec tego jest to pierwszy czynnik, jaki musimy zmienić, pomyślał Schofield. Trzeba wprowadzić do sytuacji czynnik przymusu czasowego...

Rozejrzał się, omiatając wzrokiem konstelację światełek wokół siebie.

Miał prąd...

Przypomniał sobie sześć zamkniętych silosów — wszystkie inne otwarto.

Mogły być w nich rakiety. Rosjanie na pewno usunęli głowice bojowe, ale rakiety mogły nadal tam być...

Dał znak Clarkowi, by podszedł do peryskopu.

— Informuj mnie o ich ruchach — polecił mu.

Clark przejął peryskop, a Schofield podbiegł do sąsiedniej konsolety.

— Book, pomóż mi!

— Co zamierzasz?

— Chcę się dowiedzieć, czy rakiety na pokładzie są sprawne.

Po pierwszym uderzeniu w klawisz zasilania konsoleta ożyła. Na ekranie pojawiło się żądanie kodu i Schofield wpisał otrzymaną od ISS rosyjską kombinację cyfr — ciąg ośmiu cyfr.

Był to Uniwersalny Kod Rozbrajający, coś w rodzaju elektronicznego klucza, stworzonego na użytek kilku najwyższych funkcjonariuszy sowieckiego reżimu. Stosowano go we wszystkich zamkach elektronicznych z tamtej epoki. Schofield otrzymał ten kod, aby móc pokonać wszelkie zabezpieczenia w Krasku-8. Odpowiednik takiego kodu mieli także Amerykanie — był znany tylko prezydentowi oraz kilku najwyższej rangi generałom. Schofieldowi go nie ujawniono.

— Widzę sześciu ludzi na balkonie, idą w kierunku pomostu! — zawołał Clark. — Czterej następni są na poziomie ziemi i ciągną w naszą stronę pomost, żeby abordażować okręt!

Book II wcisnął kilka kolejnych klawiszy. Obraz na ekranie poinformował go, że w silosach w przednim przedziale bojowym typhoona stoi kilka rakiet.

— Usunięto głowice atomowe, ale rakiety wyglądają na sprawne — oświadczył. — Chyba jest ich sześć...

— Jedna mi wystarczy. Otwórz wyrzutnie wszystkich sześciu rakiet, a potem jeszcze jedną.

— Jeszcze jedną?

— Zaufaj mi.

Book II pokręcił głową, ale zrobił, co mu kazano. Wcisnął klawisze, otwierając pokrywy siedmiu wyrzutni.

Cedric Wexley patrzył na otoczony szerokim pasem wody okręt podwodny, na zbliżających się do kadłuba swoich ludzi...

...i nagle zobaczył, że otwiera się siedem pokryw dziobowych wyrzutni rakiet.

— Co ten Schofield wyprawia? — spytał głośno.

— Co ty wyprawiasz? — spytał Book II.

— Zmieniam skalę czasu tej potyczki — odparł Schofield.

Wywołał na ekranie kolejny obraz, przedstawiający współrzędne GPS Kraska-8: 07914.74, 7000.01. Były to współrzędne, jakimi się kierowali, kiedy niedawno wyskakiwali z niewidzialnego bombowca.

Schofield ustawił rakiety na natychmiastowe odpalenie i dwudziestominutowy lot. Jako współrzędne celu podał: 07914.74, 7000.01.

Nie liczył na to, że wszystkie rakiety okażą się sprawne. W większości z nich hipergoliczne paliwo mogło utracić swoje właściwości.

Ale wystarczy, jeżeli jedna odpali.

Udało się z czwartą.

Kiedy zapaliło się zielone światełko, komputer zażądał potwierdzenia. Schofield wpisał Uniwersalny Kod Rozbrajający. Autoryzacja została dokonana.

Potem wcisnął klawisz START.

Cedric Wexley najpierw usłyszał dolatujące z wnętrza okrętu podwodnego złowróżbne basowe buczenie.

Zaraz potem — z rozrywającym uszy hukiem — z jednej z wyrzutni dziobowych wyprysnęła w powietrze trzydziestostopowa rakieta balistyczna SS-N-20.

Wyglądało to jak start rakiety kosmicznej: kłębiący się dym błyskawicznie rozprzestrzeniał się na wszystkie strony, spowijając okręt podwodny gęstym oparem i obejmując ciasnym całunem najemników, podchodzących do włazów.

Rakieta wystrzeliła pionowo w górę, przebiła zniszczony szklany dach i pomknęła w szare syberyjskie niebo.

Cedric Wexley szybko wziął się w garść.

— Kontynuować atak. Kapitanie Micheleux, gdzie wsparcie?

Gdyby ktoś w tej chwili obserwował Krask-8 zza horyzontu, ujrzałby niezwykły widok: nad minimiasto wystrzeliła pojedyncza, idealnie prosta kolumna dymu.

Tak się składało, że ktoś rzeczywiście obserwował w tej chwili sowiecką bazę.

Był to mężczyzna siedzący w kokpicie brzydkiego myśliwca szturmowego Jak-141, pędzącego w kierunku kompleksu Krask-8.

Schofield zawirował wokół własnej osi.

— Gdzie oni są? — spytał Clarka.

— Jest za dużo dymu. Nic nie widzę.

Obserwacja przez peryskop niewiele dała: widać było jedynie szare kłęby. Clark dostrzegał tylko bezpośrednie otoczenie urządzenia — przestrzeń wyznaczaną przez maleńką platformę obserwacyjną na szczycie kiosku okrętu oraz wąski pomost, łączący go z balkonami na ścianach ogromnego hangaru.

— Nic nie wi...

O peryskop otarła się twarz mężczyzny w masce gazowej — wielka, wyraźnie widoczna.

— Rany! — Clark odskoczył do tyłu. — Jezu! Są na zewnątrz! Tuż nad nami!

— To nie ma znaczenia   odparł Schofield i ruszył na dół. — Nie wychodzimy górą.

Schofield, Clark i Book II pobiegli do przedziału silosów, w którym niedawno byli. Podłogę pokrywała kilkucalowa warstwa wody.

Doszli do jednego z pustych silosów — właz dostępowy był otwarty — i wślizgnęli się do środka.

Znaleźli się w wysokim na trzydzieści stóp pionowym cylindrze. Na jego szczycie widać było otwartą klapę zabezpieczającą, która z dna wydawała się bardzo mała. Był to siódmy silos otworzony przez Booka II. W górę biegły zagłębienia, po których można było wejść na szczyt jak po drabince.

Trójka marines rozpoczęła wspinaczkę.

Kiedy dotarli na górę, Schofield ostrożnie wyjrzał...

...i zobaczył dwóch najemników, wchodzących do wnętrza kadłuba przez znajdujący się trzy jardy od niego właz ewakuacyjny.

Doskonale, pomyślał. Wróg wchodził do środka w tym samym czasie, kiedy oni wychodzili.

Cały hangar wypełniał gęsty biały dym, wydobywający się z dysz startującej rakiety.

Wzrok Schofielda padł na balkon nad okrętem i południowoafrykańskiego najemnika, dowodzącego akcją.

Miał zamiar z nim pogawędzić.

Ruszył w kierunku poręczy, biegnących po zewnętrznej powierzchni kiosku.

Wspięli się na szczyt kiosku i pobiegli pomostem, łączącym go z górnym poziomem balkonów.

Dym z rakietowych silników zaczynał się przerzedzać, dzięki czemu widać było znajdujące się na końcu długiego balkonu małe oszklone biuro.

W jego otwartych drzwiach, wrzeszcząc do mikrofonu i równocześnie próbując obserwować typhoona przez dym, stał dowódca najemników. Chronił go tylko jeden żołnierz.

Schofield, Book II i Clark, osłaniani przez dym, zaczęli szybko zbliżać się do Wexleya.

Zanim upłynęło dziesięć sekund, Schofield skoczył do niego, krzycząc: „Nie ruszaj się!". Ochroniarz strzelił, Clark strzelił, trafiony w twarz ochroniarz padł, Clark też padł. Wexley wyciągnął pistolet, Schofield błyskawicznie się przetoczył i dwa razy wystrzelił, trafiając Wexleya w pierś i odrzucając go metr do tyłu. Wexley załomotał plecami o ścianę biura, po czym osunął się na ziemię.

— Clark! W porządku?! — wrzasnął Schofield, odsuwając kopniakiem pistolet Wexleya.

Clark dostał postrzał w okolicę barku. Kiedy Book II oglądał jego ranę, burknął:

— Nic mi nie jest, tylko mnie musnął.

Wexleyowi również nic poważnego się nie stało. Miał pod kombinezonem śnieżnym kamizelkę kuloodporną. Leżał, oparty plecami o ścianę — pozbawiony tchu, ale żywy.

Schofield przycisnął mu lufę pistoletu do czoła.

— Kim, do cholery, jesteście i co tu robicie?

Wexley zakaszlał i z trudem wciągnął powietrze.

— Pytam, kim, do cholery, jesteście i co tu robicie?

— Nazywam się... Cedric Wexley i należę do... Executive Solutions.

— Najemnicy... w jakim celu tu przybyliście? Dlaczego próbujecie nas zabić?

— Nie was, kapitanie. Tylko pana.

— Mnie?

— Pana i dwóch ludzi z Delty: McCabe'a i Farrella.

Schofield zesztywniał, przypomniawszy sobie pozbawione głowy ciało Deana McCabe'a. Wiedział z raportu Byka Simcoksa, że to samo zrobiono Farrellowi.

— Dlaczego?

— Czy to ważne?

— Dlaczego, do jasnej cholery?!

Wexley odwrócił na chwilę głowę i popatrzył w dal, jakby zastanawiał się, ile może powiedzieć. W końcu wzruszył ramionami i spojrzał Schofieldowi prosto w oczy.

— Ponieważ za pańską głowę wyznaczono nagrodę, kapitanie Schofield. Wystarczająco wysoką, aby skusić niemal każdego łowcę nagród na świecie.

Schofield poczuł, jak ściska mu się żołądek.

— Słucham?

Dowódca najemników wyjął z kieszonki na piersi zmiętoszony kawałek papieru i rzucił w Schofielda.

Kapitan złapał kartkę i popatrzył na nią.

Była to lista nazwisk.

Piętnastu nazwisk. Żołnierzy, szpiegów i terrorystów.

Znajdowali się na niej również McCabe, Farrell i on.

Głos Wexleya ociekał ponurą radością.

— Podejrzewam, że wkrótce pozna pan kilku z najlepszych łowców głów na świecie, kapitanie. Pana przyjaciele także. Aby zwabić cel, łowcy nagród mają zwyczaj brać jako zakładników ich przyjaciół i bliskich.

Na myśl o przyjaciołach, którzy mogliby zostać schwytani przez łowców nagród, Schofieldowi krew zastygła w żyłach.

Gant... Matka...

Zmusił się do powrotu tu i teraz.

— Dlaczego musieliście obciąć im głowy?

— Może nie wyraziłem się jasno... — Wexley uśmiechnął się. — Cena za pańską głowę, kapitanie, to dosłownie cena za głowę — powiedział. — Osoba, która przyniesie do pewnego zamku we Francji pańską głowę, otrzyma osiemnaście koma sześć miliona dolarów. To suma warta zachodu, największa nagroda, jaką kiedykolwiek wyznaczono. Wystarczy na łapówki dla najwyższej rangi urzędników, wystarczy do zatarcia śladów naszych działań na Syberii, wystarczy do zagwarantowania, że pańskie wsparcie, Osiemdziesiąta druga Kompania Powietrzna, nigdy nie wystartuje. Jest pan sam, kapitanie. Jest pan sam... z nami... dopóki pana nie zabijemy i nie obetniemy panu głowy.

Schofield myślał gorączkowo.

Nigdy by się tego nie spodziewał. Czegoś tak konkretnie określonego, tak indywidualnego, tak osobistego.

Nagle Wexley popatrzył na coś nad jego ramieniem.

Schofield odwrócił się i jego oczy rozszerzyły się z przerażenia.

Niczym zapowiedź wybuchu podwodnego wulkanu, w pokrytym lodem „jeziorze", w jakie zamienił się suchy dok, pojawiła się burza skłębionej wody. Warstwa lodu zaczęła głośno trzeszczeć.

Ze środka kipieli, jak przebijający powierzchnię wody gigantyczny wieloryb, wystrzelił ciemny korpus sowieckiego szturmowego okrętu podwodnego klasy Akula.

Choć bez szans na osiągnięcie liczby sprzedaży mniejszej jednostki — klasy Kilo — akula szybko zdobywał coraz większą popularność na rynku międzynarodowym, rynku, na którym rząd rosyjski bardzo chciał osiągnąć ważną pozycję. Najwyraźniej jednym z klientów był Executive Solutions.

Po wypłynięciu okrętu na powierzchnię ze wszystkich włazów wybiegli ludzie, wysunęli trapy, zaczepili je na krawędzi doku i natychmiast ruszyli na brzeg.

Schofield pobladł.

Przybyło przynajmniej trzydziestu nowych najemników!

Wexley uśmiechnął się złośliwie.

— Śmiej się, śmiej, palancie — wycedził Schofield i popatrzył na zegarek. — Nie masz zbyt wiele czasu, by mnie złapać. Za szesnaście minut wróci tu wystrzelona z typhoona rakieta. A na razie uśmiechnij się do tego! — dodał i walnął Wexleya w nos pistoletem, posyłając go do krainy snu.

Podbiegł do Booka II, by mu pomóc podnieść Clarka.

— Złap go za drugie ramię...

Podźwignęli młodego kaprala. Utrzymywał się na nogach, choć z trudem.

— Poradzę sobie... — stęknął i w tym momencie jego klatka piersiowa eksplodowała czerwienią. Druga czerwona fontanna wystrzeliła mu z ust — prosto z płuc — i plasnęła o pancerz na piersi Schofielda.

Clark patrzył na swojego dowódcę. Był przerażony, życie błyskawicznie znikało z jego oczu. Po chwili padł na pomost, już martwy — zabił go strzał w plecy, oddany przez jednego z nowo przybyłych najemników, rozbiegających się po całej szerokości hangaru.

Schofield bez słowa patrzył na ciało martwego towarzysza. Nie był w stanie uwierzyć w to, co się stało.

Poza Bookiem II cały jego oddział przestał istnieć. Wszyscy zostali zabici, wymordowani.

Utknęli obaj w opuszczonej syberyjskiej bazie — z czterdziestoma najemnikami na karku, bez wsparcia i jakiejkolwiek możliwości ratunku.

Zaczęli bicc.

Był to bieg o życie.

Grad pocisków wyrywał wielkie dziury w cienkich gipsowych ściankach wokół nich.

Nowy oddział najemników ExSol wkroczył do walki z przerażającą gwałtownością. Napastnicy wspinali się po każdej drabince, jaką byli w stanie znaleźć, i biegli nad suchym dokiem, mając za cel tylko jedno: GŁOWĘ SCHOFIELDA.

Czterej najemnicy, którzy weszli na okręt, uświadomili sobie, że cel uciekł. Wybiegli na zewnątrz i również zaczęli strzelać ze wszystkich luf.

Schofield i Book II pędzili na zachód i po chwili znaleźli się na napowietrznym betonowym moście, łączącym hangar z biurowcem.

Kapitan obserwował ruchy Executive Solutions: część najemników wdrapywała się na balkony, część szła równolegle z nimi, tyle że dołem — także w kierunku biurowca.

Jedno było jasne: musieli dostać się do wieżowca i zejść na parter, zanim dotrą tam przeciwnicy. Jeżeli im się nie uda, zostaną zamknięci w pułapce.

Pędzili przez most, mijali pozbawione szyb okienne ramy.

Most się skończył, wpadli do biurowca...

...i nagle stanęli.

Znajdowali się na wąskim, biegnącym po ścianie pomoście, jednym z wielu identycznych pomostów, gęsto przecinających ściany budynku. Wszystkie były połączone ze sobą drabinkami. W środku budynek nie miał stropów ani podłóg.

Nie był to biurowiec, ale pusta w środku konstrukcja ze szkła i stali.

Widok, jaki rozpościerał się z pomostu, na którym stali, był niesamowity — przez moment poczuli się jak w gigantycznej szklarni. Za spękanymi szklanymi ścianami rozpościerało się szare syberyjskie niebo.

Jedno spojrzenie na dno gigantycznej konstrukcji wystarczało, aby zrozumieć, do czego była przeznaczona.

W podłodze, na rogach kwadratu, zagłębione do połowy w betonie, tkwiły cztery silosy międzykontynentalnych rakiet balistycznych. Ukryte pod szklaną konstrukcją, były niewidoczne dla amerykańskich satelitów szpiegowskich. Schofield podejrzewał, że pod pozostałymi „budynkami" Kraska-8 także znajdowały się rakietowe silosy.

Na betonie na samym dole leżało dziesięć bezwładnych ciał — było to sześciu komandosów Delty z oddziału Farrella i czterech marines z oddziału Byka Simcoxa.

Schofield popatrzył na zegarek, który odliczał czas, jaki pozostał do powrotu rakiety wystrzelonej z okrętu podwodnego.

15:30...

15:29...

15:28...

— Parter. Musimy dostać się na parter — oświadczył.

Pobiegli w kierunku najbliższej drabinki, ruszyli w dół...

...i natychmiast zostali ostrzelani.

Cholera!

Najemnicy znaleźli się tam pierwsi. Musieli przebiec między hangarem a „biurowcem" na zewnątrz.

— Jasna cholera! — wrzasnął Schofield.

— Co teraz?! — odkrzyknął Book II.

— Nie mamy wyboru! W górę!

Ruszyli w górę.

Pokonywali kolejne szczeble niczym para uciekających małp, starając się jednocześnie unikać ognia najemników.

Pokonali dziesięć poziomów, zanim Schofield odważył się zatrzymać i spojrzeć w dół.

To, co ujrzał, pozbawiło go resztek wiary, że uda im się uciec.

Najemnicy — około pięćdziesięciu ludzi — zebrali się wokół rakietowych silosów.

Po chwili tłumek rozdzielił się i między dwie grupy wszedł samotny człowiek.

Był to Cedric Wexley — z twarzą zalaną krwią z połamanego nosa.

Schofield zamarł.

Ciekawe, co tamten zamierzał. Mógł posłać za nimi ludzi w górę plątaniny pomostów oraz drabinek i obserwować, jak marines ich zabijają aż do wyczerpania się amunicji, a potem sami zamieniają się w kaczki do odstrzału. Nie byłaby to najbardziej błyskotliwa strategia.

— Kapitanie Schofield! — Głos Wexleya odbił się echem

po rozległym szybie. — Doskonale panu idzie, nie ma pan już jednak dokąd uciekać! Wkrótce koniec z panem!

Dowódca najemników wyjął z kieszeni kombinezonu kilka niedużych przedmiotów.

Schofield natychmiast je rozpoznał.

Niewielkie cylindryczne pojemniki zawierały mieszankę termitu i amatolu. Wexley musiał je zabrać zabitym marines.

Jego plan był oczywisty.

Wexley rozdał granaty swoim ludziom, którzy natychmiast się rozbiegli i zamocowali ładunki w czterech rogach szklanej konstrukcji — po jednym przy każdym narożnym słupie.

Schofield wyjął lornetkę, przyłożył ją do oczu i skierował na umieszczone na granatach kolorowe przyciski: czerwony, zielony i niebieski.

— Aktywizować timery! — zawołał Wexley.

Żołnierz, któremu przyglądał się Schofield, wcisnął niebieski przycisk.

Kolor niebieski oznaczał minutę do eksplozji.

Pozostali trzej najemnicy wcisnęli takie same guziki.

Minuta...

Oczy Schofielda rozszerzyły się.

Mieli sześćdziesiąt sekund do wysadzenia budowli.

Włączył stoper.

00:01...

00:02...

00:03...

— Kapitanie Schofield! Kiedy będzie po wszystkim, przeczeszemy zgliszcza i znajdziemy pańskie ciało! A gdy je znajdziemy, osobiście oderwę panu głowę i naszczam w krtań! Ruszamy, panowie!

Najemnicy zaczęli się rozpraszać jak stado szukających schronienia ptaków.

Schofield i Book mogli się tylko przyglądać. Schofield przycisnął twarz do najbliższej szyby — widział, jak tamci wychodzą na zewnątrz i rozstawiają się na śniegu szerokim kołem, zabezpieczając każde wyjście.

Byli w pułapce — tkwili w budynku, który za 52 sekundy miał zostać wysadzony.

Nagle usłyszał basowy, dudniący, wibrujący dźwięk.

Był to dźwięk, jaki wydaje tylko odrzutowy myśliwiec.

— Przekaz sprzed paru minut... — mruknął Schofield.

— Co? — zdziwił się Book II.

— Kiedy byliśmy w typhoonie, tamci przejęli zbliżający się kontakt powietrzny: myśliwiec szturmowy Jak-sto czterdzieści jeden. Pilotowany przez jakiegoś „Węgra". Leci tutaj.

— Łowca nagród?

— Konkurent. Tyle że w myśliwcu szturmowym Jak-sto czterdzieści jeden, a to oznacza... Chodź! Szybko!

Pobiegli do najbliższej drabinki i zaczęli się po niej wspinać. Musieli jak najprędzej dostać się na dach skazanej na zniszczenie budowli.

Po chwili Schofield pchnął właz i wyszli na dach. Natychmiast smagnął ich syberyjski wiatr.

Stoper tykał nieubłaganie.

00:29...

00:30...

00:31...

Wyglądali dość niezwykle: dwie samotne maleńkie figurki na dachu wieżowca, otoczonego opuszczonymi budynkami kompleksu wojskowego Krask-8 i syberyjskimi wzgórzami.

Schofield podbiegł do skraju dachu i zaczął się rozglądać, szukając źródła dudniącego, wibrującego dźwięku.

00:33...

00:34...
00:35...
Jest!

Myśliwiec szturmowy Jakowlew-141 był oddalony o jakieś pięćset jardów. Unosił się nad budynkiem zwieńczonym niską kopułą.

Jak-141, rosyjski ekwiwalent harriera jump jeta, jest prawdopodobnie najbrzydszym myśliwcem, jaki kiedykolwiek zbudowano, ale przecież wcale nie musiał być ładny. Jest kanciasty i ma tylko jeden potężny silnik, ale za to zawiasowany wylot dyszy pozwala skierować dopalacz w dół, co umożliwia maszynie pionowy start i lądowanie oraz zawisanie w powietrzu.

00:39...
00:40...
00:41...
Schofield wyciągnął swój MP-7 i puścił całą trzydziestopociskową serię w kierunku dziobu jaka, rozpaczliwie starając się ściągnąć na siebie uwagę pilota.

Zadziałało.

Niczym tyranozaur, któremu przerwano poobiednią sjestę, myśliwiec obrócił się w powietrzu i skierował dziób prosto na Schofielda i Booka II. Ryknął silnik i samolot jednym skokiem znalazł się przy szklanej wieży.   Schofield zaczął machać do pilota.

— Tutaj! — wrzeszczał. — Bliżej! Jeszcze bliżej!

00:49...
00:50...
00:51...
Samolot jeszcze bardziej się przybliżył — unosił się teraz jakieś pięćdziesiąt jardów od budowli.

Wciąż za daleko...

Schofield wyraźnie widział siedzącego w kokpicie mężczyznę o szerokiej twarzy, marszczącego ze zdziwienia twarz. Nadal machał gorączkowo rękami, próbując namówić tamtego, aby jeszcze trochę się przybliżył.

00:53...
00:54...
00:55...
Jak-141 przysunął się bliżej.

56

Czterdzieści jardów...

00:56...

— Człowieku, pospiesz się! — krzyknął Schofield, patrząc jednocześnie na swój stoper.

00:57...

— Za późno... — Schofield odwrócił się do Booka i wyciągnął swojego maghooka. Book zrobił to samo. — Rób, co ja, a przeżyjesz... biegiem!

Pognali ile sił w nogach, bark w bark — prosto do krawędzi piętnastopiętrowego budynku.

00:58...

Odbili się od skraju dachu i lecąc, machali nogami dla nadania skokowi większego impetu.

00:59...

Kiedy cyferki stopera Schofielda przeskoczyły na 01:00, dół budynku eksplodował w kłębiącej się chmurze betonowego pyłu, a cała dwustustopowa konstrukcja — z dachem, szklanymi ścianami i betonowymi słupami na rogach — runęła niczym ogromne ścięte drzewo.

Pilot jaka ze zdumieniem obserwował rozpadający się na jego oczach piętnastopiętrowy budynek, zapadający się w zwolnionym tempie w ogromną chmurę pyłu.

Był krępym mężczyzną o szerokiej słowiańskiej twarzy i nazywał się Oleg Omański.

Nikt jednak tak się do niego nie zwracał.

Tego byłego majora węgierskiej tajnej policji politycznej o reputacji człowieka, który zamiast mózgu woli używać przemocy, w kręgach wolnych łowców nagród nazywano po prostu „Węgrem".

Zobaczył, że Schofield — rozpoznał go natychmiast jako człowieka z listy celów — i Book II skaczą z dachu w chwili eksplozji budynku.

Stracił ich jednak z oczu.

Z ruin budynku wznosiła się ogromna chmura gęstego pyłu, zakrywając wszystko w promieniu jakichś ośmiuset jardów.

Węgier okrążył miejsce, gdzie jeszcze niedawno stał wieżowiec, szukając Schofielda.

Ujrzał spory oddział, otaczający ruiny wieżowca — bez wątpienia byli to najemnicy — który natychmiast po zawaleniu się budynku ruszył na poszukiwania.

W dalszym ciągu jednak nie widział Schofielda.

Przygotował broń i rozpoczął podchodzenie do lądowania na najbliższym dachu.

Jak-141 wylądował lekko na jednym z mniejszych budynków kompleksu, a jego skierowana w dół dysza dopalacza zmiotła przy tym wszelkie śmieci.

Ledwie samolot się zatrzymał, otworzyła się owiewka kokpitu i Węgier, którego ciało było podobnie szerokie jak twarz, zaczął wychodzić. W rękach trzymał karabinek szturmowy AMD — dość prymitywny, ale skuteczny wariant kałasznikowa, którego cechą charakterystyczną był dodatkowy uchwyt w przedniej części.

Zrobił cztery kroki i nagle...

— Rzuć broń, przyjacielu!

Odwrócił się i ujrzał Shane'a Schofielda, wychodzącego spod kadłuba jego samolotu — z wycelowanym prosto w niego MP-7.

Kiedy szklana wieża się waliła, Schofield i Book II lecieli w powietrzu, a trajektoria lotu zaprowadziła ich prosto pod kadłub samolotu.

Zanim zaczęli biec, wyjęli z kabur na plecach maghooki. Jeszcze lecąc, wycelowali je w spód myśliwca i wystrzelili.

Głowice maghooków przecięły powietrze, rozwijając ukrytą w korpusie broni linkę. Po pokonaniu przez nie dzielącego je od kadłuba myśliwca dystansu rozległy się dwa bliźniacze metaliczne dźwięki i potężne magnesy przylgnęły do blach na spodzie samolotu. Lot Schofielda i Booka został gwałtownie zakończony i obaj marines zawiśli w powietrzu.

Gdy Węgier leciał w kierunku dachu, na którym zamierzał lądować, włączyli zwijarki maghooków i w ciągu kilku sekund znaleźli się pod brzuchem samolotu, poza zasięgiem wzroku pilota — z powodu kłębiącego się wokół pyłu niewidoczni także z ziemi.

Lądowanie było dość niebezpieczne, bo skierowana ku dołowi dysza sprawiła, że wszędzie unosiły się śmieci, jakoś jednak udało im się wyjść cało z tej zawieruchy.

Kiedy Jak-141 usiadł, opadli na dach, po czym błyskawicznie odtoczyli się na bok.

Plan Schofielda był bardzo prosty.

Zamierzał ukraść samolot.

Stali naprzeciw zdziwionego pilota na dachu niskiego budynku.

Mężczyzna wypuścił z dłoni karabinek, który zaklekotał o dach. Schofield podniósł go.

— Jesteś kolejnym łowcą nagród? — spytał, przekrzykując huk silnika.

— *Da* — odparł pilot.

— Jak się nazywasz?

— Węgier.

— Węgier, tak? Spóźniłeś się. Najemnicy cię uprzedzili. Dostali McCabe'a i Farrella.

— Ale ciebie nie — stwierdził Węgier. Jego głos był pozbawiony emocji.

Schofield zmrużył oczy.

— Powiedzieli mi, że aby dostać nagrodę, muszą dostarczyć moją głowę do jakiegoś zamku we Francji. Do jakiego?

Węgier popatrzył na broń Schofielda.

— Valois. Do Forteresse de Valois.

— Forteresse de Valois — powtórzył Schofield. — Kto za to wszystko płaci? Kto chce mojej śmierci?

Węgier nie odwracał wzroku.

— Nie wiem — burknął.

— Na pewno?

— Przecież powiedziałem.

W tej odpowiedzi była prostota, która sprawiła, że Schofield uwierzył.

— No dobrze... W takim razie... — Schofield ruszył w kierunku jaka. Szedł tyłem, nie opuszczając broni. Nie wiadomo dlaczego zrobiło mu się żal tego baryłkowatego łowcy nagród. — Wiesz co, Węgier? Zabieram twój samolot, ale w zamian powiem ci coś, czego nie powinienem mówić: lepiej, jak za jedenaście minut cię tu nie będzie.

Schofield i Book II zaczęli się wspinać po drabince, prowadzącej do kokpitu samolotu. Ani przez chwilę nie przestali celować w Węgra.

— Pewnego dnia twój maghook cię zawiedzie — powiedział Book II do Schofielda.

— Zamknij się.

Weszli do kabiny.

Ponieważ Schofield latał kiedyś harrierem, nie miał problemów z orientacją w przyrządach. Uruchomił pionowy start i po chwili samolot uniósł się w powietrze.

Kapitan włączył dopalacze i myśliwiec wyprysnął w kierunku nagich syberyjskich wzgórz, zostawiając na dachu ogłupiałego, bezradnego Węgra.

Po chwili Krask-8 zniknął w oddali.

Schofield zastanawiał się nad następnym ruchem.

— Co zamierzasz, Strachu na Wróble? — spytał Book II. — Lecimy do zamku?

— Zamek jest ważny, ale nie stanowi klucza do sprawy — odparł Schofield.

Wyjął z kieszeni listę, którą dostał od Wexleya.

— To jest klucz.

Popatrzył ponownie na nazwiska i zaczął się zastanawiać, co może je łączyć.

Krótko mówiąc, było to międzynarodowe *Kto jest kim* specjalistów od różnego rodzaju działań bojowych. Znajdowali się tu członkowie oddziałów specjalnych — jak McCabe i Farrell, szpiedzy z angielskiego MI6, izraelski pilot wojskowy, a nawet Ronson Weitzman — generał major Ronson Weitzman z korpusu piechoty morskiej Stanów Zjednoczonych, jeden z najwyższych rangą marines w Ameryce.

Nie wspominając o bliskowschodnich terrorystach: Khalifie, Nazzarze i Hassanie Zawahirim.

Hassan Zawahiri...

Nazwisko to niemal skoczyło na Schofielda z kartki.

Drugi człowiek al Kaidy, zastępca Osamy bin Ladena.

Człowiek, którego w tej właśnie chwili ścigali w górach Afganistanu amerykańscy żołnierze, przyjaciele Schofielda z korpusu piechoty morskiej — Elizabeth Gant i Matka Newman.

Przypomniały mu się słowa Wexleya: „Aby zwabić cel, łowcy nagród mają zwyczaj brać jako zakładników ich przyjaciół i bliskich".

Zmarszczył brwi.

Jego przyjaciele i przynajmniej jeden człowiek z listy znajdowali się w tym samym miejscu. Był to doskonały punkt startu dla każdego łowcy nagród...

Nie musiał długo się zastanawiać.

Ustawił autopilota na południowo-południowy wschód, z miejscem przeznaczenia: Afganistan.

Jedenaście minut po ucieczce Schofielda z Kraska-8 z chmur nad bazą spadł palec białego dymu, ciągnący się za odpaloną dwadzieścia minut wcześniej z okrętu podwodnego rakietą SS-N-20.

Pędziła na opuszczony kompleks niczym błyskawica, gotowa zniszczyć, co tylko się da.

5000 stóp...

2000 stóp...

1000 stóp...

Nagle, w jednym ułamku sekundy...

...eksplodowała ponad 800 stóp nad ziemią, gdy trafił ją mały pocisk powietrze-powietrze. Rozprysnęła na wszystkie strony niczym wybuchająca raca.

Migoczące kawałeczki spadły na Krask-8, nie czyniąc nikomu krzywdy.

Kiedy dym się rozwiał, na niebie pojawił się już drugi tego dnia, nadlatujący nad minimiasto myśliwiec szturmowy.

Znacznie smuklejszy od Jaka-141 Węgra, dłuższy i cały pomalowany na czarno. Jedynym fragmentem innego koloru był biały dziób.

Był to myśliwiec Suchoj — Su-37 — znacznie nowocześniejsza od Jaka-141 rosyjska produkcja, w dodatku w mocno nietypowej wersji: ze skrzydłami skierowanymi do przodu i dwuosobowym kokpitem.

Smukły Su-37 unosił się nad zniszczoną syberyjską bazą niczym drapieżny ptak, obserwujący teren, na którym zamierza zapolować.

Po kilku minutach wylądował na kawałku wolnej przestrzeni niedaleko potężnego hangaru.

Z kokpitu wyszło dwóch mężczyzn.

Jeden był niezwykle wysoki — co najmniej siedem stóp wzrostu — i uzbrojony w potężną strzelbę G-36.

Drugi niższy, choć także wysoki — sześć stóp — i dobrze zbudowany. Cały ubrany na czarno — miał na sobie czarny kombinezon bojowy, czarne opancerzenie osobiste i czarny hełm, a w kaburach na udach tkwiły dwie krótkolufe strzelby samopowtarzalne Remington 870. Obie wykonano z połyskującej, niklowanej stali.

Ale w jego wyglądzie było jeszcze coś szczególnego.

Ściśle przylegające do głowy okulary w czarnych oprawkach, z przeciwodblaskowymi żółtymi szkłami.

Wyciągnął jedną z niklowanych strzelb i trzymając ją jak rewolwer, kazał partnerowi pilnować samolotu, a sam ruszył wolnym krokiem w kierunku drzwi, przez które niedawno wchodził do hangaru Schofield.

Zatrzymał się w progu i sprawdził pokrytą śniegiem ziemię, dotykając jej dłonią w czarnej rękawiczce.

Po chwili wszedł do środka.

Hangar był pusty. W powietrzu unosiły się resztki dymu. Pośrodku wznosił się okręt podwodny.

Najemnicy ExSol zniknęli.

Mężczyzna w czerni zbadał leżące na podłodze zwłoki komandosów Delty, porozrzucane na betonie łuski, bezgłowy korpus McCabe'a i jeszcze ciepłe ciało kaprala z oddziału Schofielda — „Koguta" Murphy'ego, który został zastrzelony zaraz po tym, gdy najemnicy się ujawnili.

Kilka ciał pływało twarzami do dołu w zalanym wodą suchym doku.

Poruszając się spokojnymi, mierzonymi krokami, mężczyzna w czerni podszedł do stalowej przegrody, która jeszcze niedawno oddzielała suchy dok od „jeziora". Natychmiast zauważył, że centralna część jest wysadzona.

To robota Stracha na Wróble, pomyślał. Zastrzelili jednego z jego chłopaków i zamknęli go w pułapce w suchym doku, więc wysadził przegrodę, zalał dok i zabił ludzi, którzy za nim poszli...

Podszedł do krawędzi „jeziora" i ukląkł przy licznych mokrych śladach, rozmazanych na betonie — świeżych odciskach bojowego obuwia.

Pochodziły od różnych butów, co wskazywało na najemników.

Weszli na brzeg w mokrych butach, a więc przybyli okrętem podwodnym. Drugim.

Był tu oddział Executive Solutions.

Zjawili się bardzo szybko. Zbyt szybko.

Oznaczało to, że musieli dostać cynk od kogoś, kto zorganizował polowanie. Ktoś dał im fory w pogoni za amerykańskimi głowami.

Nagle rozległ się głośny jęk i nowo przybyły odwrócił się błyskawicznie.

Dobiegał z poziomu balkonów.

Mężczyzna w czerni pomknął w górę po najbliższej drabince i wkrótce znalazł się przy oszklonym biurze.

W otwartych drzwiach leżały dwa nieruchome ciała: zwłoki kaprala Maksa „Clarka" Kenta i nieprzytomny młody żołnierz — sądząc po francuskim karabinku szturmowym, był to najemnik z ExSol. Jeszcze żył, ale był bliski śmierci. Z wielkiej rany na jego policzku obficie płynęła krew — pocisk oderwał mu niemal pół twarzy.

Nowo przybyły stanął nad nim i chłodno mu się przyglądał.

Ranny najemnik wyciągnął rękę i cicho pojękiwał:

— *Assistez-moi... S'il vous plaît... assistez moi...*

Mężczyzna w czerni popatrzył w kierunku napowietrznego przejścia, które łączyło hangar z zawalonym „biurowcem".

Zniszczony piętnastopiętrowy budynek — kolejny dowód obecności Stracha na Wróble...

Ranny najemnik przeszedł na angielski:

— Proszę... pomóż mi...

Mężczyzna w czerni popatrzył na niego lodowatym wzrokiem i powiedział tylko jedno słowo:

— Nie.

Potem strzelił najemnikowi w głowę.

Wrócił do smukłego suchoja, przy którym czekał jego ogromny towarzysz.

Weszli z powrotem do kabiny, wystartowali pionowo i pomknęli na południowo-południowy wschód.

Kiedy suchoj zniknął, z jednego z budynków wyszła samotna postać.

Był to Węgier.

Stał na opuszczonej uliczce i patrzył, jak myśliwiec znika za wzgórzami na południu. Zmrużył oczy.

DRUGI ATAK

AFGANISTAN—FRANCJA
26 PAŹDZIERNIKA, GODZINA 13.00
(CZASU AFGAŃSKIEGO)
EST (NOWY JORK) GODZINA 03.00

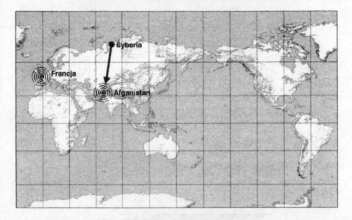

Wyobraźmy sobie długą limuzynę na pełnych dziur nowojorskich ulicach, zamieszkanych przez bezdomnych żebraków. We wnętrzu limuzyny mamy postindustrialne, klimatyzowane regiony Ameryki Północnej, Europy, budzącego się skraju Pacyfiku i kilku innych miejsc. Na zewnątrz — resztę ludzkości, podążającą w całkiem odmiennym kierunku.

Thomas Fraser Horner-Dixon,
Na progu: zmiany środowiskowe jako przyczyny ostrych konfliktów,
opublikowane w: „International Security", jesień 1991.

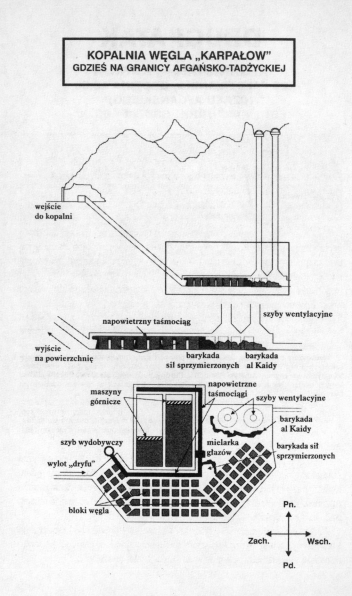

KOPALNIA WĘGLA „KARPAŁOW"
GDZIEŚ NA GRANICY AFGAŃSKO-TADŻYCKIEJ

wejście
do kopalni

napowietrzny taśmociąg

szyby wentylacyjne

wyjście
na powierzchnię

barykada
sił sprzymierzonych

barykada
al Kaidy

maszyny
górnicze

napowietrzne
taśmociągi

szyby wentylacyjne

barykada
al Kaidy

szyb wydobywczy

mielarka
głazów

barykada sił
sprzymierzonych

wylot „dryfu"

bloki węgla

Pn.

Zach.

Wsch.

Pd.

Forteresse de Valois, Bretania 26 października
godzina 09.00 czasu lokalnego
(godzina 13.00 w Afganistanie)

Dwaj łowcy nagród przeszli przez zwodzony most, którym wchodziło się do Forteresse de Valois — potężnego zamku na poszarpanym północno-zachodnim wybrzeżu Francji, ze wspaniałym widokiem na Atlantyk.

Zbudowany w 1289 roku przez szalonego hrabiego de Valois zamek nie był typowym francuskim zamkiem.

Większość ufortyfikowanych budowli we Francji ma w sobie szlachetne dostojeństwo, ale Forteresse de Valois była ponurą kamienną fortecą.

Przysadzista, potężna i solidna budowla, łącząca w sobie zuchwałość rozwiązań inżynieryjnych z wyjątkowością lokalizacji, w swoich czasach była nie do zdobycia.

Zawdzięczała to temu, że zbudowano ją na szczycie potężnej formacji skalnej, wznoszącej się — prosto z oceanu — w odległości mniej więcej sześćdziesięciu jardów od wysokich nabrzeżnych klifów.

Potężne ściany zamku tak idealnie łączyły się z pionowymi ścianami skalnego ostańca, że trudno było dostrzec, gdzie kończy się naturalna skała, a gdzie zaczyna stanowiąca dzieło rąk ludzkich konstrukcja. Budowla wznosiła się czterysta stóp nad łomoczącymi nieustannie falami oceanu.

Jedynym połączeniem zamku ze stałym lądem był oparty na kamiennych wspornikach sześćdziesięciojardowy most, którego ostatnie dwadzieścia jardów można było podnosić.

69

Dwaj łowcy nagród przeszli przez podnoszoną część mostu, smagani bezlitosnym atlantyckim wiatrem. Na tle potężnych ścian wyglądali jak mrówki.

Nieśli białe pudło z czerwonym krzyżem i napisem: NARZĄDY LUDZKIE — NIE OTWIERAĆ — PRZESYŁKA EKSPRESOWA! Przeszedłszy przez most, weszli w siedemsetletni portal i znaleźli się w zamku.

Powitał ich elegancki, ubrany w doskonale wyprasowany garnitur dżentelmen z pince-nez w drucianych oprawkach na nosie.

— *Bonjour, messieurs.* Nazywam się Delacroix. W czym mogę pomóc?

Łowcy nagród — Amerykanie w zamszowych kurtkach i kowbojkach — popatrzyli na siebie.

— Przyszliśmy po nagrodę za dwie głowy — oświadczył wyższy.

Elegancki mężczyzna uśmiechnął się.

— Ależ oczywiście. Panów nazwiska?

Znów głos zabrał wyższy z Amerykanów:

— Draybak. Joe Draybak. Texas Ranger. A to Jimbo, mój brat i partner.

Monsieur Delacroix pochylił się w grzecznym ukłonie.

— *Ach, oui...* sławni bracia Draybak? Może panowie wejdą?

Monsieur Delacroix poszedł przodem. Przeszli przez garaż, w którym stała kolekcja rzadkich i drogich samochodów: czerwone ferrari modena, srebrne porsche GT-2, aston martin vanquish — wszystkie gotowe do udziału w wyścigach — a na honorowym miejscu błyszczące lamborghini diablo.

Amerykańscy łowcy nagród z zainteresowaniem oglądali samochody. Zaplanowali, że jeżeli ich misja zakończy się zgodnie z oczekiwaniami, każdy z nich kupi sobie wielki amerykański samochód sportowy.

— To pana? — zapytał Duży Draybak zza pleców *monsieur* Delacroix.

Elegancki dżentelmen zaśmiał się.

— O nie... ja jestem tylko skromnym szwajcarskim bankierem, nadzorującym przekazywanie funduszy. Te samochody należą do właściciela zamku, nie do mnie.

Sprowadził gości w dół kamiennych schodów, zaczynających się w głębi korytarza. Kiedy zeszli poziom niżej, znaleźli się w średniowieczu.

Zatrzymali się w okrągłym kamiennym przedsionku. Z lewej strony odchodził wąski korytarz, ginąc w podziemnym mroku, rozświetlanym jedynie świecami.

Monsieur Delacroix odwrócił się do niższego Teksańczyka.

— Młody panie James... zostanie pan tutaj, a ja wraz z pańskim bratem zweryfikuję głowy.

Duży Draybak kiwnął uspokajająco do brata.

Obaj mężczyźni poszli długim, wąskim korytarzem.

Na końcu znajdował się wspaniały gabinet. Jedną ścianę wypełniało wielkie okno, z którego widać było zachwycającą panoramę rozciągającego się po horyzont Oceanu Atlantyckiego.

Kiedy doszli do końca korytarza, *monsieur* Delacroix zatrzymał się.

— Jeśli mógłbym poprosić o...

Łowca nagród podał mu białe pudło.

— Proszę zaczekać — powiedział *monsieur* Delacroix i wszedł do gabinetu, zostawiając Teksańczyka na korytarzu przed drzwiami.

Podszedł do biurka, wyjął z kieszeni pilota i wcisnął jeden z klawiszy.

Z sufitu korytarza opadły trzy pary stalowych drzwi.

Pierwsze i drugie zamknęły przedsionek, odcinając Małego Draybaka zarówno od garażu, jak i od korytarza, w którym stał jego brat.

Trzecie oddzieliły korytarz od gabinetu — i *monsieur* Delacroix został odseparowany od Dużego Draybaka.

Osadzone w stalowych przegrodach plastikowe okienka pozwalały obu łowcom nagród wyglądać z pomieszczeń, w których zostali uwięzieni.

Po chwili z zamontowanych w suficie głośników doleciał do nich głos *monsieur* Delacroix:

— Panowie, jak z pewnością wiecie, polowanie z tak wysokimi nagrodami przyciąga — nie bardzo wiem, jak to najlepiej

71

nazwać... osobników bez skrupułów. Pozostaniecie tam, gdzie jesteście, dopóki nie sprawdzę autentyczności przyniesionych głów.

Postawił białe pudło na biurku i otworzył je.

Spojrzały na niego dwie pary martwych oczu.

Jedna z głów była spryskana krwią, a martwe oczy przepełniało przerażenie.

Druga była w znacznie gorszym stanie. Została spalona.

Nie wywarło to większego wrażenia na *monsieur* Delacroix.

Założył chirurgiczne rękawiczki, wyjął z pojemnika zakrwawioną głowę i położył ją na stojącym obok komputera skanerze.

— Kto to ma być? — spytał Dużego Draybaka przez interkom.

— Izraelczyk, Rosenthal.

— Rosenthal. — Delacroix wpisał nazwisko do komputera. — Hm... agent Mossadu... bez kodu DNA. Typowe dla Izraelczyków. No cóż, nieważne... zastosujemy inną metodę.

Włączył skaner, na którym leżała głowa.

Podobnie jak w komputerowej tomografii osiowej, zwanej KTO, urządzenie zaczęło emitować promień laserowy, który obwiódł zewnętrzną powierzchnię głowy.

Kiedy skanowanie zostało zakończone, Delacroix z całkowitym spokojem otworzył usta zakrwawionej głowy, podstawił zęby pod laser, wcisnął klawisz na klawiaturze komputera i porównał wyniki badania ze zbiorem zapisów w bazie danych.

Komputer pisnął i *monsieur* Delacroix powiedział:

— Współczynnik zgodności wynosi osiemdziesiąt dziewięć koma trzysta trzydzieści siedem. Zgodnie z moimi instrukcjami wskaźnik powyżej siedemdziesięciu pięciu procent wystarczy do dokonania płatności. Panowie — na podstawie kształtu czaszki i zębów wasza pierwsza głowa została pozytywnie zweryfikowana jako major Benjamin Y. Rosenthal z izraelskiego Mossadu. Jesteście bogatsi o osiemnaście koma sześć miliona dolarów amerykańskich.

Amerykanie uśmiechnęli się.

Delacroix wyjął drugą głowę.

— A to kto? — spytał.

— Nazzar z Hamasu — odparł Duży Draybak. — Znaleźliśmy go w Meksyku. Kupował M-szesnaście od barona narkotykowego.

— Fascynujące...

Głowa była sczerniała od ognia, brakowało też połowy zębów. Wyrwał je pocisk z broni palnej albo... zostały wybite młotkiem.

Monsieur Delacroix powtórzył testy.

Obaj łowcy głów wstrzymali oddech. Sprawiali wrażenie, jakby obawiali się wyniku przeprowadzanego przez Delacroix badania.

Porównanie danych dotyczących czaszki i zębów wykazało 77,236 procent podobieństwa.

— Wskaźnik wynosi siedemdziesiąt siedem procent, prawdopodobnie z powodu znacznych zniszczeń od ognia i kul — oświadczył *monsieur* Delacroix. — Jak panowie wiecie, zgodnie z moimi instrukcjami weryfikacja na poziomie siedemdziesięciu pięciu procent wystarczy do wypłaty nagrody.

Amerykanie wyszczerzyli zęby w uśmiechu.

— Chyba że... posiadamy kod DNA danego osobnika. W takim wypadku mam obowiązek dokonać weryfikacji na tej podstawie... a z moich danych wynika, że posiadamy taki kod...

Obaj łowcy nagród popatrzyli na siebie przerażeni.

— Ale to przecież niemoż... — zaczął Duży Draybak.

— Możliwe — przerwał mu *monsieur* Delacroix. — Yousef Nazzar był w tysiąc dziewięćset dziewięćdziesiątym dziewiątym roku osadzony w więzieniu w Zjednoczonym Królestwie z powodu złamania zakazu importu broni. Zgodnie z brytyjską polityką identyfikacji przestępców na podstawie kodu DNA pobrano mu wtedy próbkę krwi.

Duży Draybak zaczął coś wykrzykiwać, ale bankier zignorował jego protesty, wbił w lewy policzek nadpalonej głowy igłę i wciągnął do strzykawki nieco płynu.

Umieścił próbkę w podłączonym do komputera analizatorze.

Po chwili urządzenie pisnęło.

Zupełnie inaczej niż poprzednio.

Delacroix zmarszczył czoło.

— Panowie... — powiedział powoli.

Łowcy nagród zamarli.

Szwajcarski bankier przez chwilę milczał, jakby czuł się obrażony.

— Panowie, to oszustwo. To nie jest głowa Yousefa Nazzara.

— Proszę zaczekać... — zaczął Duży Draybak.

— Lepiej niech pan nic nie mówi — przerwał mu Delacroix. — Zabieg chirurgiczny był dość przekonujący... z pewnością zatrudniliście fachowca. Spalenie głowy w celu uniemożliwienia identyfikacji wzrokowej to sprytna sztuczka, choć dość stara. Zęby też zostały dobrze spreparowane. Nie wiedzieliście jednak, że mamy kod DNA, prawda?

— Nie — odparł Duży Draybak.

— Więc głowa Rosenthala też jest fałszerstwem?

— Zdobył ją nasz współpracownik i przysięgał, że to oryginał — skłamał Amerykanin.

— Ale to pan mi ją dostarczył, więc odpowiedzialność za to oszustwo spada na pana. Pozwoli pan, że wyrażę się jasno: szczerość może pomóc. Czy głowa Rosenthala też jest fałszerstwem?

— Tak...

— To bardzo poważne wykroczenie przeciwko regułom polowania, panie Draybak. Moi klienci nie będą tolerować prób wywiedzenia ich w pole. Czy to jasne?

Duży Draybak nic nie odpowiedział.

— Na szczęście mam w tym zakresie instrukcje — oświadczył Delacroix. — Panie Draybak, proszę obejrzeć korytarz, w którym pan stoi... wie pan, co to jest?

— Nie.

— Wie pan na pewno. Oj, przepraszam, zapomniałem, że jesteście Amerykanami... Może znacie nazwiska prezydentów Stanów Zjednoczonych i stolice amerykańskich stanów, ale nie macie pojęcia o historii. Wiedza o średniowiecznej europejskiej sztuce wojennej jest chyba nieco poza pańskimi możliwościami, prawda?

Twarz Dużego Draybaka nic nie wyrażała.

Delacroix westchnął.

— Panie Draybak, korytarz, w którym się pan znajduje, był kiedyś pułapką, przeznaczoną dla tych, którzy chcieliby zdobyć zamek. Gdyby żołnierzom wroga udało się wtargnąć do środka, przez otwory w ścianach wylano by na nich wrzący olej, uśmiercając ich w bardzo bolesny sposób.

Duży Draybak gwałtownie rozejrzał się po kamiennych ścianach. Pod sufitem zobaczył okrągłe otwory o średnicy piłeczki tenisowej.

— Zamek został jednak nieco zmodyfikowany — ciągnął Delacroix — zgodnie z wymogami współczesnej techniki. Proszę zobaczyć, co się za chwilę stanie z pańskim bratem.

Duży Draybak odwrócił się szybko i wyjrzał przez plastikowe okienko.

Niech pan pożegna się z bratem — powiedział Delacroix, po czym uniósł pilota i wcisnął klawisz.

Z kamiennych ścian okrągłego przedsionka, w którym został uwięziony Mały Draybak, zaczął się natychmiast wydobywać mechaniczny, buczący odgłos.

Buczenie coraz bardziej się nasilało...

Z początku z Małym Draybakiem nic się nie działo.

Po chwili jednak jego ciałem gwałtownie wstrząsnęło i złapał się ręką za lewą pierś. Po sekundzie zakrył uszy dłońmi, po następnej plunął krwią.

Zaczął wyć.

Gdy buczący dźwięk osiągnął apogeum, klatka piersiowa Małego Draybaka eksplodowała, wyrzucając fontannę krwi i śluzu.

Młody Amerykanin padł na podłogę. Miał puste oczy i rozerwaną klatkę piersiową. Nie żył.

— To mikrofalowy system obronny, panie Draybak — powiedział Delacroix. — *Très effective*, prawda?

Duży Draybak przez moment nie był w stanie wykrztusić ani słowa.

Kiedy oprzytomniał, obrócił się wokół własnej osi i wrzasnął:

— Ty zasrańcu! Powiedziałeś, że szczerość pomoże!

Delacroix uśmiechnął się.

— Ach, wy, Amerykanie... wydaje się wam, że wszystko możecie wynegocjować. Powiedziałem, że może pomóc, uznałem jednak, że w tej sytuacji nic z tego.

Draybak popatrzył na ciało brata.

— Ze mną zrobisz to samo? — zapytał.

Monsieur Delacroix uśmiechnął się.

— O nie. W odróżnieniu od pana uwielbiam historię. Czasami stare sposoby są lepsze.

Wcisnął trzeci klawisz na pilocie...

...i z otworów w ścianach korytarzyka na Dużego Draybaka trysnęło 1000 litrów wrzącego oleju.

Każdy kawałek nagiej skóry Amerykanina został natychmiast spalony — w sekundę zeszła mu cała skóra z twarzy. Gdzie olej dotknął ubrania, tam włókno wtopiło się w ciało.

Draybak darł się wniebogłosy. Wył i jęczał, dopóki nie umarł, nikt go jednak nie słyszał.

Nikt go nie mógł usłyszeć, bo Forteresse de Valois, zbudowana na wysokim, wystającym z Atlantyku skalnym ostańcu, była oddalona o dwadzieścia mil od najbliższego miasta.

W głębi gór Hindukusz
Granica afgańsko-tadżycka
26 października, godzina 13.00 czasu lokalnego
(godzina 03.00 czasu EST USA)

Przypominało to atak na bramy piekła.

Lekki pojazd opancerzony porucznik Elizabeth Gant, pędzący przez dwustujardową otwartą przestrzeń stanowiącą przedpole jaskiń terrorystów, wznosił tumany kurzu, śniegu i błota.

Ziemię wokół ostrzeliwującego się pojazdu rył grad pocisków.

Była to piąta próba dostania się sił koalicyjnych do jaskiń — zaadaptowanej do celów obronnych byłej sowieckiej kopalni, w której wedle informacji wywiadowczych ukrywał się zastępca Osamy bin Ladena, Hassan Zawahiri, wraz z dwustoma ciężko uzbrojonymi terrorystami al Kaidy.

Mimo iż minął już ponad rok od oficjalnego upadku talibów i zakończenia bombardowań, walki toczyły się nadal — tyle że teraz przybrało to postać ścigania się „jeden na jednego" po jaskiniach. Ten system jaskiń — najbardziej niebezpieczną bazę terrorystów — siły angielskie i amerykańskie znalazły dopiero przed tygodniem.

Było to centrum zaplecza al Kaidy.

Porzucona sowiecka kopalnia węgla, znana kiedyś pod nazwą kopalni „Karpałów", została przez ludzi Osamy bin Ladena zamieniona w labirynt jaskiń, w których terroryści mieszkali, pracowali i magazynowali broń.

Zainstalowano tu także dodatkowy system obronny.

Była to metanowa pułapka.

Metan — łatwo palny gaz — wydziela się z węgla, a gdy jego stężenie w powietrzu przekroczy 5 procent, powstaje mieszanka wybuchowa. Wystarczy jedna iskra i wszystko eksploduje. Tutaj zorganizowano to tak, że centralne części kopalni były zaopatrywane w świeże powietrze poprzez przypominające gigantyczne kominy szyby wentylacyjne, a zewnętrzne części kompleksu wypełniał metan.

Tak więc przed dotarciem do centrum systemu atakujący nie mogli używać broni.

Jedno było pewne: terroryści, którzy ukryli się w tych jaskiniach, nie poddadzą się bez walki. Tak samo jak rok temu w Kunduz czy pod Mazar-e-Sharif, walka, która tu się rozpęta, będzie walką na śmierć i życie.

Był to ostatni bastion al Kaidy.

Do jaskiń wchodziło się sklepionym przejściem z żelbetu, szerokim na tyle, by zmieściły się w nim nawet wielkie ciężarówki.

Strome zbocze góry nad wejściem podziobano dziesiątkami stanowisk snajperów, z których terroryści mogli ostrzeliwać rozległą płaszczyznę przedpola.

Gdzieś w plątaninie skrywających kopalnię górskich wierzchołków znajdowały się wyloty szybów wentylacyjnych — bliźniaczych rur o średnicy trzydziestu stóp, wznoszących się z samego dołu instalacji i dostarczających do niej świeże powietrze. Terroryści zasłonili ich wyloty kamuflującymi pokrywami, ukrywając je przed kamerami samolotów szpiegowskich.

Właśnie te szyby były celem Gant.

Miała opanować je od wewnątrz, wysadzić pokrywę zasłaniającą wlot i posłać w górę laserowy promień kierunkowy — pokazując w ten sposób cel przelatującemu nad terenem kopalni bombowcowi B-52.

Potem pozostawało jej tylko jedno: uciec z kopalni, zanim do szybu wpadnie „Daisy Cutter" — „Kosiarz stokrotek", czyli ważąca prawie sześć i pół tony bomba, tak skonstruowana, aby

78

cała siła wybuchu rozchodziła się wokół miejsca trafienia tuż nad ziemią.

Pierwsze trzy przeprowadzone rano próby ataku na jaskinie zakończyły się sukcesem.

W każdej z nich udało przedrzeć się przez ścianę ognia i wtargnąć do jaskiń dwóm LAV-25 — ośmiokołowym lekkim pojazdom opancerzonym, wypełnionym komandosami angielskiego SAS i amerykańskimi marines.

Czwarta próba okazała się katastrofą.

Oba szturmujące pojazdy trafiły amerykańskie stingery — wystrzelone z naramiennych wyrzutni rakiety, dostarczone al Kaidzie przez Stany Zjednoczone podczas wojny afgańsko-sowieckiej — zabijając wszystkich znajdujących się w środku ludzi.

Gant brała udział w ataku numer pięć, w którym najpierw szły na wabia dwa szybkie pojazdy, by ściągnąć na siebie ogień wroga, a potem ku wejściu do jaskiń miały ruszyć dwa dowodzone przez Gant pojazdy opancerzone, osłaniane ogniem z moździerzy.

Plan zadziałał.

Pędzące samochody przynęty ściągnęły na siebie ogień z broni automatycznej i stingery, a potem z ukrycia wyprysnęły LAV-25 Gant i drugi ośmiokołowy pojazd opancerzony.

Zbocze nad wejściem do jaskiń zatrzęsło się od uderzeń granatów moździerzowych, a oba pojazdy — obrzucane gradem pocisków — wjechały do jaskiń. Kiedy zniknęły w ciemnościach, rozpętało się nowe piekło.

Elizabeth „Lis" Gant miała dwadzieścia dziewięć lat i była świeżo mianowanym porucznikiem — prosto po Szkole Kandydatów na Oficerów.

Nieczęsto świeżo upieczonemu porucznikowi powierza się dowodzenie oddziałem rozpoznania, Gant była jednak szczególną osobą.

Ta krępa blondynka, sprawniejsza fizycznie od wielu triatlonistów, była urodzonym przywódcą. Mimo niewinnych błękitnych oczu miała ostry jak brzytwa umysł, poza tym zaliczyła dwa lata w oddziale rozpoznania jako kapral.

Jak wieść niosła, miała także wysoko postawionych przyjaciół.

Niektórzy twierdzili, że jej szybki awans na dowódcę oddziału rozpoznania to efekt osobistej rekomendacji prezydenta Stanów Zjednoczonych, związanej z wydarzeniami, jakie miały miejsce w najtajniejszej bazie sił powietrznych — Strefie 7 — w trakcie którego Gant wykazała swą wartość bojową w obecności prezydenta. Były to jednak tylko przypuszczenia.

Najbardziej przyczyniła się do tego awansu powszechnie szanowana sierżant zbrojmistrz korpusu piechoty morskiej, Gena „Matka" Newman, która walczyła o Gant na wszelkie możliwe sposoby. Oświadczyła nawet, że jeśli młoda pani porucznik zostanie dowódcą oddziału rozpoznania, wtedy ona — choć z formalnego punktu widzenia byłoby to obniżenie jej rangi służbowej — przejęłaby obowiązki sierżanta sztabowego.

Rekomendacja mającej sześć stóp i dwa cale wzrostu, ogolonej na łyso, posiadającej protezę zamiast nogi i szereg wymagających absolutnej bezwzględności umiejętności fachu zabójców Matki przesądziła sprawę. Jej kryptonim mówił wszystko. Stanowił skrót od słowa „matkojebca".

Wydano Matce specjalne zezwolenie, pozwalające obejść politykę korpusu, która brzmiała: „w górę albo wcale" — i miesiąc przed wylotem do Afganistanu Gant została dowódcą 9. Oddziału Rozpoznania korpusu piechoty morskiej.

Warta uwagi była jeszcze jedna rzecz dotycząca Libby Gant.

Od prawie roku była dziewczyną kapitana Shane'a Schofielda.

Opanowany przez Schofielda Jak-141 pędził z podwójną prędkością dźwięku.

Od bitwy w Krasku-8 minęło niemal pięć godzin i teraz rozpościerał się przed nimi wspaniały masyw Hindukuszu.

Gdzieś tu była Libby Gant — potencjalna zakładniczka numer jeden dla każdego, kto chciał zdobyć głowę Schofielda.

Kończyło im się paliwo. Krótki postój na opuszczonym sowieckim lądowisku w rolniczej części Kazachstanu pozwolił napełnić zbiorniki, teraz jednak znów ziały pustką. Musieli znaleźć Gant, i to szybko.

Ponieważ Schofield nie ufał nikomu na Alasce, nastawił radio na częstotliwość US Defense Intelligence Agency *.

Kiedy sprawdzono jego tożsamość, poprosił o połączenie z Pentagonem, z Davidem Fairfaksem z wydziału szyfrów i kryptoanalizy.

— *Fairfax przy telefonie* — odezwał się po chwili w słuchawkach Schofielda głos młodego mężczyzny.

— Tu Shane Schofield.

— *Hej, kapitanie! Miło cię słyszeć. Co dziś zniszczyłeś?*

— Zalałem wodą okręt podwodny klasy Typhoon, zrównałem z ziemią piętnastopiętrowy budynek i wystrzeliłem rakietę balistyczną, by zniszczyć ośrodek naprawczy.

— *Słaby dzień.*

— David, musisz mi pomóc.

Schofield i Fairfax współpracowali ze sobą podczas incydentu w Strefie 7. Obaj otrzymali za tę akcję medale (tajne) i zostali przyjaciółmi.

---

* DIA — amerykański wywiad wojskowy.

Choć znajdowali się w Jaku-141, lecącym nad Tadżykistanem, Schofield bez trudu mógł sobie wyobrazić Fairfaksa, siedzącego przed komputerem w jednym z podziemnych pomieszczeń Pentagonu, ubranego w bawełniany podkoszulek firmy Mooks, dżinsy i adidasy, w okularach na nosie, żującego marsa i wyglądającego jak Harry Potter na studiach. Jak genialny, łamiący szyfry student.

— *Czego potrzebujesz?* — spytał Fairfax.

— Czterech rzeczy. Po pierwsze, chcę wiedzieć, gdzie w Afganistanie stacjonuje Gant. Muszę mieć dokładną lokalizację GPS.

— *Strachu na Wróble, to informacja operacyjna! Nie mam upoważnienia. Za samą próbę dowiedzenia się tego mogą mnie aresztować.*

— Więc zdobądź pozwolenie. Zrób wszystko, co konieczne. Właśnie straciłem sześciu dobrych marines, ponieważ moja misja na Syberii została narażona na szwank przez kogoś w domu. Wystawiono mnie łowcom nagród. Nie mogę nikomu ufać. Musisz się tego dowiedzieć.

— *No dobrze, zobaczę, co da się zrobić. Co jeszcze?*

Schofield wyjął listę z nazwiskami.

— Sprawdź dla mnie następujące osoby... — Odczytał nazwiska z listy — w tym także własne. — Sprawdź, co łączy tych ludzi. Przeszłość, umiejętności snajperskie, kolor włosów, wszystko. Posprawdzaj krzyżowo w każdej bazie danych, do jakiej uda ci się dostać.

— *Rozumiem.*

— Po trzecie, sprawdź bazę na Syberii o nazwie Krask-osiem. Dowiedz się o niej wszystkiego. Chcę wiedzieć, dlaczego właśnie ją wybrano na zasadzkę.

— *W porządku. A ostatnie niemożliwe zadanie?*

Schofield zmarszczył czoło. Zastanawiał się nad nazwiskiem, które usłyszał przez radio, gdy był w Krasku-8.

— Może to zabrzmi dziwnie, ale czy mógłbyś sprawdzić człowieka, którego nazywają Czarnym Rycerzem? Sprawdź przede wszystkim bazy danych najemników, każdego byłego wojskowego. Jest łowcą nagród — o ile wiem, bardzo dobrym — i ściga mnie. Chcę się dowiedzieć, kto ukrywa się za tym kryptonimem.

— *Masz to załatwione, Strachu na Wróble. Nawiążę kontakt najszybciej, jak się da.*

Opancerzony ośmiokołowy transporter ostro zahamował w mrocznym wejściu do jaskiń.

Otworzono od środka boczne drzwi pojazdu i na zewnątrz wypadł sześcioosobowy oddział Gant. O ziemię załomotały podeszwy butów, zaszczękała gotowa do strzału broń.

Gant również wysiadła i zaczęła się rozglądać. „Matka" Newman stała tuż za nią. Obie kobiety miały na sobie piaskowego koloru kombinezony bojowe, hełmy i opancerzenie osobiste, a w dłoniach trzymały MP-7 oraz kusze wielkości pistoletu.

Jaskinia była rozległa i wysoka, wszystkie ściany wybetonowano. W znajdującym się przed nimi stromo opadającym tunelu znikały szyny o szerokim rozstawie. Tunel ten nazywano dryfem, a służył do zjeżdżania do kopalni.

— Sfinks, tu Lis — powiedziała Gant do laryngofonu. — Jesteśmy w środku. Gdzie jesteś?

Odpowiedział jej głos z angielskim akcentem:

— *Lis, tu Sfinks. Jezu, tu jest dom wariatów! Jesteśmy na wschodnim krańcu kopalni. Mniej więcej dwieście jardów od dryfu. Tamci są przed szybami wentylacyjnymi, w kieszeni powietrz...*

Sygnał urwał się nagle.

— Sfinks? Sfinks! Cholera... — Gant odwróciła się do dwójki swoich ludzi. — Guzdrała i Freddy, sprawdźcie te jamy snajperskie na górze. Muszą tam być jakieś wewnętrzne tunele, pozwalające dostać się do środka. Przygwoźdźcie tych gnojków, żebyśmy mogli otworzyć korytarz dostępu do kopalni.

— Tak jest!

Obaj żołnierze natychmiast odeszli.

— Reszta za mną! — zawołała Gant.

Jak-141 Schofielda śmigał nad tadżyckimi szczytami.

Włączył się Fairfax.

— *Słuchaj, znalazłem Gant. Jej jednostka operuje z ruchomego punktu dowodzenia Kalifornia dwa pod dowództwem pułkownika Clarence'a W. Walkera. Podaję współrzędne Kalifornii dwa: GPS 06730.20, 3845.65.*

— *Zrozumiałem* — *odparł Schofield i zaczął wpisywać podane cyfry do komputera samolotu.*

Fairfax mówił dalej:

— *Mam też kilka informacji o ludziach z twojej listy. Siedem z piętnastu nazwisk pasowało do bazy danych personelu NATO: Ashcroft, Kingsgate, McCabe, Farrell, Oliphant, Nicholson i ty. Jesteście wymienieni w dokumencie, który jest zatytułowany* Badanie PRNR Połączonych Służb NATO — *i pochodzi z grudnia tysiąc dziewięćset dziewięćdziesiątego szóstego roku. Wygląda na to, że robiliśmy wtedy z Anglikami jakieś wspólne badania medyczne.*

— Gdzie trzymają ten raport?

— *W USAMRMC* — Army Medical Research and Materiel Command*.

— Myślisz, że uda ci się go zdobyć?

— *Oczywiście.*

— Co jeszcze? — spytał Schofield.

— *Jeden z naszych satelitów szpiegowskich przejął komunikat głosowy pochodzący z nieznanego samolotu, lecącego dziś rano nad Tadżykistanem. Wspomniano kilka nazwisk z twojej listy. Przeczytam ci transkrypt:*

BAZA, TU DEMON. MAMY WEITZMANA, ŻYWEGO, ZGODNIE Z INSTRUKCJAMI. KIERUJEMY SIĘ NA KOPALNIĘ „KARPAŁOW".

---

* Dowództwo Badań Medycznych i Sprzętu armii Stanów Zjednoczonych.

TO NAJWIĘKSZA KONCENTRACJA CELÓW Z LISTY. CZTERECH W JEDNYM MIEJSCU: ASHCROFT, KHALIF, KINGSGATE I ZAWAHIRI. JEST TAM TEŻ DZIEWCZYNA SCHOFIELDA.

Schofield poczuł, jak skręcają mu się jelita.

— *Jest do tego notatka* — dodał Fairfax. — *Wynika z niej, że przechwycony głos należał do Brytyjczyka, a jego właściciela identyfikuje się jako... o rany...*

— Mów dalej!

Fairfax przeczytał notatkę:

— *Głos zidentyfikowano jako należący do Damona F. Larkhama, kryptonim „Demon". Był pułkownikiem brytyjskiego SAS w latach dziewięćdziesiątych, ale w dziewięćdziesiątym dziewiątym stanął przed sądem wojskowym, oskarżony o kontakty z byłym dowódcą SAS, naprawdę niedobrym kolesiem, Trevorem J. Barnaby.*

— Spotkałem go kiedyś.

— *Larkhama skazano na jedenaście lat, uciekł jednak w drodze do więzienia Whitemoor, zabijając przy tym dziewięciu strażników. Przypuszcza się, że obecnie działa w organizacji zrzeszającej łowców nagród, zwanej Intercontinental Guards osiemdziesiąt osiem albo w skrócie IG-osiemdziesiąt osiem, z siedzibą w Portugalii. Jezu, Strachu na Wróble, w co ty się wplątałeś?*

— W coś, przez co mogę stracić głowę, jeżeli nie będę ostrożny.

— *Jeśli chodzi o miejsce, które wspomniałeś, Krask-osiem, udało mi się znaleźć tylko tyle: w czerwcu tysiąc dziewięćset dziewięćdziesiątego roku całe miasto, wraz z urządzeniami fabrycznymi, zostało sprzedane amerykańskiej firmie o nazwie Atlantic Shipping Corporation, która działa także w branży naftowej. Dostali Krask-osiem, kiedy kupili olbrzymie połacie Syberii, aby wydobywać tam ropę naftową.*

Schofield przez chwilę zastanawiał się nad tymi wiadomościami.

— Zero. Nic mi to nie mówi.

— *Aha, jeszcze jedno... w informacjach dotyczących byłych wojskowych nic nie znalazłem o tym Czarnym Rycerzu. Leci mi w tej chwili program poszukiwawczy w paru tajnych wywiadowczych bazach danych.*

— Dzięki, David. Trzymaj rękę na pulsie. Daj znać, jeśli znajdziesz coś nowego. Muszę pędzić dalej — odparł Schofield i pchnął dźwignię przepustnicy.

Dziewięć minut później Jak-141 wylądował pionowo na polanie, niedaleko której znajdowała się spora liczba amerykańskich pojazdów pustynnych i namiotów.

Schofield słyszał, że kampania w Afganistanie powoli zaczyna zamieniać się w coś, co przypominało Wietnam, przede wszystkim dlatego, że nawet w czasie wojny Afganistan pozostawał głównym światowym producentem heroiny.

Afgańscy górale nie tylko potrafili znikać bez śladu w labiryntach ukrytych jaskiń, ale także, kiedy zostali zapędzeni w pułapkę, przekupywali żołnierzy sił sprzymierzonych cegłami stuprocentowej heroiny. Ponieważ w cenach sprzedaży ulicznej jedna taka cegła była warta milion dolarów, często się to im udawało.

Właśnie z tego powodu przed tygodniem zdezerterowała rosyjska jednostka specjalna. Cały oddział specnazu — dwudziestu czterech ludzi — ukradł rosyjski helikopter transportowy Mi-17 i wyruszył na poszukiwanie jaskini, w której ponoć zmagazynowano trzydzieści palet heroinowych cegieł.

Witamy w Afganistanie.

Samolot Schofielda natychmiast otoczył kordon ciężko uzbrojonych marines, którym wcale nie podobało się pojawienie na ich terenie niezidentyfikowanego rosyjskiego myśliwca. Po chwili jednak Schofield i Book II zostali rozpoznani i odeskortowano ich do dowódcy bazy Clarence'a Walkera, pułkownika korpusu piechoty morskiej.

Namiot dowódcy stał na szczycie niewielkiego wzgórza, niedaleko wejścia do jaskiń al Kaidy.

Kiedy Schofield i Book II weszli, pułkownik Walker stał przy stole z rozłożonymi mapami i krzyczał do mikrofonu:

— Odzyskajcie sygnał radiowy! Połóżcie kabel antenowy! Jeśli trzeba, użyjcie nawet filiżanek i sznurka! Muszę przed nalotem bombowym porozmawiać z moimi ludźmi!

— Pułkowniku Walker — powiedział Schofield. — Przepraszam, że przeszkadzam, ale to bardzo ważne. Nazywam się Shane Schofield i muszę znaleźć porucznik Gant...

Walker odwrócił się gwałtownie.

— Co? Kim pan jest?

— Nazywam się Shane Schofield i myślę, że w tych jaskiniach są nie tylko islamscy terroryści. Są tu także prawdopodobnie łowcy...

— Kapitanie, jeżeli nie pilotuje pan bombowca B-pięćdziesiąt dwa z laserowo sterowaną bombą na pokładzie, nie mogę teraz z panem rozmawiać. Proszę usiąść i wziąć sobie...

— Hej, a co to ma być?! — wrzasnął ktoś nagle.

Wszyscy wypadli z namiotu i spojrzeli w kierunku wejścia do jaskiń. Wznosząc chmurę śniegu, właśnie lądował przed nim rosyjski helikopter transportowy Mi-17.

Wyskoczyło z niego około dwudziestu zamaskowanych ludzi i zniknęło w środku, mimo ognia z islamskich stanowisk.

Ledwie wbiegli do jaskiń, helikopter wystartował. Ostrzelał stanowiska snajperów na zboczu góry i zniknął za wzgórzem.

— Co to było?! — krzyknął pułkownik Walker.

— Helikopter miał rosyjskie znaki! — odkrzyknął obserwator. — To była ta zbuntowana jednostka specnazu!

— Tutaj jest gorzej niż w domu wariatów... — mruknął Walker, po czym odwrócił się. — No dobrze, kapitanie Schofield. Co pan wie o tym...

Ale Schofielda i Booka II już nie było.

Pułkownik ujrzał jedynie lekki pojazd szturmowy, który gwałtownie ruszył w kierunku wejścia do jaskiń. W środku siedzieli Schofield i Book II.

Pojazd pędził po ziemi niczyjej, wznosząc za sobą kłęby pyłu.

Ze stanowisk nad wejściem do jaskiń zaczęto strzelać. Pociski gęsto padały wokół maszyny.

Lekki pojazd szturmowy przypomina plażowe buggy — nie ma szyb ani opancerzenia. Składa się głównie z szeregu krzyżujących się rur, tworzących wokół kierowcy i pasażerów coś w rodzaju klatki. Jest lekki, szybki i niezwykle zwrotny.

Schofield jechał szerokim łukiem, wznosząc tumany kurzu, który zakrywał maszynę. Po chwili pociski snajperów zaczęły padać nieco dalej.

Pojazd skierował się ku wejściu do jaskiń.

Ostrzał nasilił się...

...i nagle na zboczu nad wejściem huknęło kilka eksplozji. W jednej sekundzie wysadzono osiem stanowisk snajperskich.

Ogień został przerwany. Ktoś załatwił snajperów od środka.

Schofield wcisnął pedał gazu do podłogi i pojazd wpadł w mrok kopalni.

Tysiąc osiemset stóp poniżej poziomu ziemi Libby Gant biegła przez kamienne tunele, prowadzona światłem latarek, umocowanych na jej hełmie i MP-7.

Za nią szło troje marines. Gant co kilkanaście jardów sprawdzała wskazania metanometru, informującego o stężeniu śmiercionośnego gazu.

Stężenie metanu w powietrzu wynosiło 5,9 procent.

Oznaczało to, że w dalszym ciągu są w zewnętrznej, ochronnej części kopalni.

Znajdowali się w skomplikowanym labiryncie — plątaninie nisko sklepionych korytarzy o szerokości przeciętnego tunelu kolejowego, przecinających się pod kątami prostymi. Jedne tunele zdawały się nie mieć końca, inne po kilku jardach zaślepiały masywne ściany.

Wszystko wokół było szare. Skalne ściany, niskie sufity, nawet podtrzymujące sufity spękane drewniane stemple — wszystko pokrywał szary pył.

Był to pył wapienny, substancja obojętna, mająca neutralizować sypiący się ze ścian łatwo palny pył węglowy, mogący zwiększyć zagrożenie wybuchem.

Na dole stromego tunelu — „dryfu" — czekał na nich komandos SAS, który został wyznaczony na łącznika po zerwaniu komunikacji radiowej.

— Skręćcie w lewo i idźcie prosto do taśmociągu. Potem przejdźcie wzdłuż niego do barykady. Nie oddalajcie się od taśmociągu, bo łatwo się tam zgubić — przekazał.

Oddziałek Gant wypełnił dokładnie te polecenia — na koniec

przebiegli mniej więcej dwieście jardów zakrzywiającym się tunelem, w którym znajdował się biegnący na słupach taśmociąg.

Metanometr wskazywał 5,6 procent... 5,4 procent...

Im głębiej wchodzili do kopalni, tym bardziej stężenie metanu spadało.

5,2 procent... 4,8 procent... 4,4 procent...

Coraz lepiej, pomyślała Gant.

— Wiesz co? — odezwała się nagle Matka. — Myślę, że zapyta we Włoszech.

— Matka...

Po wykonaniu tego zadania Matka i Gant — razem z Schofieldem i kurduplowatym mężem Matki — wybierali się na urlop do Włoch. Zamierzali wynająć na dwa tygodnie willę w Toskanii i obejrzeć sławny pokaz lotniczy Aerostadia Italia w Mediolanie — gwoździem programu miały być dwa X-15 o napędzie rakietowym, które zbudowała NASA, najszybsze samoloty wszech czasów. Matka nie mogła się doczekać, kiedy je zobaczy.

— Pomyśl tylko: toskańskie wzgórza, stara willa... Taki gość jak Strach na Wróble na pewno wykorzysta okazję.

— Powiedział ci to, prawda? — zapytała Gant, nie odwracając głowy.

— Aha.

— Straszny z niego tchórz — stwierdziła Gant. Wyszły właśnie zza zakrętu i nagle doleciały do nich odgłosy strzelaniny. Gant zerknęła na Matkę kątem oka i powiedziała: — Dokończymy później.

W ciemności przed nimi widać było krzyżujące się promienie z latarek na hełmach i czarne sylwetki żołnierzy sił koalicyjnych. Uwijali się jak w ukropie za prowizoryczną barykadą, zbudowaną ze zdezelowanego sprzętu górniczego, beczek, skrzyń i pustych wagoników.

Za barykadą widać było szyby wentylacyjne.

W tym ciasnym, ciemnym świecie jasna i przestronna jaskinia z szybami wentylacyjnymi stanowiła miłą odmianę. Miała pięć pięter wysokości i rozświetlały ją jaskrawobiałe fosforowe flary, sprawiając, że przypominała rozjarzoną podziemną katedrę.

Dwa szyby o średnicy trzydziestu stóp znikały w suficie w stożkowatych wnękach.

Przed szybami toczyła się jedna z najbardziej zaciętych bitew w historii.

Członkowie al Kaidy byli doskonale przygotowani.

Także zbudowali barykadę — zdecydowanie lepszą od konstrukcji sił koalicyjnych.

Wykonano ją również z pozostawionego w kopalni sprzętu, ale znacznie potężniejszego: pojazdów z wielkimi tarczami wiertniczymi, ładowanych od przodu wagonów, starych, podobnych do humvee ciężarówek, zwanych dryfochodami, i przypominających wielkie tace palet, wypełnionych węglem.

Gdy Gant dotarła do barykady sił koalicyjnych, natychmiast dostrzegła rozmieszczonych po przeciwległej stronie jaskini terrorystów. Było ich ponad stu — każdy miał na sobie brązowy skórzany kaftan i białą koszulę, a na głowie czarny turban.

Byli uzbrojeni po zęby: w AK-47, M-16, a nawet sowieckie RPG. Tutaj, gdzie wpadało dużo świeżego powietrza, używanie broni palnej było całkowicie bezpieczne.

Gant podeszła do żołnierzy sił koalicyjnych.

Było ich około dwudziestu: marines z korpusu piechoty morskiej i angielscy komandosi SAS.

Stanęła obok dowódcy — majora SAS Ashcrofta, o kryptonimie „Sfinks".

— To jakiś cholerny koszmar! — wrzasnął Anglik. — Zabunkrowali się wokół tych szybów na dłużej! Co kilka minut jeden... cholera! Następny! Zastrzelcie go! Zastrzelcie!

Gant odwróciła się, by spojrzeć nad barykadą.

W tym momencie z dziury w barykadzie terrorystów wyjechał z szaloną prędkością — na motocyklu! — brodaty arabski terrorysta. W jednym ręku trzymał kałasznikowa, z którego strzelał jak szalony, wzywając jednocześnie Allacha.

Do tułowia miał przywiązane cztery ładunki C-4.

Trzech żołnierzy SAS natychmiast przygwoździło go ogniem — zrzucili samobójcę z siodełka, ale motocykl jeszcze kawałek jechał dalej sam.

Arab załomotał o beton, wznosząc chmurę pyłu...

...i po sekundzie eksplodował.

W jednej chwili jechał ma motocyklu, wrzeszcząc jak opętany, a w następnej zniknął.

Gant zamarła.

Szaleństwo...

Dowódca SAS odwrócił się do niej.

— To kompletny dom wariatów, kochana! Raz za razem ci dranie wysyłają kolejnego samobójcę, którego musimy zastrzelić, zanim do nas dotrze! Muszą tu gdzieś mieć magazyn. Mają generatory, paliwo i dość amunicji oraz wody, aby dotrwać do trzytysięcznego roku! Są nie do ruszenia!

— A gdybyśmy ich obeszli?

— Nic z tego! Zaminowali cały teren! Pełno tu pułapek i min przeciwpiechotnych. Straciłem już w ten sposób dwóch dobrych ludzi! Ci wariaci czekają tu na nas od dawna! Należałoby przeprowadzić frontalny atak, ale do tego potrzeba więcej ludzi!

W tym momencie — jak na zawołanie — w tunelu, prowadzącym do wejścia do kopalni, pojawiło się jakiś dwadzieścia zamontowanych na lufach latarek.

— O, wsparcie — mruknął Ashcroft i ruszył w kierunku przybyszy.

Gant patrzyła, jak wita się z dowódcą nowo przybyłych, jak podają sobie ręce.

Dziwne, przeszło jej przez myśl. Pułkownik Walker twierdził, że następne wsparcie dotrze dopiero za dwadzieścia minut. Ciekawe, skąd ci wzięli się tu tak szybko...

Zobaczyła, że major zamachał ręką w kierunku barykady, odwracając się do dowódcy nowego oddziału plecami, a wtedy tamten płynnym ruchem wyciągnął coś zza pasa i smagnął tym „czymś" Ashcrofta po karku.

Z początku nie rozumiała, co się dzieje.

Ashcroft stał nieruchomo w miejscu.

Po chwili jego głowa przekrzywiła się pod dziwnym kątem i spadła z tułowia.

Oczy Gant rozszerzyły się z przerażenia.

Co to...

Nie miała jednak czasu się zastanawiać, bo niemal w tym samym momencie, w którym ciało martwego Ashcrofta osunęło się na ziemię, ożyły pistolety maszynowe nowo przybyłych, zasypując ogniem chowających się za barykadą żołnierzy sił koalicyjnych.

Gant z szybkością błyskawicy zanurkowała za jeden z wózków, stanowiący element barykady. O stal załomotały pociski. Sekundę później dołączyli do niej Matka i pozostali dwaj marines.

Reszta żołnierzy sił koalicyjnych nie miała tyle szczęścia.

Większość z nich została zaskoczona na otwartej przestrzeni, zaatakowana przez grad kul od tyłu. Ich ciała eksplodowały setkami krwawych ran, podskakując w miejscu.

— Cholera jasna! Co to ma znaczyć?! — krzyknęła Gant, przyciskając się do boku stalowego wózka.

Znajdowali się między dwoma frontami: jedni wrogowie byli przed barykadą, drudzy za nią.

Śmiertelny przekładaniec.

— Co robimy, mała?! — wrzasnęła Matka.

Gant przeskoczyła przez wózek i wylądowała niczym kot na zakurzonym betonie między dwoma barykadami, a reszta jej ludzi ruszyła za nią.

W tym samym momencie lekki pojazd szturmowy Schofielda i Booka II gwałtownie zahamował w jaskini tuż za wejściem do kopalni.

Schofield popatrzył na szyny „dryfu", schodzące ostro w dół niczym tor górskiej kolejki w wesołym miasteczku. Ledwie jednak zrobił krok w ich kierunku, z niedalekiego bocznego tunelu wyskoczyły dwie postacie.

Schofield i Book odwrócili się błyskawicznie i skierowali na nie broń. Ciemne postacie zrobiły to samo.

— Guzdrała? — spytał Schofield. — Guzdrała de Villiers? — Strach na Wróble? — Jeden z przybyszy opuścił broń. — Człowieku, o mało cię nie zastrzeliłem.

Był to kapral Paul „Guzdrała" de Villiers, który właśnie wracał ze swoim partnerem — starszym kapralem o przydomku „Freddy" — z akcji oczyszczania stanowisk snajperskich al Kaidy na zboczu nad wejściem do jaskiń.

— Muszę znaleźć Gant — oświadczył Schofield. — Gdzie ona jest?

— Tam na dole — odparł Guzdrała.

Pół minuty później Schofield siedział za kierownicą lekkiego pojazdu szturmowego i jechał w dół stromego tunelu „dryfu". Book II zajmował stanowisko przedniego strzelca, pozostali dwaj marines dzielili siedzenie tylnego strzelca.

Pojazd gnał opadającym o trzydzieści stopni tunelem, silny reflektor oświetlał biegnące jego środkiem szyny.

Niedaleko końca tunelu Schofield wrzucił wsteczny bieg i koła pojazdu zaczęły się wściekle obracać do tyłu, ale niewiele spowolniło to jego zsuwanie się w dół.

Wystarczyło jednak: nieco zwolnili i tuż przed wylotem tunelu Schofield znów wrzucił zwykły bieg — i pojazd pomknął w plątaninę kolejnych tuneli, mijając ciało martwego łącznika SAS.

Gant była całkowicie odsłonięta.

Stała przed frontem barykady sił koalicyjnych i trzydzieści jardów przed dwoma setkami żądnych mordu bojowników świętej wojny.

Jeżeli terroryści zamierzali zabić ją i jej ludzi, mieli teraz szansę. Gant czekała na grad pocisków, który zakończy jej życie.

Ale w ich kierunku nie padł żaden pocisk.

Zamiast tego rozległa się strzelanina za barykadą al Kaidy.

Gant zmarszczyła czoło. Jeszcze nigdy nie słyszała tego rodzaju strzałów. Padały za szybko, jakby strzelano z sześciolufowego działka Minigun...

Po chwili ujrzała coś, co kompletnie ją zaskoczyło.

Barykada al Kaidy została rozszarpana ogniem od środka — cała konstrukcja rozleciała się, zarzucona gradem naddźwiękowych pocisków, i terroryści zaczęli wyskakiwać zza zbudowanej przez siebie osłony na ziemię niczyją, uciekając tak samo jak przed chwilą Gant.

Ale terroryści uciekali przed czymś, co było znacznie gorsze.

Wyskakiwali zza barykady i ginęli w locie, zabijani od tyłu.

Sekundę przedtem, zanim kolejny terrorysta, który wspiął się na resztki barykady, został rozerwany na strzępy, Gant zauważyła, że ktoś celuje do niego, używając zielonego lasera.

Zielony laser...

— Hej, Lis! — wrzasnęła zza jej pleców Matka. — Co się dzieje?! Zdawało mi się, że tu walczą dwie strony!

— Mnie też! Ale jest ktoś jeszcze! Ruszamy!

— Dokąd?

— Jest tylko jeden sposób rozwiązania problemu: musimy zrobić to, po co tu przyszliśmy! — odkrzyknęła Gant i pobiegła przez ziemię niczyją, wykorzystując jako osłonę biegnący z lewej strony nad nią taśmociąg, w kierunku lewego szybu wentylacyjnego.

Dobiegła do północnego skraju taśmociągu w chwili, gdy z przeciwnej strony dotarło tam czterech terrorystów al Kaidy, ściganych ogniem zza własnej barykady.

Pierwsi trzej bojownicy wspięli się na ustawione niczym schody skrzynki i wskoczyli na taśmociąg, a czwarty wcisnął wielki zielony przycisk na konsolecie.

Taśmociąg ożył z rykiem...

...i cała trójka natychmiast pomknęła z ogromną prędkością w kierunku barykady sił koalicyjnych. Czwarty mężczyzna wskoczył za nimi na taśmociąg i — wziiiuuum! — również pomknął na południe.

— O rany... ale szybki ten taśmociąg... — mruknęła Matka.

— Idziemy! — krzyknęła Gant i wskoczyła za barykadę al Kaidy.

Znalazły się na dobrze oświetlonej przestrzeni — pod szybami wentylacyjnymi. Wyglądało tu jak w katedrze. Cały teren oświetlało rozproszone białe światło elektrycznych lamp.

Natychmiast stało się jasne, dlaczego terroryści uciekli z barykady.

Z wąskiego tunelu, którego wylot znajdował się tuż za fortyfikacją al Kaidy, wysypało się piętnastu ubranych na czarno komandosów w zielonych goglach noktowizyjnych.

Uwagę Gant przyciągnęła broń w ich rękach. Broń, która zmasakrowała bojowników al Kaidy.

Przybysze byli uzbrojeni w karabinki szturmowe Metal-Storm M100. W tych karabinach, będących czymś w rodzaju strzelby szynowej, nie stosuje się do wyrzucania pocisków żadnych ruchomych części. Całą sprawę załatwiają impulsy prądu elektrycznego, które wytwarzają pole magnetyczne, przesuwające pocisk wzdłuż specjalnych prowadnic i wyrzucające go poza lufę. Technologia ta pozwala osiągnąć niewiarygodną szybkostrzelność teoretyczną 10 000 pocisków na minutę. Jest to istna orgia metalu — i stąd nazwa MetalStorm, czyli Metalowa Burza.

Karabiny członków nowo przybyłego oddziału były wyposażone w celowniki z zielonymi laserami, więc Gant nazwała ich „czarno-zielonymi".

Jedno było w ich działaniach dziwne: zdawali się wcale jej nie zauważać. Ścigali uciekających terrorystów.

Gant wślizgnęła się pod lewy szyb wentylacyjny i zaczęła ustawiać moździerz.

Kiedy skończyła, wrzasnęła: „Gotowe!" — i wcisnęła odpalanie. Po chwili w górę szybu wentylacyjnego wystrzelił z charakterystycznym hukiem granat moździerzowy i pomknął jak rakieta.

BUMMM!

Tysiąc osiemset stóp wyżej pocisk trafił w pokrywę kamuflażową wylotu szybu i rozwalił ją w drobny mak. Jej szczątki poleciały w dół szybu i po chwili załomotały o bcton. Do jaskini wpłynęła porcja szarego światła z zewnętrznego świata.

Kiedy resztki rozbitej pokrywy przestały lecieć na dół, Gant — cały czas otoczona przez swoich ludzi — zaczęła rozstawiać kolejne, znacznie mniejsze urządzenie. Była to wysyłająca promień laserowy dioda.

Gant wcisnęła klawisz.

W górę natychmiast pomknął czerwony laserowy promień, przeleciał przez komin szybu i wystrzelił w niebo.

— Wszystkie jednostki, tu Lis — powiedziała Gant do mikrofonu. — Jeśli jeszcze żyjecie, uwaga! Laser uruchomiony. Powtarzam: laser uruchomiony. Zgodnie z parametrami misji, bombowce będą na miejscu za dziesięć minut. Nie interesuje mnie, co tu się jeszcze wydarzy. Opuszczamy kopalnię!

W znajdującym się obok kopalni obozie marines oficer komunikacji nagle wyprostował się na krześle.

— Pułkowniku! Właśnie przejęliśmy sygnał lasera namiarowego z kopalni! To promień Gant. Udało im się!

Pułkownik Walker podszedł do niego.

— Wezwijcie B-pięćdziesiąt dwa i powiedzcie im, ze mamy laser. Niech oddziały ewakuacyjne podejdą pod wejście do kopalni, żeby przejąć wychodzących z niej naszych ludzi. Za dziesięć minut ta kopalnia przejdzie do historii i nie możemy czekać na maruderów.

Gant, Matka i pozostałych dwóch marines odwrócili się.

W dalszym ciągu znajdowali się za barykadą al Kaidy —

musieli wrócić do barykady sił koalicyjnych, a stamtąd do wyjścia stromego tunelu.

Nie przeszli jednak więcej niż kilka jardów.

Ledwie ruszyli, zatrzymała ich scena, jaką ujrzeli przed barykadą — na skraju ziemi niczyjej.

Czterech wojowników al Kaidy zostało otoczonych przez sześciu komandosów oddziału „czarno-zielonych", celujących do nich z karabinów MetalStorm.

Gant obserwowała tę scenę z uwagą.

Dowódca oddziału „czarno-zielonych" wystąpił naprzód i ściągnął z twarzy maskę, ukazując klasycznie rzeźbioną szczękę, błękitne oczy oraz regularne rysy, dzięki którym bez trudu mógłby zostać modelem.

— Który z was to Zawahiri? — spytał terrorystów.

Jeden z nich buntowniczo uniósł głowę.

— Ja jestem Zawahiri — powiedział. — Ale nie możesz mnie zabić.

— A to dlaczego?

— Ponieważ chroni mnie Allach. Nie wiesz tego? Jestem jego wybranym wojownikiem. Jestem wybrańcem! — oświadczył. — Spytaj Rosjan. Ze wszystkich pojmanych mudżahedinów tylko ja przeżyłem sowieckie eksperymenty w lochach ich tadżyckiego gułagu. Spytaj Amerykanów! Tylko ja przeżyłem ich nalot rakietowy po zbombardowaniu afrykańskiej ambasady! — Zaczął krzyczeć: — Spytaj Mossad! Oni wiedzą! Przeżyłem tuzin innych zamachów na mnie! Żaden człowiek, urodzony na tej ziemi, nie może mnie zabić! Jestem wybrańcem. Jestem posłańcem Boga. Jestem niezwyciężony!

— Mylisz się — odparł dowódca „czarno-zielonych" i wystrzelił ze swojego karabinu serię prosto w pierś Zawahiriego.

Terrorysta poleciał do tyłu, cały jego tułów zamienił się w krwawą masę. Ciało zostało niemal przecięte na pół.

Dowódca „czarno-zielonych" podszedł do trupa Zawahiriego, stanął nad nim okrakiem, wyciągnął z pochwy na plecach maczetę i jednym ruchem odciął terroryście głowę.

Gant zesztywniała.

Matka otworzyła usta.

Patrzyły w przerażeniu, jak dowódca „czarno-zielonych" podnosi głowę Zawahiriego i umieszcza ją w białym pojemniku.

— Co tu się, kurwa, wyprawia... — szepnęła Matka.

— Nie mam pojęcia — odparła Gant. — I nie dowiemy się tego. Musimy się stąd wynosić.

Odwróciły się i...

...ujrzały przed sobą kilkudziesięciu ludzi z al Kaidy, którzy pędzili na nich, biegnąc w kierunku taśmociągu, wrzeszcząc, wyjąc i machając bezużytecznymi, pustymi pistoletami maszynowymi, ścigani przez kolejną grupę „czarno-zielonych".

Gant otworzyła ogień i dwóch terrorystów upadło.

Matka zrobiła to samo — upadło czterech następnych.

Pozostali dwaj ludzie Gant zostali przewróceni przez napierającą masę, która deptała ich, nawet na chwilę się nie zatrzymując.

— Jest ich za dużo! — krzyknęła Gant do Matki i skoczyła w bok.

Matka cofnęła się i wdrapała na skrzynki, po których można było wejść na taśmociąg. Póki mogła, ostrzeliwała się, wkrótce jednak została unieszkodliwiona przez terrorystów, którzy po prostu przykryli ją swoimi ciałami — i cała kłębiąca się grupa, z Matką w środku — została rzucona na pędzący taśmociąg.

„Czarno-zieloni", którzy zabili Zawahiriego, wydawali się rozbawieni widokiem ludzi z al Kaidy, uciekających na taśmociągu.

Jeden z nich podszedł do konsolety sterującej i wcisnął duży żółty przycisk.

Natychmiast rozległ się głośny mechaniczny ryk. Gant błyskawicznie odwróciła się na pięcie, aby zobaczyć, skąd dochodzi.

Przed barykadą sił koalicyjnych, niemal na końcu taśmociągu, włączyła się potężna mielarka głazów. Była to bardzo prosta konstrukcja: dwa walce, z których wystawały setki stożkowatych „zębów" do miażdżenia kamienia.

Terroryści z al Kaidy natychmiast zaczęli zeskakiwać z taśmociągu. Gant czekała, aż to samo zrobi Matka, ale nie doczekała się.

Z taśmociągu nie zeskoczył nikt, kto choć trochę przypominałby jej sierżanta sztabowego.

Cholera!

Matka przez cały czas znajdowała się na pędzącym w kierunku mielarki taśmociągu.

Sierżant Newman rzeczywiście była na taśmociągu — do śmiercionośnych stalowych zębów pozostało jej jeszcze jakieś 60 jardów.

Problem polegał na tym, że walczyła z dwoma terrorystami al Kaidy.

Większość z nich postanowiła ratować życie, ale ci zdecydowali się je poświęcić, ginąc w mielarce... i zabierając ze sobą Matkę.

Taśmociąg pędził z prędkością przynajmniej 15 mil na godzinę — czyli ośmiu jardów na sekundę.

Padając na taśmociąg, Matka zgubiła broń i musiała walczyć z dwoma terrorystami wręcz.

— Wy pieprzeni samobójcy! — wrzeszczała. Była wielka i silna jak byk, mogła trzymać napastników z dala od siebie, ale nie była w stanie ich pokonać. — Myślicie, że mnie załatwicie, co?! Mowy nie ma!

Jednego z nich kopnęła w krocze, po czym przerzuciła go przez plecy, w kierunku mielarki, która była oddalona już tylko o 20 jardów i szybko się zbliżała.

Zostało jej dwie i pół sekundy.

Drugi terrorysta nie poddawał się. Był zaprawiony w walce wręcz i Matka nie miała szans się go pozbyć. Leżał na plecach, nogami w kierunku mielarki — a ona na brzuchu, głową naprzód.

— Daj... mi... święty... spokój! — zawyła.

Pierwszy terrorysta wjechał do mielarki.

Rozległ się przerażający wrzask. Trysnęła fontanna krwi, opryskując Matkę.

W tym momencie dotarło do niej, że się jej nie uda.

Nie zdąży uciec. Była już martwa.

Nogi terrorysty trzymającego ją za ramiona wjechały do mielarki.

Po chwili znalazła się w niej reszta jego ciała i Matkę zalała kolejna fontanna krwi.

Zęby mielarki były o parę cali od jej twarzy, widziała je

wyraźnie, widziała plamy krwi na metalu, widziała, jak jej dłonie zaczynają wchodzić między...

...i nagle wzbiła się w powietrze.

Niewysoko, ale wystarczająco, aby taśmociąg przestał ją przesuwać.

Zmarszczyła czoło i rozejrzała się.

Nad jej głową — zwisając na jednej ręce ze stalowej poprzeczki, a drugą ręką trzymając ją za kołnierz opancerzenia — unosił się Shane Schofield.

Pięć sekund później Matka ponownie stała na twardym gruncie wraz z Schofieldem, Bookiem II i ich dwoma nowymi pomocnikami, Guzdrałą i Freddym. Lekki pojazd szturmowy parkował obok, za barykadą sił sprzymierzonych.

— Gdzie Gant? — zapytał Schofield.

— Rozdzieliłyśmy się przy drugiej barykadzie.

Schofield popatrzył w tamtym kierunku.

— Strachu na Wróble, co tu się dzieje? Co to za ludzie?!

— Jeszcze do końca nie wiem. Ale to łowcy nagród. A jeden z nich ściga Gant!

Matka złapała go za ramię.

— Zaczekaj! Mam złe wiadomości. Już nastawiliśmy laser dla bombowców. Mamy... — popatrzyła na zegarek — ...osiem minut do uderzenia sześciotonowej bomby!

— Musimy więc szybko znaleźć Gant!

Kiedy tłum ludzi z al Kaidy się przewalił, Gant skoczyła na nogi, tylko po to jednak, aby stwierdzić, że celują w nią trzy zielone lasery.

Rozejrzała się.

Otaczało ją sześciu „czarno-zielonych" — wszyscy celowali do niej z karabinków MetalStorm.

Jeden z nich uniósł dłoń i wystąpił do przodu.

Zdjął hełm razem z goglami i ukazał twarz.

Gant miała nigdy nie zapomnieć tego widoku.

Nie byłaby w stanie go zapomnieć.

Mężczyzna wyglądał jak postać z horroru.

Kiedyś musiał zostać straszliwie poparzony, bo cała jego czaszka była pozbawiona włosów i okropnie pomarszczona, popalona skóra była spękana i pełna blizn, a uszy wtopiły się w boki głowy.

Jego oczy były jednak żywe i migotało w nich zadowolenie.

— Elizabeth Gant, zgadza się? — zapytał uprzejmie, jednocześnie odbierając jej broń.

— Ta... tak — odparła zaskoczona Gant.

Podobnie jak pierwszy z dowódców „czarno-zielonych", również ten miał angielski akcent. Wyglądał na jakieś czterdzieści lat i z pewnością był doświadczony i przebiegły.

Wyciągnął z kabury na plecach Gant maghooka i odrzucił go daleko.

— Nie mogę pozwolić, aby pani to zatrzymała — stwierdził. — Elizabeth Louise Gant, kryptonim „Lis". Dwadzieścia dziewięć lat. Niedawna absolwentka SKO... jeśli się nie mylę, drugie miejsce w klasie. Służyła pani w Szesnastym Oddziale Rozpoznania korpusu piechoty morskiej pod dowództwem porucznika Shane'a M. Schofielda, a potem w HMX-jeden, oddziale helikoptera prezydenckiego — znów pod dowództwem Schofielda. Ale obecnie nie jest już pani pod dowództwem Schofielda — teraz już kapitana — z powodu przepisów korpusu dotyczących fraternizacji. Porucznik Gant, jestem pułkownikiem i nazywam się Damon Larkham, kryptonim „Demon". To moi ludzie: Intercontinental Guards, oddział osiemdziesiąty ósmy. Mam nadzieję, że nie będzie pani miała nic przeciwko temu, jeśli ją sobie na jakiś czas wypożyczymy.

Jeden z ludzi Larkhama złapał Gant od tyłu i przyłożył jej do ust i nosa szmatkę nasączoną chloroformem. Zanim minęła sekunda, Gant straciła przytomność.

Chwilę później do Damona Larkhama podszedł przystojny dowódca oddziału, który na oczach Gant obciął głowę Zawahiriemu — z dwoma białymi pojemnikami do transportu materiałów medycznych.

— Mamy głowy Zawahiriego i Khalifa — powiedział. —

Znaleźliśmy też ciało Ashcrofta, ale głowy już nie było. Moim zdaniem są tu Skorpiony i to oni ją zabrali.

Larkham kiwnął głową.

— Hm... major Zamanow i jego specnazowskie Skorpiony... Dziękuję, kowboju. Chyba już i tak osiągnęliśmy wystarczająco dużo. — Popatrzył na leżącą na betonie Gant. — Może nasz łup jeszcze się powiększy. Każ wszystkim iść do tylnego wyjścia. Czas wracać do samolotów. Kopalnia została namierzona i w drodze są już bombowce, które mają ją rozwalić.

Dwie minuty później lekki pojazd szturmowy Schofielda objechał barykadę al Kaidy i gwałtownie zahamował.

Wyskoczyli z niego Schofield, Book II, Matka i dwaj młodzi marines. Wszyscy mieli broń gotową do strzału. Cała grupa zaczęła szukać Gant.

— Matka... czas do bombardowania? — spytał Schofield.

— Sześć minut.

Gant nigdzie nie było widać.

Matka stała na skraju barykady al Kaidy, niedaleko taśmociągu.

— Tu ją widziałam po raz ostatni. Ten przystojniaczek z „czarno-zielonych" odciął głowę jednemu z terrorystów i nagle wyskoczyła na nas cała banda al Kaidy.

Wskazała w kierunku północno-wschodniego kąta jaskini, na punkt za szybami wentylacyjnymi. Schofield od razu zauważył znajdujący się tam wylot wąskiego tunelu.

Potem ujrzał jeszcze coś — leżącego na betonie maghooka.

Podszedł do strzelby i podniósł ją. Na boku miała biały napis: FOXY LADY. Maghook Gant. Przypiął go sobie do pasa.

Kiedy wrócił do pozostałych, Matka mówiła właśnie:

— ...i nie zapominajcie o obecnej na dole czwartej sile.

— Czwartej sile? — zdziwił się Schofield. — Jakiej czwartej sile?

— W tej kopalni są cztery rodzaje oddziałów — odparła Matka. — My, al Kaida, „czarno-zieloni skurwiele", którzy zabrali mojego małego kurczaka, oraz ci, którzy zabili Ashcrofta i zaatakowali od tyłu barykadę sił koalicyjnych.

— Zabili Ashcrofta?

— Owszem. I w dodatku obcięli mu głowę.

— Jezu... następni łowcy nagród. Gdzie są teraz?

— Chyba... tutaj — powiedział Book II.

Zmaterializowali się nagle ze środka barykady al Kaidy i jej najbliższej okolicy — dwudziestu ludzi w jasnobrązowych kombinezonach do walki na pustyni, brązowych maskach na twarzach i żółtych rosyjskich butach bojowych. Wyszli zza poprzewracanych wagoników kolejki i palet.

Większość z nich była uzbrojona w groźnie wyglądające krótkolufe pistolety maszynowe Skorpion VZ-61, charakterystyczną broń specnazu. Stąd też wzięła się ich nazwa w świecie łowców nagród — Skorpiony.

Najwyraźniej czekali tu na kogoś.

Spomiędzy nich wyszedł mężczyzna z insygniami majora.

— Rzucić broń — polecił.

Schofield i pozostali marines zrobili, co im kazano. Do kapitana natychmiast podeszło dwóch Rosjan i złapało go mocno.

— Kapitan Schofield... cóż za miła niespodzianka — powiedział major specnazu. — Mój wywiad nie wspomniał o tym, że pan tu będzie, ale pańska obecność jest miłą premią. Wprawdzie pańska głowa przyniesie nam tyle samo, co głowy pozostałych, lecz myślę, że zdobycie głowy sławnego Stracha na Wróble spotka się ze szczególnym uznaniem. — Przez chwilę patrzył na Schofielda, po czym dodał: — Może jednak pańska reputacja jest przesadzona... Proszę uklęknąć.

Schofield wskazał na przygotowaną przez Gant diodę, emitującą promień laserowy.

— Widzi pan to? — spytał. — Ta dioda sprowadzi tu sześciotonową bombę. Spadnie do kopalni za pięć minut...

— Powiedziałem: na kolana!

Jeden z żołnierzy uderzył Schofielda kolbą od tyłu w nogi, co natychmiast zwaliło go na beton.

Major wyciągnął z pochwy na plecach błyszczące ostrze — krótki kozacki miecz bojowy.

— Cóż... — wycedził, powoli podchodząc do swej ofiary i kręcąc młynka mieczem — ...muszę przyznać, że jestem nieco rozczarowany. Sądziłem, że zabicie Stracha na Wróble będzie nieco bardziej skomplikowane.

Uniósł oburącz miecz... i w tym momencie na piersiach obu strażników kapitana pojawiły się charakterystyczne niebieskie plamki. W następnej chwili obaj padli na ziemię.

Schofield gwałtownie podniósł głowę.

Major specnazu odwrócił się na pięcie.

Natychmiast go spostrzegli.

Stał na otwartej przestrzeni, tuż pod drugim szybem wentylacyjnym, z dwoma srebrnymi strzelbami Remingtona, które trzymał jak pistolety. Do nierdzewnych luf były przymocowane najnowszej generacji urządzenia celownicze z niebieskimi laserami.

Tuż obok, na składanych trójnogach, stały zdalnie sterowane karabiny maszynowe FN-MAG również wyposażone w niebieskie lasery. Laser jednego z karabinów rzucał promień na pierś rosyjskiego majora, drugi karabin był skierowany na grupę rosyjskich komandosów.

Przybysz miał na sobie czarny strój.

Czarny kombinezon bojowy.

Czarne opancerzenie osobiste poznaczone śladami walki.

Czarny kask hokejowy.

Jego twarz — pooraną, ogorzałą, twardą i nieogoloną — zasłaniały przylegające ściśle do twarzy antyodblaskowe okulary przeciwsłoneczne z żółtymi szkłami.

Schofield dostrzegł zwisający z szybu wentylacyjnego koniec grubej liny, który po chwili — z cichym świstem — śmignął do góry jak żywy wąż.

— Halo, Dmitrij — powiedział mężczyzna w czerni. — Znowu mała robótka na boku?

Major specnazu nie wyglądał na zadowolonego. Nikt nie byłby zachwycony, gdyby w środek jego klatki piersiowej celował laser.

— Podczas międzynarodowych misji zawsze łatwiej zniknąć — odburknął. — Sam to jednak pewnie najlepiej wiesz, Aloysius. — Wypowiedział imię tamtego z dziwnym akcentem, zabrzmiało to jak „alo-zjusz".

Mężczyzna w czerni — Aloysius — ruszył do przodu i spokojnie wszedł między żołnierzy specnazu.

Schofield zwrócił uwagę na jego czarną kamizelkę sprzętową, przy której znajdowało się sporo mało wojskowych akcesoriów: kajdanki, haki alpinistyczne, maleńka awaryjna butla ze sprężonym powietrzem, używana przez nurków i zwana Pony Bottle, nawet miniaturowa lutlampa...

Kiedy mężczyzna w czerni mijał rosyjskiego komandosa, ten nagle poderwał broń...

Błysnął ogień. Zaterkotały strzały.

Rosyjski komandos osunął się na beton, poszatkowany pociskami.

Obracający się na trójnogu karabin maszynowy zmienił pozycję, znów celował w środek rosyjskiej grupy.

Mężczyzna w czerni jakby nigdy nic szedł dalej, aż w końcu stanął przed Schofieldem i rosyjskim majorem.

— Kapitan Schofield, zgadza się? — Pomógł Schofieldowi podnieść się z ziemi. — Strach na Wróble...

— Zgadza się... — odparł Schofield.

Mężczyzna w czerni uśmiechnął się.

— Knight. Aloysius Knight — przedstawił się. — Łowca nagród... Widzę, że zapoznał się pan już ze Skorpionami. Musi pan wybaczyć majorowi Zamanowowi. Ma taki paskudny nawyk, że kiedy spotka kogoś interesującego, zaraz obcina mu głowę. Widziałem z powietrza sygnał laserowy — kiedy nadleci bombowiec?

Schofield popatrzył na Matkę.

— Za cztery minuty i trzydzieści sekund — odparła, spoglądając na zegarek.

— Jeżeli zabierzesz jego głowę, Knight — syknął rosyjski major — będziemy cię ścigać na koniec świata i prędzej czy później cię zabijemy...

— Dmitrij, daj spokój... nie poradziłbyś sobie, nawet gdybyś bardzo chciał...

— Mógłbym cię zabić choćby teraz.

— Wtedy też byś zginął — stwierdził Knight, wskazując głową niebieską plamkę na jego piersi.

— Byłoby warto — wycedził Zamanow.

— Przykro mi, Dmitrij. — Knight roześmiał się. — Jesteś dobrym żołnierzem, ale także, bądźmy uczciwi, pojebanym psychopatą. Dobrze cię znam, wcale nie masz ochoty umierać.

Śmierć cię przeraża. A jeśli chodzi o mnie... mam śmierć w dupie.

Zamanow zesztywniał.

— Idziemy, kapitanie — powiedział Knight, podniósł z betonu MP-7 Schofielda i podał mu je. — Niech pan zbierze swoich chłopców i dziewczynki.

Kiedy prowadził marines przez szeregi komandosów specnazu, nie padł ani jeden strzał.

— Kim pan jest? — spytał Schofield.

— Nieważne. Jedyne, co musi pan wiedzicć, to tylko to, że ma pan anioła stróża. Kogoś, kto nie chce, aby pan zginął.

Doszli do wschodniego krańca barykady al Kaidy, blisko wylotu tunelu w rogu jaskini.

Knight otworzył drzwiczki szerokiej ciężarówki, jeżdżącej tunelem „dryfu" — driftrunnera — której użyto jako zakończenia barykady al Kaidy.

— Wsiadajcie.

Marines weszli do środka, obserwowani ze złością przez rosyjskich komandosów.

Aloysius Knight wskoczył na siedzenie kierowcy i przekręcił kluczyk w stacyjce.

— Jest pan gotów do ucieczki? — spytał Schofielda. — Kiedy tylko wyjdziemy spod ochrony moich zdalnie sterowanych karabinów, ci debile ruszą za nami.

— Jestem gotów — odparł kapitan.

— To doskonale.

Wcisnął gaz i ciężarówka ostro ruszyła, po chwili znikając w tunelu.

Ledwie to się stało, ludzie Zamanowa zaczęli wskakiwać w stojące obok takie same driftrunnery, a trzech wsiadło do lekkiego pojazdu szturmowego Schofielda.

Ryknęły silniki i rozpoczęła się pogoń.

Ciemność przecinały snopy świateł reflektorów.

Podskakujące, latające na boki snopy światła cięły pełne pyłu powietrze niczym szable.

Driftrunner Knighta pędził z rykiem wąskim tunelem.

Miał mniej więcej rozmiary humvee i tak naprawdę był dużym pikapem — z tylną platformą przystosowaną do przewozu osób i częściowo osłoniętą kabiną kierowcy. Między kabiną a platformą nie było jednak żadnej ścianki i można było swobodnie przechodzić z jednej części do drugiej.

Tunel, którym jechali, miał granitowe ściany, a jego płaski sufit podpierały drewniane stemple. Był niemal idealnie prosty — biegł w dal niczym strzała.

Ale dla driftrunnera okazał się niezbyt szeroki. Z lewej i prawej strony pędzącego pojazdu pozostawało nie więcej jak po dwanaście cali wolnej przestrzeni, a między dachem i sufitem nieco ponad cztery stopy.

Skorpiony były tuż za nimi.

Trzech rosyjskich komandosów, jadących lekkim pojazdem szturmowym Schofielda, pędziło tuż za uciekającym driftrunnerem. Mały, zwrotny pojazd bez trudu go doganiał. Kierowca robił, co mógł, a pozostała dwójka ostrzeliwała driftrunnera z pistoletów maszynowych.

Skąpani w świetle reflektorów LPS marines odpowiadali ogniem.

LPS goniły trzy driftrunnery z pozostałymi siedemnastoma komandosami Zamanowa.

Mały konwój pędził wąskim tunelem z ogromną prędkością.

— Matka! Czas! — krzyknął Schofield.
— Trzy minuty!
— Ile ma ten tunel? — spytał Schofield Knighta.
— Jakieś sześć i pół kilometra.
— Będzie cienko.

Lufy pistoletów maszynowych Booka, Matki, Guzdrały i Freddy'ego pluły ogniem. Strzelali na zmianę, gdy jedna para ostrzeliwała wroga, druga ładowała broń.

Kiedy Matka i Book po raz kolejny się schylili, a Guzdrała i Freddy zajęli ich miejsca, runęła na nich straszliwa salwa. Twarz Freddy'ego w ułamku sekundy zamieniła się w krwawą papkę. Guzdrała dostał postrzał w szyję i upadł, zaciskając z całej siły zęby. Book II zanurkował i złapał go, by nie wypadł z driftrunnera...

Skorpionom więcej nie było trzeba.

Kończąc przeładowywać broń, Matka odwróciła się, chcąc zobaczyć, co się dzieje. Ujrzała, jak dwóch pasażerów lekkiego pojazdu szturmowego skacze prosto na ich ciężarówkę.

Book był zajęty Guzdrałą.

Rosjanie wylądowali na pace driftrunnera i wycelowali broń w Booka i Guzdrałę.

Matka, której broń jeszcze nie była załadowana, rzuciła się na nich, zbodziczkowała obu, i cała trójka padła z łoskotem na deski paki pędzącego z szaleńczą prędkością driftrunnera.

Knight i Schofield natychmiast zauważyli, co się dzieje.

Kapitan zerwał się, zamierzając pospieszyć Matce na pomoc.

Knight rzucił mu jeden z remingtonów.

— Jak już będziesz z tyłu, rozwal im samochód!

Schofield skoczył na pakę driftrunnera.

Matka leżała na deskach i rozpaczliwie walczyła, a Book II wciągał Guzdrałę na samochód. LPS gnał za nimi, rozświetlając reflektorami ciasną przestrzeń.

Schofield uniósł oburącz remingtona i strzelił w goniący ich pojazd.

Huk był ogłuszający.

Efekt okazał się jeszcze bardziej niezwykły. Pociski, których używał Knight, miały niesamowitą moc.

Impet uniósł pojazd w powietrze.

Wszystkie koła oderwały się od podłoża. Siła uderzenia okazała się tak wielka, że samochód przechylił się na bok. Prędkość, z jaką jechał, sprawiła, że zaczął dachować. Po chwili uderzył w ścianę i kilka razy przekoziołkował, po czym ze zgrzytem zatrzymał się do góry kołami.

Jakimś cudem kierowca przeżył.

Nie na długo jednak.

Gdy tylko samochodzik zamarł w bezruchu, został rozerwany na strzępy przez rozpędzonego pierwszego driftrunnera specnazu, a zaraz potem przetoczyły się po nim drugi i trzeci.

Po kilku sekundach driftrunner ze Skorpionami pędził tuż za pojazdem Knighta i Schofielda, z każdą chwilą się zbliżając.

Pierwsza ciężarówka Rosjan przyspieszyła jeszcze bardziej i staranowała driftrunnera Schofielda.

Oba pojazdy gwałtownie zadygotały.

Komandosi z oddziału Skorpionów wybili przednią szybę swojej ciężarówki i zaczęli wychodzić na maskę. Zanim Schofield zdążył temu zapobiec, trzech Rosjan skoczyło im na pakę.

Zignorowali Matkę i Booka — ruszyli prosto na Schofielda.

Knight ujrzał we wstecznym lusterku, co się dzieje, i natychmiast nacisnął na hamulec.

Driftrunnerem zarzuciło i wszyscy, którzy się na nim znajdowali, polecieli do przodu.

Ciężarówki wpadły na siebie niczym przewracające się kostki domina — druga wbiła się w pierwszą, trzecia w drugą, czwarta w trzecią.

Trzech Rosjan, którzy przeskoczyli do driftrunnera Schofielda, ruszyło do kabiny kierowcy.

Jeden z nich — próbując się czegoś złapać — wypuścił z ręki broń. Drugi poturlał się wprost pod nogi Schofielda. Trzeci wpadł do kabiny kierowcy, załomotał o deskę rozdzielczą i kiedy odzyskał orientację, stwierdził, że patrzy w lufę srebrnego remingtona, a jego nos oświetla niebieski laser.

Knight strzelił.

Głowa rosyjskiego komandosa eksplodowała jak puszka zupy pomidorowej.

Knight ponownie wcisnął gaz i driftrunner pomknął do przodu.

Kiedy pozostali dwaj komandosi odzyskali równowagę, widzieli tylko jedno: Schofielda.

Ten, który zgubił broń, wyciągnął nóż, a drugi błyskawicznym ruchem podniósł lufę swego VZ-61.

Knight odwrócił się i w jego oczach pojawił się niebezpieczny błysk, który mówił: „Schofield jest nietykalny!".

Na szczęście Schofield zdążył zareagować.

Sparował lufę VZ-61 ciosem karate i pchnął ją na bok w chwili, gdy wróg pociągnął za spust.

Nie mógł sobie jednak poradzić z dwoma przeciwnikami.

Skorpion z nożem rzucił się na niego, ostrze pomknęło w kierunku krtani Schofielda...

Nagle znalazł się między nimi Aloysius Knight.

Z nieprawdopodobną siłą oderwał obu napastników od Schofielda, zarówno tego atakującego nożem, jak i pistoletem maszynowym, i wrzucił ich do kabiny kierowcy.

W tym samym momencie ich driftrunner został staranowany od tyłu.

Knight i obaj komandosi specnazu potoczyli się ku przodowi pojazdu, wybili przednią szybę i wypadli na maskę rozpędzonej ciężarówki.

Tak naprawdę to wcale nie rozbili szyby. Ponieważ była zrobiona z pancernego szkła, popękała tylko od uderzenia trzech ciał i wypadła z obramowania, a trójka walczących wytoczyła się na zewnątrz.

Cztery ciężarówki gnały tunelem, nie zwalniając.

Schofield zauważył, że Knight zablokował pedał gazu stalową sztabą, dzięki czemu driftrunner mógł jechać bez kierowcy.

Tymczasem Knight walczył na masce z dwoma Skorpionami.

Rosjanin z nożem w ręku próbował wrócić do Schofielda. Jego kolega zgubił w zamieszaniu broń.

Gdy wypadali na maskę, Knight miał najmniej szczęścia — jego nogi znalazły się poza samochodem i musiał walczyć nie tylko z Rosjanami, ale także z prawami fizyki, aby nie spaść pod ciężarówkę. Mimo to udało mu się złapać Rosjanina z nożem — który tak bardzo chciał się dostać do Schofielda — za but, szarpnąć z całej siły i zrzucić go z maski.

Skorpion z mrożącym krew w żyłach wrzaskiem wpadł pod driftrunnera, który natychmiast zmiażdżył go swoimi potężnymi kołami. Zanim znieruchomiał, przez jego ciało przejechały jeszcze trzy ciężarówki.

Widząc to, drugi Rosjanin zaczął kopać Knighta po rękach, tamtemu udało się jednak złapać przeciwnika za pas. Zaczął go ciągnąć.

— Nie! — zawył Skorpion. — Nieee!!!

— Nie dostaniesz Schofielda! — krzyknął Knight, ciągnąc Rosjanina na przód maski.

Zatrzymali się na krawędzi. Skorpion był potężnym mężczyzną o paskudnej gębie. Złapał Knighta za gardło.

— Jeśli spadnę, Czarny Książę, to ty też... — syknął.

Knight spojrzał mu w oczy.

— W porządku.

Powiedziawszy to, odepchnął się od maski driftrunnera i — pociągając za sobą Rosjanina — poleciał ku piaszczystej drodze tuż przed ciężarówką.

Rosyjski komandos załomotał o ziemię i natychmiast został zmiażdżony przez wielkie koło ciężarówki.

Knight, lecąc w dół, złapał za brzeg leżącej z boku maski wybitej przedniej szyby.

Spadając przed ciężarówką, rzucił spękaną szklaną taflę pod siebie.

Szyba klapnęła o ziemię i Knight wylądował na niej miękko jak kot. Razem z leżącym płasko człowiekiem przejechała kilka jardów, po czym driftrunner z prędkością ekspresu przemknął nad Knightem.

Zaraz potem nad leżącym na ziemi Aloysiusem Knightem przemknęły pozostałe ciężarówki.

Gdy przejeżdżała nad nim ostatnia, Knight złapał remingtona za lufę, a rączkę zahaczył o tylny zderzak pojazdu.

Szarpnęło, spękana szyba wyleciała spod jego pleców i ciężarówka pociągnęła go po piaszczystej nawierzchni jak na pokazie kaskaderów.

Wyciągnął rękę i zaczął się wdrapywać na tył ostatniego driftrunnera, zamierzając powrócić do akcji.

Schofield prowadził pierwszy pojazd. Kiedy Knight spadł z maski i zniknął, kapitan wypchnął blokującą pedał gazu sztabę i przejął kierownicę.

Obserwował w tylnym lusterku, jak Matka i Book II walczą wręcz z dwoma żołnierzami specnazu. Widział też, jak kolejnych dwóch Rosjan przeskakuje na ich samochód.

Natychmiast ruszyli w jego kierunku.

Celowali prosto w niego. Zaraz przy nim będą!

W tym momencie coś sobie przypomniał, coś, co dotyczyło kopalnianych pojazdów. Przypiął się pasem.

— Book! Matka! Złapcie się czegoś! — krzyknął.

Wyciągnął rękę przez kabinę i jednym kopnięciem otworzył prawe drzwi.

Natychmiast uaktywnił się ręczny hamulec driftrunnera i samochód zaczął gwałtownie hamować. Wszystkie pojazdy używane w kopalniach mają to samo zabezpieczenie: aby zapobiec wypadkom, w chwili otwarcia drzwi od strony pasażera pojazd jest unieruchamiany.

Drugi driftrunner z łoskotem wjechał w pierwszego. Zaraz potem dołączyły do karambolu trzeci i czwarty, wbijając się w siebie jak składający się akordeon.

Pierwszy z dwóch komandosów, którzy szli po Schofielda, wystrzelił przez dziurę, powstałą po wybiciu przedniej szyby, i przeleciał dobre pięć jardów do przodu. Drugi zahaczył podbródkiem o dach, a kiedy całe jego ciało zostało rzucone z impetem do przodu, rozległ się paskudny trzask — pękł mu kark.

Matka i Book II zdążyli się złapać za jakieś wystające elementy, więc kiedy driftrunner gwałtownie zahamował, byli bezpieczni — natomiast Rosjanie, z którymi jeszcze przed chwilą walczyli, zostali wyrzuceni do przodu jak z katapulty i huknęli o przednie fotele.

Jeden stracił w wyniku uderzenia przytomność, ale drugi dorobił się tylko kilku siniaków i natychmiast wstał — i został z potężną siłą trafiony przez Matkę uderzeniem głową, co go również wyłączyło z walki.

Schofield zamknął drzwi, wcisnął gaz i popędził dalej.

Pozostałe driftrunnery nie doznały uszkodzeń, więc podjęły pogoń z przynajmniej dziesięcioma ludźmi na pokładzie.

Sytuacja miała się jednak zaraz zmienić za sprawą Aloysiusa Knighta.

Kiedy doszło do karambolu, wspinał się właśnie na pakę ostatniego driftrunnera, toteż impet uderzenia w niczym mu nie przeszkodził.

Gdy konwój ponownie ruszył, ruszył też Knight, atakując siedzących w ciężarówce komandosów.

Rosjanie próbowali się bronić, ale Knight działał jak bezlitosna maszyna do zabijania.

Pierwszemu Skorpionowi strzelił z remingtona w skroń i zaraz potem podciągnął drugiego w górę, wystawiając jego głowę ponad dach kabiny — po sekundzie została oderwana przez zamocowaną pod sufitem tunelu stalową poprzeczkę.

Po chwili był już w kabinie, wycelował karabin w pasażera i strzelił.

Kierowca odwrócił się zaskoczony, ale Knight zignorował go, strzelił w przednią szybę, wypychając ją z ramy, i za moment był już na masce. Nie zatrzymując się nawet na moment, przeskoczył na jadący przed nim driftrunner.

Siedział na nim Zamanow.

Kiedy Knight skoczył z pojazdu na pojazd i ruszył naprzód, strzelając na prawo i lewo, rosyjski major zanurkował w poszukiwaniu schronienia. Jego ludzie próbowali odpowiadać ogniem, ale Knight był zbyt szybki — był dla nich za dobry. Jakby przewidywał ich ruchy, nawet kolejność, w jakiej zamierzają strzelać.

W drodze do kabiny kierowcy dostrzegł próbującego schować się Zamanowa, ponieważ jednak przede wszystkim chciał dostać się do Schofielda, nie zatrzymał się, by go zabić. Zabijał tylko tych, którzy stanęli mu na drodze.

Przeskoczył na drugą ciężarówkę w konwoju, jadącą tuż za pojazdem Schofielda.

Kapitan pędził jak szalony — ułatwiał mu to fakt, że w driftrunnerze pozostali już tylko jego ludzie i nikt mu nie przeszkadzał.

Przed sobą widział maleńką białą plamkę — koniec tunelu.

Obok niego usiadła Matka.

— Co to, kurwa mać, za ludzie?! Kim jest ten gość na czarno?

— Nie wiem.

Spojrzał we wsteczne lusterko i ujrzał Aloysiusa Knighta,

który właśnie w tym momencie znalazł się na masce jadącej za nimi ciężarówki.

— Wygląda na jedyną osobę w okolicy, która nie chce mnie zabić.

— Może zamierza zrobić to później! — krzyknął z tyłu Book II. — Moim zdaniem powinniśmy się go pozbyć.

— Też tak uwa... — zaczęła Matka, ale przerwała w pół słowa.

Docierali do końca tunelu.

Prostokątny wyjazd wypełniało jaskrawe światło.

Zostało im jeszcze jakieś dwieście jardów.

Matka zamilkła jednak nie z powodu światła, ale na widok czarnego obiektu, który unosił się tuż przed wylotem tunelu.

Był to myśliwiec bojowy.

Czarny myśliwiec Su-37 wiszący nieruchomo w powietrzu tuż za wylotem tunelu.

Z powodu wielkiego spiczastego dziobu i obwieszonych rakietami, opadających w dół skrzydeł, samolot przypominał od przodu wpatrującego się w nich gigantycznego jastrzębia.

Rozległo się głośne tąpnięcie i na pace ciężarówki wylądował Aloysius Knight. Podszedł do kabiny kierowcy.

— Nie ma powodu do obaw — powiedział. — To moi ludzie.

Wcisnął klawisz na otaczającej nadgarstek opasce i uruchomił radio.

— Rufus, to ja! Wyjeżdżamy z trzema pojazdami wroga na ogonie. Potrzebuję sidewindera. Jednego. Celuj nisko, po swojej prawej stronie, nastaw go na dwieście jardów. Robimy jak w zeszłym roku w Chile.

— *Zrozumiałem, szefie* — odpowiedział w jego słuchawce basowy głos.

— Mogę? — zapytał Knight, pokazując skinieniem głowy kierownicę.

Schofield pozwolił mu ją przejąć.

Knight natychmiast ostro skręcił, jakby chciał wjechać na lewą ścianę.

Koła potężnego pojazdu zaczęły ciężko pracować, drapiąc ścianę. Driftrunner przekrzywił się pod kątem 45 stopni. Prawe koła jechały po dnie tunelu, lewe po ścianie.

— Rufus, teraz! — wrzasnął Knight do mikrofonu na nadgarstku.

Spod skrzydła czarnego samolotu natychmiast wystrzelił cienki, poziomy palec dymu i do tunelu z głośnym wizgiem wpadła rakieta typu Sidewinder. Pędziła jak szalona, muskając ziemię.

Leciała tuż przy lewej ścianie od strony Schofielda; po chwili przemknęła pod przekrzywionym driftrunnerem i z łoskotem uderzyła w maskę jadącego za nimi bliźniaczego pojazdu.

Eksplozja wstrząsnęła tunelem. Driftrunnera z komandosami specnazu w ułamku sekundy rozerwało. Pozostałe dwie ciężarówki załomotały o wrak i wbiły się w płonące szczątki, zatrzymując się niemal w miejscu.

Tymczasem driftrunner Schofielda wyprysnął na światło dzienne — i wyjechał na wykuty w skale góry duży plac manewrowy. Za krawędzią placu, dokładnie pod wiszącym w powietrzu myśliwcem, otwierała się tysiącstopowa przepaść.

Knight odwrócił się do Matki.

— Ile jeszcze czasu do bombardowania? — zapytał.

Matka spojrzała na zegarek.

— Trzydzieści sekund.

— To zaboli Dmitrija... — mruknął Knight i znów zaczął mówić do mikrofonu na nadgarstku: — Rufus! Spotkamy się za następnym zakrętem. — Popatrzył na Schofielda. — Mam trzech pasażerów, w tym także naszego człowieka.

— *Jakieś problemy?*

— Nie, tym razem poszło jak z płatka.

Pół minuty później smukły suchoj wylądował w chmurze pyłu na następnym placu manewrowym, przygotowanym kilkaset jardów dalej, za kolejnym zakrętem niebezpiecznej górskiej drogi. Było to płaskie i okrągłe miejsce, które wyglądało z powietrza jak naturalna formacja przyrodnicza.

Driftrunner Schofielda zahamował obok samolotu.

W tym samym momencie z luku bombowego herculesa C-130 wypadła sześciotonowa bomba i kierowana ustawionym przez Gant laserem, pomknęła w kierunku szybów wentylacyjnych kopalni.

Precyzyjny system naprowadzający działał doskonale.

Bomba mknęła coraz szybciej ku ziemi, stateczniki korygowały tor lotu i po chwili potężna masa zniknęła w otwartym kominie szybu wentylacyjnego.

Sto dwadzieścia jeden...

Sto dwadzieścia dwa...

Sto...

Huknęło i góra się zatrzęsła.

W głębinach kopalni załomotało głośne echo.

Schofield, który stał przy dwuosobowym kokpicie suchoja i pomagał Matce wsiadać, musiał mocno złapać się dla utrzymania równowagi.

Spojrzał na wznoszący się nad nimi górski szczyt — na okrywającą go warstwę śniegu — i natychmiast uświadomił sobie, co ich czeka.

— O nie... lawina... — jęknął.

Popatrzył na drogę i zobaczył wychodzące z tunelu dwie zgięte postacie. Jeszcze sekunda i z tunelu wystrzelił straszliwy podmuch, wyrzucając na zewnątrz wraki driftrunnerów.

Poskręcane metalowe resztki wyprysnęły jak z katapulty za krawędź zakrętu — minęły dwie skulone postacie, przez chwilę zdawały się wisieć w powietrzu, a potem runęły w otchłań tysiącstopowej przepaści.

Gdzieś w górze rozległo się groźne, basowe dudnienie.

Gruba warstwa leżącego na szczycie śniegu pękła i zaczęła się zsuwać.

Ruszyła lawina.

— Tempo! — wrzasnął Schofield.

Śnieżna masa coraz bardziej przyspieszała.

— Do przedziału bombowego! — krzyknął Knight.

Book i Matka przecisnęli się przez wąski kokpit do tyłu i wślizgnęli do przedziału bombowego, przerobionego na... więzienie.

— Do środka! — zawył Knight. — Zaraz do was dołączę!

Po chwili wcisnął się do ciasnej przestrzeni. Schofield wskoczył do kabiny jako ostatni, usiadł na fotelu drugiego pilota i rozejrzał się szybko.

Zsuwająca się wielka połać śniegu wyglądała jak rozpędzona oceaniczna fala — przed główną masą tworzyły się przypominające skłębioną pianę tumany śniegu.

— Rufus! — zawołał Knight.

— Już się robi, szefie! — odkrzyknął pilot i suchoj uniósł się pionowo w powietrze.

— Szybciej... — mruknął Schofield.

Lawina pędziła na nich, wirując, kłębiąc się i dudniąc.

Suchoj uniósł się wyżej, na ułamek sekundy zawisł nieruchomo, po czym — dokładnie w momencie, gdy śnieg miał ich pochłonąć — wystrzelił w bok, za krawędź klifu. Biała ściana przemknęła w dół, odrywając od skalnej ściany kawał drogi, po czym zwaliła się w przepaść.

— Tym razem mało brakowało — stwierdził Knight.

Trzy minuty później smukły Su-37 wylądował na polanie po afgańskiej stronie góry, jakąś milę od zdobytego przez Schofielda Jaka-141.

Schofield, Knight, Book i Matka wyszli z kabiny, a pilot — ogromny mężczyzna z długą brodą, którego Knight przedstawił jako Rufusa — zgasił silniki.

Kapitan odszedł kilka metrów, aby zebrać myśli. Tego dnia bardzo wiele się wydarzyło i chciał mieć jasną głowę.

Nagle z trzaskiem ożyła jego słuchawka.

— *Strachu na Wróble, to ja, Fairfax. Jesteś tam?*

— Jestem.

— *Posłuchaj, mam dla ciebie kilka rzeczy. Parę faktów dotyczących ludzi USAMRMC z twojej listy i parę informacji o tym Czarnym Rycerzu — z list najbardziej poszukiwanych osób FBI i ISS. Masz chwilę?*

— Aha.

— *O tym Czarnym Rycerzu to złe wiadomości...*

Twarz Davida Fairfaksa, siedzącego w swoim pokoju w podziemiach Pentagonu, rozświetlał jedynie blask monitora. Na wschodzie Stanów Zjednoczonych była czwarta rano 26 października i w biurze panował spokój.

Na ekranie Fairfaksa widniały dwa zdjęcia: portret gładko ogolonego, uśmiechniętego młodzieńca w mundurze armii amerykańskiej i rozmazana, zrobiona z dużej odległości fotografia Aloysiusa Knighta, trzymającego w każdym ręku remingtona i biegnącego ile sił.

— No dobra... — zaczął Fairfax. — Jego prawdziwe nazwisko to Knight, Aloysius K. Knight, trzydzieści trzy lata, sześć stóp i jeden cal wzrostu, sto osiemdziesiąt pięć funtów wagi. Oczy brązowe, włosy ciemne. Z powodu wady wzroku, ostrej dystrofii siatkówki, nosi okulary z zabarwionymi na bursztynowo szkłami. Musi mieć przyciemniane okulary, ponieważ jego oczy są zbyt wrażliwe na światło dzienne.

Słuchając, Schofield patrzył na Knighta, który stał z resztą ludzi przy suchoju — w swoim czarnym mundurze, ze strzelbami na udach i żółtymi okularami na nosie.

Fairfax kontynuował:

— To były członek oddziału Delta siedem, uważanego za najlepszy w Delcie, elitę wewnątrz elity. Osiągnął stopień kapitana, ale w tysiąc dziewięćset dziewięćdziesiątym ósmym roku został zaocznie uznany winnym zdrady stanu po misji, którą kierował w Sudanie. Źródła wywiadowcze twierdzą, że przyjął dwa miliony dolarów od miejscowej komórki al Kaidy za ostrzeżenie o planowanym ataku sił USA na ich magazyn broni. Zginęło wtedy trzynastu żołnierzy Delty, a on zniknął. Odnaleziono go po półtora roku w Brazylii i wysłano oddział złożony z sześciu żołnierzy NAVY Seals, by go zlikwidował. Zabił wszystkich, po czym wysłał ich głowy do obozu szkoleniowego NAVY Seals w bazie marynarki wojennej w San Diego. Obecnie pracuje jako niezależny międzynarodowy łowca nagród. Towarzystwa ubezpieczeniowe śledzą działania takich ludzi na wypadek porwań. Carrington z Londynu uważa go za drugiego najgroźniejszego łowcę nagród na świecie.

— Tylko drugiego? A kto jest pierwszy?

— Damon Larkham, o którym ci już mówiłem. Zaczekaj, to jeszcze nie wszystko o Knighcie. Według danych ISS w dwutysięcznym roku wyśledził i zabił dwunastu islamskich terrorystów, którzy porwali córkę wiceprezydenta Rosji, obcięli jej cztery palce i zażądali stu milionów dolarów okupu. Knight poszedł za nimi do obozu szkoleniowego al Kaidy na irańskiej pustyni, wniknął do środka, zrównał obóz z ziemią, zabrał dziewczynę i przywiózł ją do Moskwy. Media o niczym nie miały pojęcia. W zamian za to rząd Rosji dał mu... poczekaj... dał mu wy-

eksploatowany w trakcie testów myśliwiec szturmowy Su-37
oraz prawo do tankowania w każdej rosyjskiej bazie na świecie.
Podobno w kręgach łowców nagród ten samolot ma przydomek
Czarny Kruk.

— Czarny Kruk, hm... — Schofield odwrócił się, by popatrzeć na czarny samolot. Zobaczył, że Aloysius Knight idzie
w jego kierunku.

— *Coś ci powiem, Strachu na Wróble: nie chciałbyś, aby*
ten koleś cię ścigał.

— Za późno. Właśnie przede mną stoi.

Schofield i Knight dołączyli do żołnierzy stojących pod
Czarnym Krukiem.

Matka i Book II podeszli do nich.

— Wszystko w porządku? — spytała cicho Matka. — Book
opowiedział mi, co się stało na Syberii. Wybacz mi mój język,
ale co tu się, kurwa, dzieje?

— Cóż... to był ciężki poranek. Zginęło wielu ludzi — odparł
Schofield. — Masz jakiś pomysł, co się stało z Gant?

— Kiedy ją ostatnio widziałam, wpadły te fiuty z zielonymi
laserami i zostałam rzucona na taśmociąg...

— Zabrali ją — powiedział jakiś głos zza pleców Matki.

Był to Aloysius Knight.

— Została zabrana przez łowcę nagród Damona Larkhama
i jego ludzi z IG-osiemdziesiąt osiem.

— Skąd wiesz? — spytał Book II.

— Rufus, powiedz im... — Knight skinął głową swojemu
partnerowi.

Wielki jak góra mężczyzna z potężną brodą miał szeroką
uśmiechniętą twarz i poważne oczy. Lekko się garbił, jakby
chciał wydać się mniejszy wbrew swoim siedmiu stopom wzrostu. Mówił szybko i beznamiętnie, jakby nie zdawał sobie sprawy
z istnienia akcentu i intonacji.

— Kiedy spuściłem Aloysiusa szybem wentylacyjnym, za-
wisłem nad tylnym wejściem. Tak jak kazałeś, szefie, zrzuciłem
na placu manewrowym przed tunelem wyjściowym ładunek
aerozolowy MicroDot. Potem krążyłem w odległości mniej
więcej mili, tak jak poleciłeś. Jakieś pięć minut przed waszym

pojawieniem się na placu manewrowym wylądował helikopter transportowy Chinook, ubezpieczany przez dwa szturmowe lynxy. Po chwili z tunelu wyjechały z dużą prędkością dwa LPS-y i driftrunner, i wszystkie wjechały do chinooka. Helikopter natychmiast wystartował i ruszył w kierunku Afganistanu.

— Skąd wiesz, że Gant była z nimi? — spytał Schofield.

— Mam zdjęcia — odparł Rufus. — Aloysius powiedział mi, żebym fotografował wszystko, co wyda mi się dziwne, więc tak zrobiłem.

Schofield popatrzył na wielkoluda. Jak na człowieka, który z taką zręcznością potrafił manewrować rosyjskim samolotem — co wymagało doskonałej znajomości aerodynamiki — jego język był dość prymitywny i lakoniczny: jakby najlepiej czuł się, przechodząc od razu do sedna.

Schofield spotykał już takich ludzi: często najbardziej zdolni piloci (i żołnierze) mają problemy z radzeniem sobie w sytuacjach wymagających umiejętności komunikowania się z innymi. Są tak skoncentrowani na swojej wąskiej specjalizacji, że wyrażanie własnych myśli przychodzi im z trudem — często też nie potrafią wyczuwać takich niuansów konwersacji jak ironia czy sarkazm. Trzeba mieć do nich dużo cierpliwości i dbać o to, aby nie mniej cierpliwości wobec nich wykazywali także koledzy z oddziału. Rufus był może mało subtelny, ale nie głupi, w każdym razie na pewno był wart więcej, niż można byłoby sądzić na pierwszy rzut oka.

Knight wyjął z kokpitu suchoja przenośny monitor i ustawił go tak, aby Schofield widział ekran.

Kolejne fotografie ukazywały trzy samochody, wyjeżdżające z tylnego wyjścia kopalni na plac manewrowy, a potem wjeżdżające do wnętrza wielkiego helikoptera.

Knight wcisnął klawisz na pilocie, powiększając zdjęcie ukazujące prowadzący kolumnę lekki pojazd szturmowy.

— Widzisz te dwa białe pojemniki na przednim siedzeniu? Do transportu materiałów medycznych. Dwa pudła, dwie głowy.

Po chwili ukazało się inne zdjęcie, przedstawiające jadącego obok mniejszych pojazdów driftrunnera.

— Popatrz na jego tył — powiedział Knight. — Wszyscy ludzie Larkhama są ubrani na czarno, a jedna osoba... ta bez hełmu... ma piaskowy kombinezon marines.

Schofield przyjrzał się jej.

Choć postać była nieostra, rozpoznał kształty i sposób układania się włosów.

Była to Gant.

Leżała nieprzytomna na pace driftrunnera.

Krew w żyłach Schofielda zastygła.

Najlepszy łowca nagród świata miał Gant...

Schofield zamierzał natychmiast wyruszyć w pościg.

— Nie. Tego właśnie chce Demon, kapitanie — powiedział Knight, jakby czytając w jego myślach. — Nie rób nic nieprzemyślanego. Wiemy, gdzie ona jest, i wiemy, że Larkham jej nie zabije. Jeżeli chce jej użyć do zwabienia ciebie, jest mu potrzebna żywa.

— Skąd ta pewność?

— Bo ja bym tak zrobił — odparł Knight.

Schofield popatrzył mu w oczy. Przypominało to patrzenie w lustro: Schofield był w okularach ze szkłami odblaskowymi, skrywającymi jego blizny, a Knight w okularach z żółtymi szkłami, chroniącymi oczy przed światłem.

Uwagę Schofielda zwrócił tatuaż na przedramieniu tamtego. Wokół orła układały się słowa: ŚPIJ Z OTWARTYM OKIEM.

Schofield widywał już podobne napisy. Na plakatach, które pojawiły się po ataku z 11 września, amerykański orzeł mówił: „Hej, terroryści, śpijcie z jednym okiem otwartym!".

Pod tatuażem z orłem Knight miał jeszcze jeden: napis BRANDEIS. Schofield nie miał pojęcia, co to słowo mogło znaczyć.

Znów popatrzył Knightowi w oczy.

— Słyszałem o tobie — powiedział. — Lojalność nie jest twoją najmocniejszą stroną. Sprzedałeś swój oddział w Sudanie. Dlaczego miałbym sądzić, że nie zrobisz tego samego ze mną?

— Nie wierz we wszystko, co wypisują w gazetach albo amerykańskich raportach rządowych — odparł Knight.

— Więc nie zamierzasz mnie zabić?

— Kapitanie, gdybym chciał cię zabić, już miałbyś kulkę w głowie. Moim zadaniem jest utrzymać cię przy życiu.

— Utrzymać mnie przy życiu?

— Nie robię tego z sympatii do ciebie ani z przekonania, że jesteś kimś szczególnym. Zostałem opłacony, i to dobrze. Cena za twoją głowę wynosi osiemnaście koma sześć miliona dolarów, ale za zagwarantowanie, że będziesz żył, dostałem znacznie więcej.

— Kto ci płaci?

— Nie mogę powiedzieć.

— Możesz.

— Nie zrobię tego.

— Ale twój pracodawca...

— ...nie jest tematem rozmowy.

Schofield spróbował z innej beczki:

— No dobrze... W takim razie powiedz mi chociaż, o co tu chodzi. Co wiesz o tym polowaniu na głowy?

Knight wzruszył ramionami i odwrócił wzrok.

Odpowiedział za niego Rufus:

— Polowania na ludzi odbywają się z najróżniejszych powodów, kapitanie. Łapie się szpiegów, którzy zbyt wiele wiedzą, ale chcą się wycofać ze służby. Łapie się porywaczy, którzy dostali okup... nie ma nic gorszego od bogacza, który chce się zemścić. Niektórzy dają dwa miliony dolarów za złapanie porywacza, któremu zapłacili milion. Nieczęsto jednak zdarza się lista, warta w sumie prawie trzysta milionów, nie wspominając o niemal dwudziestu milionach za jedną głowę.

— Więc co wiecie o tym polowaniu?

— Prawdziwy sponsor jest nieznany, tak samo powód, ale wszystko załatwia bankier Delacroix z AGM-Suisse, który ma doświadczenie w tych sprawach — odparł Rufus. — Mieliśmy już z nim do czynienia. A jeśli wypłacający jest rzetelny, większości łowców nagród nie interesuje powód.

Odwrócił się do Knighta, który powiedział:

— To wielkie polowanie. Piętnaście celów. Wszyscy muszą być martwi dziś do dwunastej w południe czasu nowojorskiego. Osiemnaście koma sześć miliona za głowę. To razem dwieście osiemdziesiąt milionów dolarów. Niezależnie od powodu tej akcji, musi to być coś wartego wyłożenia takiej ogromnej sumy.

— Powiedziałeś, że mamy być martwi do dwunastej w południe czasu nowojorskiego? — zapytał Schofield. Po raz pierwszy słyszał o limicie czasowym. Spojrzał na zegarek.

Była 13:40 czasu lokalnego, czyli 3:40 rano czasu nowojorskiego. Do wyznaczonego terminu zostało nieco ponad osiem godzin.

Przez chwilę nad czymś się zastanawiał.

Nagle podniósł głowę.

— No dobrze, panie Knight... jakie są twoje dalsze instrukcje co do mojej osoby?

Knight popatrzył na niego z uznaniem. Był pod wrażeniem, że Schofield zadał to pytanie.

— Moje instrukcje w tym zakresie są bardzo jasne. Od teraz mam dbać o to, abyś przeżył.

— Ale nie kazano mnie uwięzić?

— Nie... nie kazano. Możesz robić, co zechcesz, i iść, gdzie zechcesz, byle pod moją ochroną.

W tym momencie ostatni element układanki zaskoczył w głowie Schofielda.

A więc ten, kto płacił jego aniołowi stróżowi, chciał nie tylko, aby żył, ale także aby działał — i robił to, przed czym miało go powstrzymać to polowanie na głowy.

Popatrzył na Knighta.

— Powiedziałeś, że wiesz, gdzie jest Gant. Skąd?

— Dzięki ładunkowi aerozolowemu MicroDot, który Rufus zrzucił na plac manewrowy przed zjawieniem się tam chłopców Larkhama.

Schofield słyszał o tej technologii. Był to kolejny krok milowy nanotechnologii.

MicroDot, czyli mikropunkt, to silikonowy procesor wielkości główki od szpilki, ale o ogromnej mocy obliczeniowej. Wielu ludzi uważało, że procesory te wkrótce staną się podstawowym elementem nowej generacji komputerów, wykorzystujących do pracy przepływ płynów (zawiesiny, w której unosiłyby się miliony elektronicznych mikropunktów), na razie jednak wykorzystywano je tylko jako urządzenia śledzące w luksusowych samochodach. Wystarczyło spryskać spód auta farbą zawierającą niemożliwe do zmycia MicroDoty i można było odnaleźć je w każdym zakątku kuli ziemskiej.

Ładunek, który zdetonował Rufus, wytworzył chmurę, zawierającą miliard MicroDotów.

— Demon, jego ludzie, jego samochód i twoja dziewczyna — wszystko jest pokryte MicroDotami — wyjaśnił Knight. Wyjął z kieszeni poobijanego palmpilota, na którym było mnóstwo antenek i innych dodatków.

Na jego ekraniku pojawiła się mapa świata — nad Azją unosiła się chmura czerwonych kropek.

Był to oddział Damona Larkhama.

— Możemy ich znaleźć w każdym miejscu kuli ziemskiej — oświadczył Knight.

Schofield próbował uporządkować myśli i oszacować opcje, aby stworzyć jakiś plan działania.

— Najpierw musimy się dowiedzieć, po co to wszystko się odbywa — stwierdził w końcu.

Wyjął z kieszeni listę celów i znowu zaczął ją analizować. Matka i Book II czytali mu przez ramię.

— Mossad... — powiedziała cicho Matka na widok wpisu numer 11.

```
11. ROSENTHAL, Benjamin Y.        IZR        Mossad
```

— O co chodzi? — spytał Schofield.

— Ten świr Zawahiri, zanim stracił głowę, wspomniał o Mossadzie. Darł się jak wariat, że przeżył w jakimś gułagu sowieckie eksperymenty i amerykańskie ataki rakietowe w dziewięćdziesiątym ósmym roku i że Mossad wie, że jest niezwyciężony, bo próbowali go kilka razy zabić.

— Mossad... — mruknął Schofield. Wcisnął klawisz interkomu. — Fairfax, jesteś tam?

— *Dopóki nie zabraknie mi kawy, nie odejdę.*

— Sprawdź Hassana Mohameda Zawahiriego i Benjamina Y. Rosenthala. Jakieś powiązania?

— *Sekundę... w porządku, mam coś. Notatka z amerykańsko- -izraelskiej wymiany danych wywiadowczych. Major Benjamin Yitzak Rosenthal to katsa Hassana Mohameda Zawahiriego —*

oficer prowadzący, człowiek, który go nadzoruje. Rosenthal
stacjonuje w Hajfie, a wczoraj został wezwany do londyńskiej
rezydentury Mossadu.

— Londyńskiej?

W głowie Schofielda zaczął się kształtować plan.

Nagle poczuł, że wraca mu życie.

Przez cały dzień miał związane ręce — ale teraz mógł zacząć
działać.

— Book, Matka! Może złożycie majorowi wizytę w Londynie i spróbujecie co nieco wyjaśnić?

— Z przyjemnością — odparła Matka.

— Czemu nie? — zawtórował jej Book II.

Aloysius Knight obojętnie przysłuchiwał się tej rozmowie,
jakby go w ogóle nie interesowała.

— *Strachu na Wróble... jeszcze coś* — odezwał się znów głos
Fairfaksa. — *Chciałem ci powiedzieć wcześniej, ale nie miałem
okazji. Pamiętasz o tym dokumencie z Dowództwa Badań Medycznych, o którym wspominałem? Raporcie z badania PRNR Połączonych Służb NATO? Nie mam do niego dostępu. Dwa miesiące
temu został odtajniony i usunięty z bazy danych USAMRMC. Jego
jedna kopia jest gdzieś w jakimś magazynie w Arizonie, ale
pozostałe albo zniszczono, albo skasowano. Znalazłem jednak coś
o jego autorach — to tych dwóch kolesiów z listy, którzy pracowali
dla USAMRMC, Nicholson i Oliphant. Nicholson kilka lat temu
przeszedł na emeryturę i mieszka w osiedlu dla emerytów na
Florydzie, ale Oliphant odszedł z USAMRMC dopiero rok temu.
Jest teraz ordynatorem oddziału nagłych przyjęć szpitala Świętego
Johna w Wirginii, niedaleko Pentagonu.*

— Fairfax, zechciałbyś spędzić dzień na pracy w terenie?

— *Zrobię wszystko, aby tylko wyjść z tego biura. Mój szef to
największy kutas na tej planecie!*

— Więc przejedź się do szpitala i pogawędź z doktorem
Oliphantem, dobrze?

— *Masz to załatwione* — odparł Fairfax i rozłączył się.

— A co z tobą? — spytała Matka, patrząc na Schofielda. —
Chyba nie zostaniesz z tym łowcą nagród? — Spojrzała na
Knighta ostro, ale on jedynie uniósł brwi.

— Mówi, że mogę jechać, dokąd chcę — powiedział Schofield. — A on ma mnie bronić.

— To dokąd się wybierzesz? — spytał Book.

Schofield zmrużył oczy.

— Do źródła tego polowania. Jadę do zamku we Francji.

— I co? Po prostu zapukasz do drzwi? — spytał Book II.

— Nie. Przedtem zdobędę coś, za co zażądam nagrody.

— Nagrody? — zdziwiła się Matka. — Eee... nie chcę być adwokatem diabła, ale czy przypadkiem nie oznacza to, że potrzebujesz... głowy?

— Zgadza się — odparł Schofield i popatrzył na zmodyfikowanego palmpilota Knighta, ukazującego postępy, jakie robiła grupa Larkhama. — I nawet wiem, gdzie ją znaleźć. Uwolnię także Gant.

TRZECI ATAK

FRANCJA—ANGLIA—USA
26 PAŹDZIERNIKA, GODZINA 11.50 (FRANCJA)
EST (NOWY JORK) GODZINA 05.50

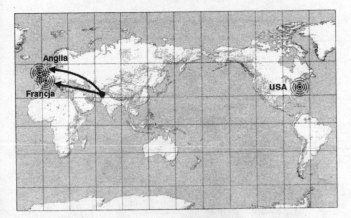

W ciągu następnych pięćdziesięciu lat ludność Ziemi zwiększy liczebność z 5,5 miliarda do ponad 9 miliardów. (...) 95 procent ludności Ziemi będzie mieszkać w najbiedniejszych regionach.

Cytat z: *Nadchodząca anarchia*, Robert D. Kaplan (Vintage, Nowy Jork, 2001).

Obóz świętych, napisana w 1972 roku przez Jeana Raspaila powieść o inwazji na Francję, dokonanej przez armię pozbawionych środków do życia mieszkańców Trzeciego Świata (...) wydaje się prorocza. (...) W XIX wieku Europa najechała i skolonizowała Afrykę. Teraz mamy XXI wiek: Afryka najeźdźa i kolonizuje Europę.

Cytat z: *Śmierć Zachodu*, Patrick J. Buchanan (St Martin Press, Nowy Jork, 2002).

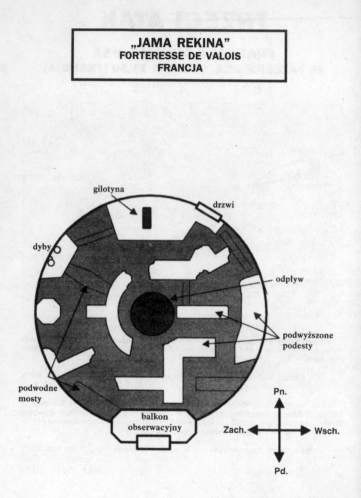

"JAMA REKINA"
FORTERESSE DE VALOIS
FRANCJA

Berlin
22 października, godzina 23.00

Lubił brać dziewczyny od tyłu, pompował jak młot pneumaty-
czny i wznosił przy tym kowbojskie okrzyki. Lubił też seks analny.
Uwielbiał dwudziestoparolatki z małymi, ciasnymi tyłeczkami.

Odkrył to dzięki berlińskim prostytutkom, z których usług
często korzystał.

W karierze Damiena Polanskiego bywały lepsze dni.

W czasie zimnej wojny był ekspertem do spraw Bloku
Wschodniego, a teraz stacjonował w berlińskiej rezydenturze
ISS, coraz bardziej się starzejąc i tracąc znaczenie. Jego największe osiągnięcia z lat 80. — nakłonienie Karmonowa do
zdrady i odkrycie sowieckich akt „Kobra" — zostały już dawno
zapomniane przez agencję wywiadowczą, która nigdy nie roz-
czulała się nad przeszłością.

Stary pies w nowym świecie.

Natychmiast zwróciła na siebie jego uwagę. Była naprawdę
zachwycająca — miała długie nogi, silne ramiona, małe jędrne
piersi i chłodne europejskie oczy.

Niektórzy nazywali ją Królową Lodu.

Stanęła przy stoliku Polanskiego, upuściła torebkę i pochyliła
się, by ją podnieść, oferując mu podniecający widok pod
króciutką spódniczką. Nie nosiła majtek.

Zanim upłynęły trzy kwadranse, walił ją od tyłu w hotelowym pokoju, wrzeszcząc: „Juhhuu, mała! Juhhuu!".

Pięć minut później, kiedy był zaspokojony i zmęczony, podcięła mu gardło krótkim samurajskim mieczem.

Potem odcięła mu głowę.

7. NAZZAR, YOUSEF M.   LIB   HAMAS

Bejrut
23 października, godzina 21.00

Świadkowie powiedzieliby, że był to jeden z najbardziej profesjonalnie przeprowadzonych zamachów, jakie widziano w Bejrucie, a to naprawdę coś znaczyło.

Widziano, jak Yousef Nazzar, jeden z dowódców Hamasu, o którym wiedziano, że był szkolony przez Rosjan, wchodzi do apartamentowca.

Chwilę potem pod wejściem do budynku zahamowały gwałtownie dwa samochody osobowe. Wyskoczyło z nich ośmiu komandosów, którzy natychmiast wbiegli do środka. Jeden z żołnierzy niósł biały pojemnik z namalowanym na boku czerwonym krzyżem.

Co do jednego wszyscy świadkowie byli zgodni: świecące na karabinach zabójców zielone laserowe celowniki w wieczornym półmroku wyglądały upiornie.

Po chwili zabójcy wypadli na zewnątrz i odjechali z piskiem opon.

Ciało Yousefa Nazzara znaleziono rozciągnięte na podłodze jego mieszkania, pozbawione głowy.

8. NICHOLSON, FRANCIS X.   USA   USAMRMC

Wioska emerytów Cedar Falls
Miami na Florydzie
24 października, godzina 07.00

Pielęgniarka w recepcji nie mogła wiedzieć, że to zabójca.

Kiedy spytała: „W czym mogę panu pomóc?" — odpowiedział grzecznie, że jest z kostnicy i przyjechał po narządy zmarłego niedawno mieszkańca Cedar Falls.

Był wysoki i szczupły, miał bardzo czarną skórę i wysokie czoło. Świadkowie opisali go jako „Afrykańczyka". Nie wiedzieli, że w społeczności łowców nagród nazywano go „Zulusem".

Ubrany w biały laboratoryjny kitel, wszedł spokojnie w głąb budynku z białym pojemnikiem do transportu preparatów medycznych w ręku.

Szybko odnalazł pokój i jego mieszkańca, Franka Nicholsona. Starszy pan spał.

Nie marnując czasu, Zulus wyciągnął spod kitla maczetę i...

Policja znalazła jego samochód dwie godziny później, porzucony na lotniskowym parkingu.

W tym czasie Zulus siedział już w przedziale pierwszej klasy lotu numer 45 United Airlines do Paryża, z białym pojemnikiem na kolanach.

Mieszkańcom wioski brakowało Franka Nicholsona. Był powszechnie lubianym, przyjacielskim i życzliwym człowiekiem.

Kierownictwo placówki także go lubiło. Ponieważ był z wykształcenia lekarzem, udzielił pomocy niejednemu mieszkańcowi wioski, który zemdlał na polu golfowym.

Nie lubił jednak mówić o dniach swej chwały.

Zapytany, odpowiadał, że był lekarzem w Dowództwie Badań Medycznych i Sprzętu armii Stanów Zjednoczonych w Fort Detrick i „prowadził badania dla sił zbrojnych".

Po roku jego pobytu w wiosce pewnego wieczoru pojawił się zabójca i obciął mu głowę.

Forteresse de Valois, Bretania
26 października
Godzina 11.50 czasu lokalnego
(05.50 EST USA)

Zawsze uwielbiał anarchię.

Był zakochany w samej idei całkowitej utraty kontroli — idei społeczeństwa bez porządku.

Szczególnie lubił sposób, w jaki reagowali na to ludzie — zwykli, przeciętni, normalni ludzie.

Kiedy zawalały się stadiony piłkarskie, tłum dostawał szału i tratował wszystko, co stało na drodze.

Kiedy następowało trzęsienie ziemi, zaczynano plądrować.

Podczas anarchistycznych epizodów wojennych — w Nankingu, w My Lai, pod Stalingradem — ludzie gwałcili i okaleczali innych ludzi.

Telekonferencja z pozostałymi członkami Rady miała się zacząć najwcześniej za dwadzieścia minut, co dawało członkowi numer 12 dość czasu na oddanie się anarchistycznej pasji.

Jego prawdziwe nazwisko brzmiało Jonathan Killian.

Dokładnie mówiąc, Jonathan James Killian III. Mając trzydzieści siedem lat, był najmłodszym członkiem Rady.

Bogato urodzony, miał wyniosły styl bycia człowieka, przyzwyczajonego do otrzymywania wszystkiego, czego tylko zapragnął. Jego lodowate spojrzenie potrafiło zablokować nawet

138

najbardziej walecznego negocjatora. Był to niezwykle użyteczny dar, podkreślany jeszcze dodatkową cechą: Jonathan Killian miał jedno oko błękitne, a drugie brązowe.

Był wart 32 miliardy dolarów, a dzięki labiryntowi kryjących się nawzajem firm niewiele osób wiedziało, że jest właścicielem Forteresse de Valois.

Killian nigdy nie lubił członka numer 5.

Człowiek ten, nieprzyzwoicie bogaty dzięki odziedziczeniu teksańskiego imperium naftowego, nie grzeszył intelektem i miał skłonność do napadów złości. W wieku 58 lat ciągle pozostawał rozpieszczonym bachorem. Z uporem protestował na posiedzeniach Rady przeciwko wszelkim pomysłom Killiana. Był bardzo irytujący.

W tej chwili członek numer 5 znajdował się wraz ze swoimi czterema osobistymi asystentami w ogromnym lochu na najniższym poziomie Forteresse de Valois, głęboko we wnętrzu skalnych fundamentów.

Nazywano go „Jamą Rekina".

Było to pomieszczenie o mniej więcej pięćdziesięciu jardach średnicy i pięciu wysokości, miało ściany z kamienia i było idealnie okrągłe. Całą przestrzeń wypełniały nieregularnie rozmieszczone kamienne podwyższenia. Jedno było oczywiste: zamknięty tu człowiek nie miał najmniejszej szansy na ucieczkę.

Pośrodku lochu znajdował się pionowy otwór o średnicy dziesięciu stóp — był to odpływ, prowadzący bezpośrednio do oceanu.

Trwał przypływ, więc poziom wody w odpływie szybko się podnosił i woda — ku wielkiemu przerażeniu numeru 5 oraz jego asystentów — zaczęła zalewać ogromne pomieszczenie, zamieniając podesty w kamienne wysepki.

Jeszcze bardziej przerażający był widok dwóch ciemnych cieni, poruszających się w wodzie — czekających cierpliwie, aż poziom wody jeszcze bardziej się podniesie — cieni z płetwami na grzbietach i charakterystycznymi spiczastymi łbami.

Były to dwa wielkie rekiny tygrysie.

Dodatkowo Jama Rekina była wyposażona w dwie interesujące instalacje.

Pierwszą był balkon widokowy, umieszczony w południowej części lochu. Przed Wielką Rewolucją Francuską arystokraci lubili urządzać w swoich lochach walki gladiatorów — najczęściej byli to walczący między sobą chłopi, a w niektórych lochach „lepszej klasy" — takich jak ten — chłopstwo walczyło ze zwierzętami.

Druga ciekawa instalacja stała na największym z kamiennych podestów, przy północnej ścianie: była to dwunastostopowej wysokości gilotyna. Została zamontowana na osobiste zlecenie Jonathana Killiana.

U jej podstawy znajdował się toporny kloc drewna z wycięciami na głowę i ręce skazańca. Ostrze podnoszono za pomocą korbki, a naciśnięcie prostej dźwigni zwalniało śmiercionośną stal.

Inspiracją do zainstalowania gilotyny były dla Killiana opisy wyczynów japońskich żołnierzy, kiedy w 1937 roku zajmowali chiński Nanking.

W czasie trzech przerażających tygodni poddawali Chińczyków niewyobrażalnym torturom. Zamordowano wtedy ponad 360 000 osób. Krążyły opowieści o „konkursach", jakie wymyślali japońscy żołnierze: pozwalali ojcom decydować, czy chcą sami zgwałcić swoje córki, czy przyglądać się, jak są gwałcone przez innych; dawali młodym mężczyznom do wyboru, czy wolą zginąć, czy odbyć stosunek z własną matką i tak dalej.

Bardzo to Killiana zainteresowało. Zazwyczaj Chińczycy zamiast dokonywania okrucieństw wybierali śmierć.

Nie wszyscy jednak.

Killiana zastanawiało, jak daleko człowiek gotów jest się posunąć, aby się uratować.

Zamierzając to „zbadać", kazał zamontować w lochu gilotynę.

Miała ona umożliwiać ludziom umieszczanym w Jamie Rekina dokonywanie „wyboru".

Mogli zginąć straszliwą śmiercią w paszczach rekinów albo umrzeć szybko i bez niepotrzebnych cierpień z własnej ręki pod gilotyną.

Czasami, kiedy miał w Jamie Rekina grupę ofiar (jak dziś), zmuszał swoich więźniów do dokonywania faustowskich wyborów, takich jak na przykład: „jeśli zgilotynujecie swojego szefa, wszystkich wypuszczę", „jeśli zabijecie tę rozwrzeszczaną histeryczkę, będziecie wolni".

Oczywiście nigdy nikogo nie wypuszczał, więźniowie jednak o tym nie wiedzieli i najczęściej ginęli, splamiwszy sobie ręce krwią innych.

Piątka ludzi rozpaczliwie drapała ściany lochu, usiłując uciec przed podnoszącą się gwałtownie wodą.

Jednej z asystentek — kobiecie — udało się wspiąć kawałek po ścianie i przytrzymać maleńkiego występu, natychmiast jednak została ściągnięta w dół przez większego mężczyznę, który ujrzał w tym swoją szansę.

Killian obserwował ich z południowego balkonu, bardzo rozbawiony.

Jeden z nich ma majątek wart 22 miliardy dolarów, pomyślał. Pozostali mają 65 000 dolarów rocznej pensji. Ale teraz są całkiem równi.

Anarchia. Wielki wyrównywacz.

Wkrótce woda podniosła się pięć stóp ponad podłogę i rekiny wpłynęły do lochu. Ludzie powskakiwali na kamienne wyspy, lecz i one zaczęły szybko się zanurzać.

Pięcioro więźniów. Dwa rekiny.

Nie był to przyjemny widok.

Rekiny zaatakowały nieszczęśników — pospychały ich do wody i zaczęły rozrywać miękkie ciała. Woda spieniła się i zaczerwieniła.

Kiedy jeden z asystentów poszedł pod wodę w krwawym kłębowisku, dwie kobiety odebrały sobie życie za pomocą gilotyny.

To samo postanowił zrobić numer 5.

Zamiast stanąć twarzą w twarz z rekinami, wolał obciąć sobie głowę.

Po chwili było już po wszystkim i podnosząca się dalej woda zalała podest z gilotyną, zmywając wszelkie dowody zbrodni, a wygłodniałe rekiny pożarły pozbawione głów zwłoki. Jonathan Killian III odwrócił się na pięcie i poszedł do swego gabinetu na południową telekonferencję.

Na ustawionych pod ścianami telewizorach widać było twarze. Twarze pozostałych członków Rady, włączających się do rozmowy z różnych części świata.

Killian usiadł.

Pięć lat wcześniej odziedziczył po ojcu imperium, w którego skład wchodziły środki transportu morskiego oraz realizujące zamówienia rządowe fabryki zbrojeniowe znane jako Axon Corporation. Konsorcjum budowało między innymi niszczyciele i rakiety międzykontynentalne dla amerykańskiego rządu.

Każdy rok z pierwszych trzech lat rządów Killiana juniora kończył się wzrostem zysków o 500 procent w stosunku do roku poprzedniego.

Wkrótce zaproszono go formalnie do zasiadania w Radzie.

— Członku numer dwanaście, gdzie jest członek numer pięć? — zapytał przewodniczący — Jest u pana, prawda?

Killian uśmiechnął się.

— Naciągnął sobie mięsień w basenie. Zajmuje się nim właśnie mój osobisty lekarz.

— Wszystko przygotowane?

— Jak najbardziej. Statki z projektu „Kormoran" są na pozycjach na całym świecie, w pełni uzbrojone. DGSE w zeszłym tygodniu dostarczyło zwłoki i krew do Ameryki. Moja fabryka w Norfolku jest przygotowana na przybycie amerykańskich inspektorów. Wszystkie systemy są na miejscu i czekają na sygnał... — Killian zamilkł na chwilę.

Zamierzał skoczyć na głęboką wodę.

— I jak poprzednio mówiłem, panie przewodniczący, jeszcze nie jest za późno na dodatkowy krok...

— Członku numer dwanaście — przerwał mu ostro przewodniczący. — Sposób działania został ustalony i nie będzie żadnych zmian! Przykro mi, ale jeśli jeszcze raz wspomni pan o „dodatkowym kroku", zastosowana zostanie kara.

Killian skłonił się.

— Jak pan sobie życzy, panie przewodniczący.

Nie należało się narażać na karę.

Kiedy w latach 50. Joseph Kennedy odmówił zrezygnowania z prowadzenia interesów z Japonią, stracił dwóch sławnych synów.

Kilkuletni syn Charlesa Lindbergha został porwany i zabity,

a sam Lindbergh musiał przetrwać kampanię oszczerczych sugestii, z których wynikało, że był zwolennikiem Adolfa Hitlera, ponieważ w latach 30. XX wieku odmówił podporządkowania się decyzji Rady, że ma prowadzić interesy z hitlerowcami.

Najnowszym przypadkiem niesubordynacji była impertynencka rada nadzorcza Enronu, a każdy wie, co się stało z Enronem.

Podczas dalszego ciągu telekonferencji Jonathan Killian zachował milczenie.

Uważał jednak, że w tej sprawie jest mądrzejszy od całej Rady.

Eksperyment Zimbabwe — jego pomysł — wyraźnie udowodnił, że ma rację. Po dziesięcioleciach zastoju gospodarczego pod zarządem Europejczyków, cierpiące biedę większości afrykańskie przestały respektować prawa własności nieruchomości białego człowieka.

Raport hartfordzki o wzroście liczebności ludności świata — przy jednoczesnym spadku liczebności ludności zachodniego świata — również świadczył o słuszności jego propozycji.

Nie było teraz jednak czasu na kłótnie.

Wkrótce formalną część telekonferencji zakończono, lecz kilku jej uczestników zostało jeszcze na linii, aby pogawędzić.

Killian jedynie przyglądał się temu i słuchał.

— Właśnie kupiłem prawa do wierceń za równy miliard — mówił ktoś. — Uznałem, że należy podjąć męską decyzję. Te głupie afrykańskie rządy nie mają wyboru...

— Przedwczoraj wpadłem na tę Mattencourt u Spencera — mówił rozbawiony przewodniczący. — To agresywna mała klaczka. Znów mnie zapytała, czy mógłbym rozpatrzyć jej członkostwo w Radzie. Zapytałem: „Ile jest pani warta?" — na co odpowiedziała: „Dwadzieścia sześć miliardów". „A pani firma?" — „Sto siedemdziesiąt miliardów". Więc ja na to: „To na pewno wystarczy. Niech mi pani jeszcze zrobi w toalecie laskę i ma pani miejsce w Radzie, okej?". I wiecie co? Uciekła!

To dinozaury, myślał Killian. Starzy ludzie. Stare idee. Po najbogatszych ludziach świata należałoby spodziewać się czegoś więcej.

Wcisnął guzik i telewizory wokół niego zgasły.

Przestrzeń powietrzna nad Turcją
Godzina 14.00 czasu lokalnego
(06.00 EST USA)

MicroDots, które przyczepiły się do ludzi z oddziału IG-88 Damona Larkhama, przekazywały bardzo dziwną informację.

Po opuszczeniu kopalni „Karpałow" oddział Larkhama poleciał na kontrolowane przez Anglików lotnisko w Kunduz. Fakt ten sprawił, że w głowie Schofielda natychmiast rozdzwoniły się dzwonki alarmowe.

Niedobry znak, pomyślał, siedząc w Czarnym Kruku Aloysiusa Knighta.

Oznaczało to, że Anglicy wiedzą, co jest grane...

Na lotnisku w Kunduz oddział IG-88 podzielił się na dwie grupy. Jedna wsiadła do samolotu lecącego do Londynu, a druga do maszyny, która skierowała się na północno-zachodnie wybrzeże Francji.

Samolot lecący do Londynu — smukły gulfstream IV — zaczął się szybko oddalać od drugiego, znacznie powolniejszego transportowca C-130J Hercules królewskich sił powietrznych.

Suchoj Knighta namierzał oba samoloty Larkhama, ale sam nie był przez nie widziany — miał włączone wszystkie środki kamuflujące.

— Zwykła taktyka Demona — mruknął Knight. — Dzielenie ludzi na oddział dostawczy i szturmowy. Oddział szturmowy

144

leci razem z nim zlikwidować następny cel, a dostawczy przewozi głowy do punktu weryfikacyjnego.

— Wygląda na to, że oddział szturmowy leci do Londynu — powiedział Schofield. — Po Rosenthala.

— Możliwe. Co zamierzasz zrobić?

Schofield był w stanie myśleć jedynie o znajdującej się w herculesie Gant.

— Chcę przejąć ten samolot.

Knight wcisnął kilka klawiszy na konsolecie komputera pokładowego.

— Wchodzę do ich komputera pokładowego. Za dziewięćdziesiąt minut hercules ma mieć tankowanie w powietrzu nad zachodnią Turcją.

— Skąd startuje tankowiec?

— VC-dziesięć ma startować z brytyjskiej bazy lotniczej Akrotiri na Cyprze dokładnie za czterdzieści cztery minuty.

— Doskonale — powiedział Schofield. — Book i Matka, Rufus zabierze was do Londynu. Znajdźcie Benjamina Rosenthala, zanim zrobi to oddział Larkhama.

— A ty? — spytała Matka.

— Kapitan Knight i ja wysiadamy na Cyprze.

Czterdzieści pięć minut później z pasa startowego na Cyprze wystartował samolot tankowiec Vickers VC-10.

Jego czteroosobowa załoga nie zdawała sobie sprawy, że w tylnym przedziale ładunkowym wiezie dwóch pasażerów na gapę — Aloysiusa Knighta i Shane'a Schofielda — których Rufus zrzucił na płytką wodę w odległości trzech mil od VC-10, przez cały czas mając włączone urządzenia kamuflujące, aby nie odkryto zbliżania się ich samolotu.

Zaraz potem Rufus, Matka i Book II odlecieli Czarnym Krukiem w kierunku Londynu.

Wkrótce VC-10 mknął już po tureckim niebie i podchodził do nadlatującego z Afganistanu herculesa RAF.

Ustawił się przed herculesem, nieco z góry, po czym z jego tyłu zaczął się wysuwać długi przewód — sonda. Miała ponad siedemdziesiąt jardów długości i zakończona była okrągłą stalową kotwicą, która służyła do połączenia sondy z wlotem paliwa tankowanego samolotu.

Przewód, prowadzony przez „sondziarza" — samotnego operatora, leżącego na brzuchu w oszklonym przedziale ogonowym tankowca — zbliżył się do wlotu paliwa herculesa.

Wlot paliwa — pozioma rura — znajdowała się tuż nad oknami kokpitu samolotu.

Wszystko przebiegało idealnie.

Operator przewodu tankującego spokojnie manipulował urządzeniem naprowadzającym i po chwili kotwica z metalicznym szczękiem połączyła się z wlotem paliwa herculesa. Między samolotami zaczęło przepływać paliwo.

Kiedy to się działo, Knight załadował swojego hecklera & kocha dziwnie wyglądającymi pociskami. Każdy był obwiedziony pomarańczowym paseczkiem.

— Do powstrzymywania szarżujących byków — wyjaśnił Knight. — Najlepszy przyjaciel każdego człowieka z Delty. Rozprężające się gazowo dziewiątki. Lepsze od dum-dum. Wnikają w cel i eksplodują.

— Jak duża jest siła wybuchu?

— Wystarczy, aby rozerwać człowieka na pół. Chcesz parę?

— Nie, dziękuję.

— Weź na wszelki wypadek. — Knight włożył Schofieldowi kilka pocisków do bocznej kieszonki kombinezonu. — Gdybyś zmienił zdanie.

Schofield wskazał głową w kierunku kamizelki Knighta, obwieszonej przedziwnym sprzętem. Poza butlą ze sprężonym powietrzem, lutlampą i hakami alpinistycznymi była tam także zwijana torba.

— Worek na zwłoki? — spytał.

— Tak. Markow Typ-trzy. Nikt nie robi lepszych od Rosjan.

Schofield przyjrzał się zwiniętej torbie. Worek na zwłoki Markow Typ-III był workiem chemicznym. Dzięki podwójnie wzmocnionemu zamkowi błyskawicznemu i pokrytej nylonowym polimerem powierzchni można było w nim bezpiecznie transportować ciała z zarazkami, skażone bronią chemiczną, a nawet odpadami radioaktywnymi. W Czernobylu Rosjanie musieli ich sporo potrzebować.

Najbardziej jednak intrygowały Schofielda haki alpinistyczne. Rozumiał, dlaczego łowca nagród może potrzebować worka na ciała — ale haków alpinistycznych?

Były to ostre, rozpierane sprężyną urządzenia o konstrukcji przypominającej nożyczki, które przy wspinaniu wbijały się w wąskie pęknięcia skał. Po wbiciu hak jest rozpierany z taką siłą, że tkwi nieruchomo w ścianie i bez obaw można przewlec przez niego linę wspinaczkową. Ciekawe, do czego mogły się przydać łowcy nagród.

— Do czego używasz haków? — zapytał.

Knight wzruszył ramionami.

— Do wchodzenia na ściany, wspinania się na budynki.

— Do niczego innego? — naciskał Schofield, dodając w myśli: „A do tortur nie?".

Knight wytrzymał jego spojrzenie.

— Owszem, mają też... inne zastosowania...

Kiedy tankowanie się kończyło, Schofield i Knight skoczyli.

— Ty bierzesz sondziarza — powiedział Knight, wyjmując pistolet. — Ja zajmę się załogą.

— Nie ma sprawy — odparł Schofield i dodał szybko: — Słuchaj, w herculesie możesz robić, co zechcesz, ale może tutaj nie używaj tych swoich straszliwych pocisków...

— Co? Dlaczego?

— Ta załoga nie zrobiła nic złego.

Knight jęknął.

— Niech ci będzie.

— Dzięki.

Ruszyli.

Mając piętnaście okien w kokpicie, załoga transportowca C-130 doskonale wszystko widzi. Obaj piloci mogli więc obserwować tył lecącego nad nimi VC-10 i wysuwającą się z niego długą rurę do tankowania, która po chwili połączyła się z króćcem nad ich kabiną.

Tankowali już w powietrzu setki razy — kiedy samoloty się spinały, włączali automatycznego pilota i zamiast oglądać widoki, koncentrowali się na instrumentach, informujących o przebiegu tankowania.

Prawdopodobnie właśnie z tego powodu nie zauważyli — dwadzieścia minut po rozpoczęciu tankowania — ubranego na czarno człowieka, który zsunął się po przewodzie paliwowym jak szalony kaskader. Sekundę potem okna kokpitu eksplodowały pod naporem potężnej salwy, którą wystrzelił.

Widok był niesamowity.

Dwa wielkie samoloty leciały synchronicznie na wysokości 20 000 stóp złączone długim, opadającym w dół przewodem paliwowym...

...po którym zsuwała się maleńka postać.

Wisiała uczepiona jedną ręką przerzuconej przez przewód pętli, a w drugiej trzymała samopowtarzalny pistolet, z którego waliła w okna kokpitu.

Obaj piloci klapnęli na podłogę, zasypani gradem szkła.

Do kokpitu wpadł wiatr, ale kierowany przez automatycznego pilota samolot trzymał kurs.

Aloysius Knight błyskawicznie zsuwał się po rurze do tankowania na pasie bezpieczeństwa, zabranym z któregoś z foteli. Na twarzy miał maskę do oddychania na dużych wysokościach, a na plecach maleńki spadochron szturmowy MC1-7.

Ponieważ króciec, przez który paliwo wlewało się do zbiornika herculesa, umieszczony był tuż nad kokpitem, jazda Knighta skończyła się jego wpadnięciem do wnętrza przez rozbite okno i wylądowaniem na podłodze zdewastowanego pomieszczenia.

Natychmiast włączył mikrofon.

— Strachu na Wróble! Wszystko w porządku, zjeżdżaj na dół!

Kilka sekund później druga postać, też w masce do oddychania i z małym spadochronem, zaczęła zsuwać się w kierunku transportowca, by po chwili wpaść przez rozbite okno do środka.

Kiedy z kokpitu doleciał głośny łoskot, po którym zaczął wyć wiatr, w przedziale towarowym wszyscy odwrócili się jak na komendę — ośmiu ubranych na czarno komandosów, dwóch mężczyzn w garniturach i dwoje więźniów.

Komandosi należeli do oddziału IG-88, a osobnicy w garniturach mieli identyfikatory, świadczące o tym, że pracują dla MI6 — brytyjskiego wywiadu.

Więźniami byli porucznik Elizabeth „Lis" Gant i generał Ronson H. Weitzman — oboje z korpusu piechoty morskiej Stanów Zjednoczonych, oboje porwani przez ludzi Damona Larkhama w Afganistanie.

Gant odzyskała przytomność kilka minut przed atakiem, tylko po to, by stwierdzić, że tkwi w przedziale towarowym transportowego herculesa, a ręce ma wykręcone na plecy i przypięte do ściany plastikowymi kajdankami.

Kilka metrów od niej znajdował się Ronson H. Weitzman — jeden z najwyższych rangą oficerów w korpusie piechoty morskiej — leżał na plecach na masce humvee, z rękami rozciągniętymi na boki, jak ukrzyżowany w poziomie: jeden nadgarstek miał przykuty kajdankami do lewego, a drugi do prawego lusterka samochodu.

Lewy rękaw munduru Weitzmana oderwano i wokół jego obnażonego ramienia założono ciasną gumową opaskę.

Stali przy nim dwaj cywile z MI6. Gdy Gant odzyskała przytomność, niższy właśnie wyciągał z ramienia Weitzmana igłę strzykawki.

— Dajmy mu kilka minut — powiedział.

Generał uniósł głowę. Miał szkliste oczy.

— Halo, generale — powiedział z uśmiechem wyższy z agentów. — Narkotyk, który panu przed chwilą wstrzyknęliśmy, to EA-sześćset siedemnaście. Na pewno pan o nim słyszał. To odhamowywacz neuralny, środek spowalniający wydzielanie neuroprzekaźnika GABA. Dzięki niemu łatwiej panu będzie odpowiadać na nasze pytania.

150

— Co ta... — Weitzman popatrzył na swoją rękę. — Sześćset... siedemnaście... o nie...

Z dyskretnej odległości scenę tę obserwowali członkowie oddziału IG-88, dowodzeni przez wysokiego przystojnego mężczyznę, którego Gant widziała w afgańskich jaskiniach. Jego ludzie zwracali się do niego „Kowboj".

— No dobrze, generale — powiedział wyższy agent MI6. — Jak brzmi Uniwersalny Kod Rozbrajający?

Weitzman zmarszczył czoło i wbił w coś wzrok, jakby próbował zmusić mózg do przeciwstawienia się narkotykowi.

— Nie... nie znam niczego takiego — powiedział nieprzekonująco.

— Zna pan, generale. Uniwersalny Kod Rozbrajający Stanów Zjednoczonych. Nadzorował pan jego wprowadzenie do tajnego wojskowego projektu „Kormoran". Wiemy o tym programie, generale, nie znamy jednak kodu, a bardzo nam na nim zależy. Jak brzmi?

Gant była przerażona.

Słyszała o istnieniu takiego kodu. Był to zestaw liczb, który pozwalał ominąć każdy amerykański wojskowy system zabezpieczający.

Weitzman zamrugał. W dalszym ciągu walczył z narkotykiem.

— Coś... takiego... nie... istnieje...

— Nieprawda, generale — powiedział wysoki agent. — Istnieje, a pan jest jedną z osób, która go zna. Może będę musiał zwiększyć dawkę...

Wyjął drugą strzykawkę i wbił igłę w odsłonięte ramię Weitzmana.

— Nnnieee... — jęknął generał.

Kolejna porcja EA-617 dostała się do jego organizmu.

W tym momencie okna kokpitu eksplodowały pod ogniem Knighta.

Do kokpitu wpadł Schofield, lądując tuż obok Knighta.

— Mogę teraz używać moich pocisków? — zapytał Knight.

Schofield wskazał na umieszczony na konsolecie monitor, który ukazywał przedział towarowy z góry.

Widać na nim było kilka wielkich drewnianych skrzyń, humvee z ukrzyżowanym na masce Weitzmanem, ośmiu ludzi w czarnych kombinezonach bojowych, dwóch mężczyzn w garniturach, a na podłodze, opartą plecami o ścianę po lewej stronie humvee, ze skutymi za plecami rękami...

...Libby Gant.

— Za dużo ich tam, byśmy mogli strzelać.

— Widzę — odparł Knight. — Wyłączmy więc broń z tego równania.

Wyjął z kombinezonu dwa małe granaty — dwa pomalowane na jasnożółty kolor pojemniki.

— Co to? — spytał Schofield.

— Angielskie AC-2. Klejące.

— Granaty przeciwko broni palnej... — mruknął Schofield, kiwając głową. — Doskonale.

Angielski SAS, specjalizujący się w operacjach antyterrorystycznych, stworzył ładunki AC-2 bardzo przydatne w działaniach przeciwko przestępcom, którzy wzięli zakładników. Były to standardowe granaty błyskowo-hukowe, miały jednak pewną szczególną dodatkową cechę.

— Gotów? Pamiętaj: masz jeden strzał, bo potem broń ci się zablokuje — powiedział Knight. — Rozwalmy ten syf!

Nie czekając, uchylił drzwi kokpitu i wrzucił oba granaty do przedziału bagażowego.

Bladożółte ładunki poturlały się, podskakując na drewnianych skrzyniach, i po chwili wylądowały obok humvee.

Była to standardowa eksplozja: oślepiające, białe błyski światła, a po nich rozrywające uszy huki, mające zdezorientować przeciwnika.

Zaraz potem AC 2 pokazały, co jeszcze potrafią.

Eksplodując, wyrzuciły na wszystkie strony fontanny szarobiałych cząsteczek, które wypełniły każdy zakamarek przedziału bagażowego.

Cząsteczki wyglądały jak konfetti i unosiły się w powietrzu bardzo długo, tworząc gęstą chmurę.

Nie było to jednak konfetti.

Było to specjalne włókniste tworzywo przyklejające się do wszystkiego.

Drzwi kokpitu otworzyły się gwałtownie i do przedziału bagażowego wpadli Knight i Schofield.

Najbliższy komandos oddziału IG-88 sięgnął po karabin, zanim jednak zdążył go złapać, w jego czołu wbiła się krótka strzałka, wystrzelona z małej kuszy, przymocowanej do ochraniacza prawego ramienia Knighta.

Drugi komandos zaczął się odwracać i w jego oko wbiła się druga strzałka, wystrzelona z kuszy na lewym przedramieniu Knighta.

Dopiero trzeciemu komandosowi oddziału IG-88 udało się zrobić użytek ze swojej broni.

Pistolet maszynowy wystrzelił jeden pocisk, po czym się zablokował.

Został „zaklejony". Lepka maź z granatów wniknęła do jego lufy i komory, oblepiła wszystkie ruchome elementy i sprawiła, że stał się bezużyteczny.

Schofield unieszkodliwił przeciwnika kolbą maghooka.

Pozostali komandosi IG-88 szybko się zorientowali, o co chodzi, i po chwili w drewniane skrzynki tuż przy głowach Knighta i Schofielda wbiły się dwa komandoskie noże.

Knight natychmiast wyciągnął z kamizelki jedną z najstraszliwszych broni, jakie Schofield widział w życiu: używany przez ninja mały stalowy krążek z czterema ostrzami, zwany *shuriken*. Był wielkości dłoni — cztery groźne, łukowato wyprofilowane ostrza, wychodzące z centralnego zgrubienia.

Knight rzucił go, trzymając dłoń poziomo, metal z gwizdem przeciął powietrze i podciął gardła dwóch stojących tuż obok siebie ludzi.

Pięciu unieszkodliwionych, pomyślał Schofield. Jeszcze trzech, no i ci dwaj w garniturach...

Nagle złapała go czyjaś ręka...

...niezwykle silna ręka...

...i poleciał ku drzwiom kokpitu.

Uderzył mocno o podłogę. Kiedy podniósł głowę, ujrzał idącego ku niemu ogromnego komandosa z oddziału IG-88. Mężczyzna był wielki jak góra. Miał prawie siedem stóp wzrostu, był czarnoskóry, bicepsy niemal rozrywały mu ubranie, a twarz wyrażała straszliwą wściekłość.

— Co wy, kurwa, wyprawiacie? — spytał.

Ale Schofield już znów stał na nogach i kolbą maghooka zadał napastnikowi potężny cios w szczękę.

Uderzenie dotarło do celu, lecz olbrzym nawet nie drgnął.

— Och... — jęknął Schofield.

Ogromny komandos natychmiast mu oddał, wrzucając go do zniszczonego kokpitu niczym szmacianą lalkę. Schofield załomotał plecami o konsoletę.

Wielki Murzyn podniósł go bez trudu.

— Wszedłeś przez okno, więc wyjdziesz przez okno.

Powiedziawszy to, wyrzucił Shane'a Schofielda przez rozbite okno w otwartą przestrzeń.

Aloysius Knight cisnął kolejne *shuriken* i odwrócił się, by sprawdzić, co z Schofieldem...

...dokładnie w chwili, gdy kapitan został wyrzucony z kokpitu.

— Jasna cholera... — zaklął. Tak jak i on, Schofield miał spadochron, nie było więc obawy, że coś mu się stanie, ale jego nagłe zniknięcie nie poprawiało arytmetyki walki. Wcisnął klawisz radia. — Schofield! Wszystko w porządku?

— *Jeszcze nie zginąłem* — odpowiedział mu zagłuszany wiatrem głos.

Hercules leciał spokojnie, w dalszym ciągu trzymając się za tankowcem VC-10, tyle że teraz z jego dziobu zwisała maleńka ludzka postać.

Szarpany przez wiatr Schofield wisiał dwadzieścia tysięcy stóp nad ziemią, przyklejony do „nosa" potężnego transportowca magnesem wystrzelonym z maghooka.

Wielkolud, który go wyrzucił — komandos o przydomku „Goryl" — stał w wybitym oknie kokpitu i gapił się na niego.

Nagle zniknął, po chwili jednak znów się pojawił — z coltem kaliber 45, schowanym w skrytce w kokpicie, więc niezablokowanym przez granaty Knighta.

— Jasna cholera! — wrzasnął Schofield, kiedy pierwszy pocisk śmignął mu koło głowy.

Miał nadzieję, że olbrzym uzna, iż zrobił swoje, zostawi go w spokoju i wróci do przedziału bagażowego, on zaś wciągnie się na górę i będzie mógł wrócić do walki.

Tymczasem zrobił jedyną rzecz, jaką mógł zrobić.

Wyciągnął z kabury na udzie maghooka Gant i strzelił z niego w kadłub samolotu — nieco poniżej miejsca, w którym był zawieszony. Kiedy magnes przykleił się z głośnym plaśnięciem, Schofield wyłączył magnes pierwszego maghooka i zawisł na lince drugiego — pod spodem wielkiego kadłuba, poza linią strzału wielkiego komandosa.

— Knight! — krzyknął do laryngofonu. — Jeszcze jestem w grze! Musisz mi tylko otworzyć któreś drzwi!

Knight uchylił się przed rzuconym w niego nożem i w odpowiedzi cisnął kolejnym *shuriken* w pierś jednego z agentów w garniturach.

Kiedy usłyszał wezwanie Schofielda, popatrzył na wielki czerwony przycisk, otwierający rampę załadunkową, i rzucił w niego *shuriken*.

Latający nóż o czterech ostrzach trafił w przycisk, przybił go do konsolety i tylna rampa załadunkowa potężnego samolotu transportowego zaczęła się otwierać z cichym buczeniem.

— *Rampa załadunkowa otwarta!* — powiedział głos Knighta w słuchawce Schofielda.

Kapitan powoli przesuwał się wzdłuż kadłuba herculesa: wisząc na lince jednego maghooka, wystreliwał magnes drugiego kawałek dalej, zwalniał poprzedni magnes, po czym powtarzał wszystko od początku, bujając się na linkach jak chłopiec na sali gimnastycznej — i coraz bardziej zbliżając się do końca sześćdziesięciostopowego kadłuba, do otwartej rampy załadunkowej.

Do wnętrza przedziału towarowego wpadał gwałtowny wicher, wprawiając w ruch wszechobecne cząsteczki klejącej substancji. Wyglądało to tak, jakby w samolocie rozszalała się śnieżyca.

Knight przysunął się do Gant.

— Jestem tu, aby ci pomóc — powiedział.

Przyłożył nóż do jej plastikowych kajdanek...

...i w tym momencie złapały go i oderwały od Gant dwa wielkie łapska.

Goryl.

Olbrzymi komandos rzucił Knightem o bok humvee. Knight wypuścił nóż z ręki.

Dowódca IG-88 — Kowboj — wyszedł zza osłony pojazdu.

— Jego okulary! — krzyknął.

Goryl zadał potężny cios, który rozbił okulary z żółtymi szkłami i złamał Knightowi nos. Połamana oprawka spadła na podłogę.

— Aaaaa! — wrzasnął Knight. Musiał natychmiast zamknąć oczy.

Kolejny zabójczy cios Goryla pozbawił go tchu.

— Połóż go przed samochodem! — zawołał Kowboj, po czym odpiął pasy zabezpieczające samochód przed przemieszczaniem się i wskoczył za kierownicę. — Kolana przed koła!

Goryl zrobił, co mu kazano: położył nieprzytomnego Knighta przed samochodem i odsunął się na bok.

Kowboj uruchomił silnik, wrzucił bieg i wcisnął pedał gazu.

Humvee skoczył do przodu — prosto na kolana Aloysiusa Knighta.

Kiedy wielki terenowy pojazd przejeżdżał po nogach leżącego, Kowboj z satysfakcją poczuł, że koła lekko podskoczyły. Po chwili auto z hukiem zatrzymało się na boku wielkiej skrzyni.

— Niech to cholera! Kurwa mać! — zawył Goryl.

— Co jest?

— Ten drugi wrócił!

Żaden z Anglików nie zauważył Schofielda, gdy wchodził przez otwartą rampę załadunkową.

Ani Kowboj, ani Goryl, ani pozostali dwaj komandosi IG-88, ani pozostały przy życiu agent w garniturze.

Nikt nie zauważył, że Schofield — ukryty za humvee — odsunął na bok Aloysiusa Knighta i równocześnie ściągnął jednego z komandosów IG-88 na dół, na jego miejsce, by Kowboj po nim przejechał.

Schofield i Knight ciężko upadli, opierając się plecami o ścianę — tuż przy Gant.

Knight zasłaniał dłońmi oczy, ale kapitan ani na sekundę nie przestał działać.

Przeciął plastikowe kajdanki Gant i dał jej nóż.

— Cześć, mała. Brakowało mi ciebie w Afganistanie. Uwolnij generała.

Generał Weitzman był przez cały czas rozciągnięty na masce humvee, z rękami przykutymi kajdankami do bocznych lusterek.

Gant wyjęła z kieszeni przejechanego komandosa IG-88 pęk kluczy i znalazła kluczyk od kajdanek.

Schofield wstał. W tym samym momencie Kowboj zaczął wysiadać ze swojego pojazdu. Po drugiej stronie Schofielda stał agent w garniturze i wyciągał wbity w drewnianą skrzynię komandoski nóż.

Paskudny przekładaniec.

158

Schofield wyciągnął oba maghooki. W przepełnionej kleistymi cząsteczkami przestrzeni miał tylko po jednym strzale. Strzelił.

Lewy maghook nie trafił Kowboja, ale też nie taki był zamiar kapitana. Głowica maghooka, wystrzelona z małej odległości, huknęła w opancerzone drzwi pojazdu i zamknęła je, wpychając Kowboja z powrotem do środka.

Agent w garniturze został trafiony drugą magnetyczną głowicą prosto w klatkę piersiową. Żebra popękały mu z trzaskiem, zgiął się wpół i upadł na stojącą tuż obok skrzynię.

Gant tymczasem uwalniała generałowi Weitzmanowi lewą rękę. Po chwili kajdanki puściły.

— Świetnie... — mruknęła. — Druga ręka... druga strona...

Po drugiej stronie humvee stał jednak...

...Goryl...

...wznosząc się niczym wieża nad ciałem Weitzmana.

Schofield stanął obok i zmierzył wielkoluda spojrzeniem.

— Zajmij się generałem — powiedział po chwili do Gant, nie spuszczając wzroku z komandosa giganta. — I bądź gotowa na mój sygnał.

— Jaki sygnał?

Kapitan nie odpowiedział. Ukląkł i wyjął z leżącego na podłodze trupa dwa *shuriken*. Po drugiej stronie humvee Goryl zrobił to samo.

Wyszli na kawałek wolnej przestrzeni między samochodem i otwartym lukiem bagażowym, przez który widać było błękitne niebo.

Przez chwilę stali naprzeciwko siebie — wysoki i kanciasty Goryl oraz znacznie niższy i bardziej proporcjonalnie zbudowany Schofield. Obaj trzymali w dłoniach po dwa *shuriken*.

Rzucili się na siebie.

Błysnęły srebrne ostrza, metal szczęknął o metal.

Goryl skoczył do przodu, Schofield odsunął się. Goryl zadał cios, Schofield go sparował.

Gdy obaj mężczyźni walczyli, Gant uwolniła generała, zostawiając jednak obie pary kajdanek — otwarte — zamocowane do lusterek. Potem ściągnęła Weitzmana z maski i sturlała go na podłogę.

Generał przez cały czas bełkotał:

— O Boże, kod... Uniwersalny Kod... dobrze, dobrze, istnieje, ale zna go tylko kilka osób... tak, wprowadziłem go do Kormorana, ale miało to związek z innym projektem... Kameleonem...

Schofield i Goryl tańczyli przed otwartą rampą załadunkową, ich *shuriken* uderzały o siebie i migotały.

Przesunęli się do prawego boku humvee — ku Gant i Weitzmanowi — kapitan wyraźnie prowadził w tym kierunku Goryla, cofając się i odbijając jego ciosy.

— Gant! Przygotuj się na sygnał!

— Co to będzie?

— To!

Schofield złapał zadające następny cios ramię Goryla, błyskawicznie przeniósł ciężar ciała i pchnął rękę olbrzyma na maskę humvee — tuż obok otwartych kajdanek, którymi jeszcze przed chwilą generał był przykuty do lusterka.

— Teraz!

Gant zareagowała błyskawicznie — skoczyła na maskę samochodu i zatrzasnęła kajdanki na nadgarstku Goryla.

Wielkoludowi oczy o mało nie wyszły z orbit.

Został uwięziony!

Schofield odskoczył od niego i ukląkł obok generała.

— Sir! Nic panu nie jest? — spytał, przysuwając ucho tuż do jego ust.

Generał jednak nie doszedł jeszcze do siebie.

— O nie... nie chodziło tylko o Kormorana... chodziło także o Kameleona — bełkotał. — Boże... o Kormorana i Kameleona razem... Statki i rakiety... wszystko zdradzone. Jezu... Uniwersalny Kod Rozbrajający zmienia się co tydzień... w tej chwili jest to szósta... o mój Boże... szósta li... li... linia...

Nagle coś świsnęło. Błysnęła stal. Na szyi generała pojawiła się cienka czerwona kreska...

...i po chwili — na oczach Schofielda — głowa generała Ronsona H. Weitzmana spadła z karku.

Kapitan poderwał głowę — po drugiej stronie stał przystojny zastępca Damona Larkhama — Kowboj — i trzymał długą maczetę, z której kapała krew.

Jego oczy przepełniało szaleństwo. Właśnie brał zamach do kolejnego ciosu maczetą...

...gdy coś złapało go od tyłu za nadgarstek i z taką siłą pchnęło jego rękę z maczetą na maskę humvee, że puścił broń. Ten, kto go zaatakował, zapiął mu na nadgarstku drugą parę kajdanek, którymi jeszcze niedawno generał Weitzman był przypięty do drugiego lusterka.

Kowboj odwrócił głowę: za nim stał Aloysius Knight — w nowych okularach na nosie.

— Nieźle, Kowboju. Pamiętałeś o mojej pięcie achillesowej. — Knight złapał maczetę i uśmiechnął się. — A ja pamiętam o twojej: nie umiesz latać.

Podszedł do drzwi humvee od strony kierowcy, wsunął głowę do środka i wrzucił wsteczny bieg.

— Odsuńcie się — powiedział do Schofielda i Gant.

Kowboj i Goryl — przykuci do przeciwległych boków samochodu — przyglądali mu się z przerażeniem.

— Do widzenia, chłopcy — warknął Knight i pchnął maczetą pedał gazu.

Humvee skoczył w kierunku otwartej rampy załadunkowej.

Dotarł do krawędzi, jadąc z prędkością jakichś piętnastu mil na godzinę, po czym zsunął się z rampy i poleciał prosto w dół.

Gdy humvee zniknął, Schofield podszedł do Gant i mocno ją objął.

Gant zamknęła oczy i też go mocno uścisnęła. Wiele osób by się w trakcie takiego spotkania popłakało, ale nie ona. Była wzruszona, nie należała jednak do płaksiwych kobiet.

— Co się właściwie dzieje? — spytała, kiedy się odsunęli od siebie.

— Łowcy nagród — odparł Schofield. — Moje nazwisko jest na liście ludzi wytypowanych do zlikwidowania dziś do południa czasu nowojorskiego. Porwali cię, żeby dostać mnie.

Opowiedział o wydarzeniach na Syberii i w Afganistanie, o wszystkich spotkanych łowcach nagród — ludziach z Executive Solutions, Węgrze, Skorpionach ze specnazu i oczywiście o IG-88 Damona Larkhama. Pokazał jej także listę ściganych ludzi.

— A to kto? — spytała Gant, wskazując w kierunku Knighta, który zniknął w kokpicie, by odłączyć samolot od tankowca. — Co to za jeden?

— Mój anioł stróż.

Od strony drewnianych skrzyń doleciał zduszony jęk.

Schofield i Gant odwrócili się gwałtownie.

Na podłodze leżał jeden z angielskich agentów wywiadu i trzymał się za żebra. Był to człowiek, do którego Schofield strzelił z maghooka.

Podeszli do niego.

Mężczyzna z trudem wciągał powietrze, przy każdym oddechu pluł krwią.

Schofield ukląkł i obejrzał go.

— Ma połamane żebra i przebite płuca. Kto to?

— Nie wiem — odparła Gant. — On i ten drugi w garniturze przesłuchiwali generała, używając jakiegoś odhamowującego narkotyku, pytali go o amerykański Uniwersalny Kod Rozbrajający. Twierdzili, że Weitzman nadzorował wprowadzanie tego kodu do czegoś, co nazywali projektem „Kormoran".

— Narkotyk odhamowujący? — Schofield rozejrzał się wokół i po chwili jego wzrok padł na leżącą nieopodal apteczkę. Wypadło z niej kilka strzykawek, igieł i buteleczek. Wziął jedną z nich do ręki i przeczytał nalepkę. — No to sprawdzimy, jak mu będzie smakowało jego własne lekarstwo.

Kiedy Aloysius Knight wrócił z kokpitu, angielski agent siedział oparty plecami o ścianę, jeden rękaw miał wysoko podwinięty, a w jego żyłach krążyło 200 mg środka EA-617.

Knight dotknął ramienia Schofielda.

— Odłączyłem nas od tankowca. Lecimy na autopilocie, kursem, który tamci ustawili: na prywatne lotnisko w Bretanii, na francuskim wybrzeżu Atlantyku. Rozmawiałem z Rufusem — właśnie przymierza się do wysadzenia twoich ludzi na opuszczonym lotnisku, jakieś czterdzieści mil od Londynu.

— Doskonale — odparł Schofield, po czym znów skoncentrował się na angielskim agencie.

Po kilku mizernych próbach opierania się narkotykowi mężczyzna zdradził, że nazywa się Charles Beaton i pracuje dla angielskiego wywiadu MI6.

— To polowanie, które się teraz odbywa... co o nim wiesz?

— Prawie dwadzieścia milionów za głowę. Piętnaście głów. Chcą wyeliminować wszystkich dziś do południa, czasu nowojorskiego.

— Co za „oni"? Kto płaci?

Beaton wzruszył ramionami.

— Mają wiele nazw. Grupa Bilderberg. Grupa Brukselska. Rada Gwiezdna. Majestatyczna Dwunastka. M-dwanaście. To elitarna grupa prywatnych przemysłowców, rządząca całą planetą. Dwunastu ludzi. Najbogatsi ludzie świata, kontrolujący rządy państw i mogący robić wszystko, na co mają ochotę...

Schofield oparł się plecami o ścianę. Nie mieściło mu się to w głowie...

— Pięknie... — mruknął Knight.

— Nazwiska! — syknął Schofield.

— Nie znam nazwisk — odparł Beaton. — To nie moja działka. Ja zajmuję się amerykańską armią. Wiem tylko tyle, że M-dwanaście naprawdę istnieje i finansuje to polowanie.

— Kto w MI sześć wie więcej?

— Alec Christie. To nasz człowiek w środku. Wie wszystko o M-dwanaście i prawdopodobnie o tym polowaniu też. Problem w tym, że nikt nie ma pojęcia, gdzie się podziewa. Zniknął dwa dni temu.

Christie...

Schofield przypomniał sobie, że to kolejne nazwisko z listy.

2. CHRISTIE, Alec P.   GB   MI6

— Musiał się czymś zdradzić, ponieważ M-dwanaście umieściło jego nazwisko na liście — powiedział, po czym spróbował z innej beczki: — Kormoran i Kameleon... co to za programy, o które wypytywaliście Weitzmana?

Beaton jęknął, znów próbując przeciwstawić się narkotykowi.

— Kormoran to projekt marynarki USA. O bardzo wysokim stopniu utajnienia... Podczas drugiej wojny światowej niemiecka marynarka wojenna kamuflowała niektóre okręty wojenne jako statki handlowe. Jeden z nich nazywał się „Kormoran". Sądzimy, że Stany Zjednoczone robią to samo, tyle że w znacznie większej skali, na miarę dzisiejszych czasów: budują mogące wystrzeliwać międzykontynentalne rakiety balistyczne okręty bojowe, które wcale nie wyglądają jak jednostki wojskowe. Są zakamuflowane jako tankowce i kontenerowce. Dla uproszczenia wszyscy mówią o nich „statki Kormoran".

— O rany... — szepnęła Gant.

— No dobrze. To Kormoran — powiedział Schofield. — A Kameleon?

— Nic o nim nie wiem.

— Na pewno?

Beaton jęknął.

— Wiem tylko, że ma związek z projektem „Kormoran" i że jest to coś wielkiego — ma najwyższą amerykańską klasę tajności, na razie jednak nie wiem, czego dotyczy.

Schofield zmarszczył czoło i zastanawiał się przez chwilę. Było to jak układanie puzzli — kawałek po kawałku. Obraz pojawiał się bardzo powoli. Kapitan miał już kilka elementów, ale jeszcze nie widział całości. Jeszcze.

— Kto może to wiedzieć, panie Beaton? Skąd MI sześć ma tajne amerykańskie informacje?

— Od Mossadu. Izraelski wywiad ma rezydenturę w Londynie, na Nabrzeżu Kanaryjskim. W zeszłym miesiącu udało nam się ich podsłuchiwać przez dwa tygodnie. Uwierz mi, Mossad wie wszystko. Wiedzą o M-dwanaście, wiedzą o Kormoranie i Kameleonie. Znają każde nazwisko z listy i wiedzą, dlaczego się na niej znalazło. Wiedzą też jeszcze jedno...

— Co?

— Wiedzą, co M-dwanaście szykuje na dwudziestego szóstego października.

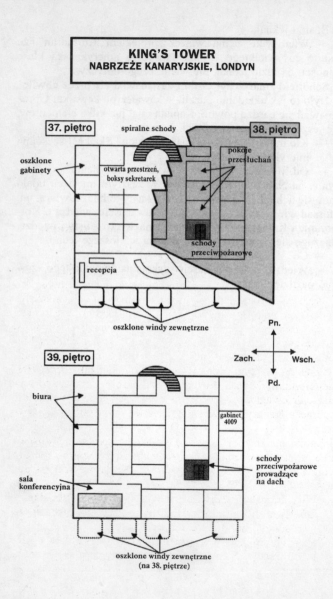

King's Tower
Nabrzeże Kanaryjskie, Londyn
26 października, godzina 12.00 czasu lokalnego
(13.00 we Francji; 07.00 EST USA)

Book II i Matka jechali ekspresową szklaną windą w górę trzydziestodziewięciopiętrowego wieżowca King's Tower.

Przed nimi rozciągała się Tamiza, brązowa i wijąca się. Na horyzoncie majaczył spowity mgłą stary Londyn.

Nabrzeże Kanaryjskie mocno kontrastuje z resztą Londynu — jest to czyściutka, zbudowana ze szkła i stali dzielnica biznesowa, szczycąca się błyszczącymi drapaczami chmur, starannie pielęgnowanymi parkami i najwyższym budynkiem w Wielkiej Brytanii: Canada Tower. Znaczna część Londynu to wyblakłe dziewiętnastowieczne wiktoriańskie budowle, natomiast Nabrzeże Kanaryjskie jest już dzielnicą dwudziestego pierwszego wieku.

Book i Matka znajdowali się wysoko na szarym londyńskim niebic. Jeszcze cztery windy przewoziły ludzi w górę i w dół King's Tower — przemykające obok identyczne szklane pudełka.

Oboje ubrani byli w cywilne ciuchy: zamszowe kurtki, dżinsy i zakrywające laryngofony swetry z golfami. Na plecach, za paskiem spodni, mieli colty kaliber 45.

Razem z nimi jechała w windzie ładna młoda kobieta w garsonce od Prady. Przy potężnej Matce wyglądała jak mała dziewczynka.

167

Matka głęboko wciągnęła powietrze, po czym puknęła ją palcem w ramię.

— Bardzo mi się podobają pani perfumy. Co to?

— Issey Miyake — odparła kobieta.

— Muszę sobie takie kupić — stwierdziła Matka i uśmiechnęła się.

Przez kilka ostatnich godzin doskonale się bawili.

Po wejściu w brytyjską przestrzeń powietrzną — oczywiście z włączonymi urządzeniami kamuflującymi — Rufus zostawił ich na opuszczonym lądowisku niedaleko lotniska London City. Przesiedli się tam do wyczarterowanego helikoptera, pilotowanego przez starego przyjaciela Rufusa. Kwadrans później wysiedli na komercyjnym lądowisku helikopterów na Nabrzeżu Kanaryjskim.

Winda zatrzymała się na trzydziestym siódmym piętrze. Book II i Matka weszli do olbrzymiego holu kancelarii prawniczej Goldman, Marcus & Meyer, Lawyers, która zajmowała trzy najwyższe piętra budynku: 37., 38. i 39.

Było tu dokładnie tak, jak powinno być w wielkiej kancelarii prawniczej: wszędzie pełno pluszu i dużo przestrzeni oraz wspaniały widok z okien. Zwykłemu człowiekowi Goldman Marcus musiała wydawać się znakomitą firmą, prowadzącą wszelkiego rodzaju usługi prawnicze.

Tyle że nie była to jedynie kancelaria prawnicza.

Między licznymi gabinetami, salami konferencyjnymi i otwartymi przestrzeniami biurowymi, na 38. piętrze znajdowały się trzy pomieszczenia, do których prawnicy mieli zakaz wstępu — zastrzeżone do użytku izraelskiego wywiadu, Mossadu.

Była to najbardziej bezwzględna agencja wywiadowcza świata, chroniąca najczęściej atakowany kraj świata Izrael.

Nikt inny nie był tak bardzo zagrożony terroryzmem. Żaden naród nie jest otoczony przez tylu wrogów: Syrię, Egipt, Jordanię, Liban, nie wspominając już o żyjących w granicach Izraela Palestyńczykach. Mieszkańcy żadnego innego kraju nie oglądali w telewizji śmierci jedenastu członków swojej reprezentacji olimpijskiej.

Jak Izrael sobie z tym radził?

Po prostu doszedł do wniosku, że musi się dowiadywać o wszystkich zagrożeniach zewnętrznych z odpowiednim wyprzedzeniem.

Mossad ma swoich ludzi wszędzie. Dowiaduje się o wszelkich międzynarodowych wstrząsach jako pierwszy i działa zgodnie z niewzruszoną zasadą: IZRAEL PIERWSZY, OSTATNI, ZAWSZE.

1960: porwanie i uwięzienie zbrodniarza wojennego Adolfa Eichmanna w Argentynie.

1967: atak prewencyjny na egipskie bazy lotnicze w czasie wojny sześciodniowej.

31 sierpnia 1997: inwigilacja kierowcy Diany, Henriego Paula, agent Mossadu był w barze paryskiego Ritza także tej nocy, kiedy zginęła księżna Diana.

Twierdzi się nawet, że Mossad wiedział o przygotowaniach do ataku na Nowy Jork, który miał miejsce 11 września, i nie ujawnił tego Amerykanom, ponieważ uznano, że rozpoczęcie przez Stany Zjednoczone wojny z islamskim terroryzmem posłuży interesom Izraela.

W kręgach wywiadowczych wiedziano, że MOSSAD WIE ZAWSZE — i wszystko.

— W czym mogę pomóc? — spytała recepcjonistka z grzecznym uśmiechem.

— Chcielibyśmy rozmawiać z Benjaminem Rosenthalem — powiedział Book II.

— Obawiam się, że nikogo takiego tu nie ma.

— W takim razie proszę zadzwonić do prezesa zarządu i przekazać mu, że sierżanci Riley i Newman chcą rozmawiać z majorem Rosenthalem. Proszę też przekazać, że przybyliśmy z polecenia kapitana Shane'a Schofielda z korpusu piechoty morskiej Stanów Zjednoczonych.

— Bardzo mi przykro, ale...

W tym momencie, jak na skinienie czarodziejskiej różdżki, zadzwonił telefon. Recepcjonistka podniosła słuchawkę i po krótkiej, prowadzonej szeptem rozmowie powiedziała:

— Przewodniczący zaraz kogoś po państwa przyśle.

Minutę później otworzyły się wewnętrzne drzwi i pojawił się

w nich potężny mężczyzna w garniturze. Oboje zauważyli wypychające mu marynarkę uzi...

Przyjechała winda.

Druga winda.

Book II zmarszczył czoło i odwrócił się.

Otworzyły się drzwi obu wind...

...i zobaczyli w kabinach dziesięciu komandosów IG-88 Damona Larkhama.

— Jasna cholera... — jęknął Book.

Ubrani w czarne kombinezony ludzie wypadli biegiem z kabin, waląc ze wszystkich luf swoich karabinów MetalStorm.

Book i Matka jednocześnie skoczyli za ladę recepcji, próbując schronić się przed gradem rozrywających wszystko pocisków.

Mężczyzna, który po nich przybył, zaczął podskakiwać, jakby dostał ataku padaczki, i po chwili upadł, posiekany pociskami.

Recepcjonistka dostała postrzał w czoło i rzuciło nią o podłogę.

Oddział Demona ruszył w głąb budynku — jeden z żołnierzy został, by zająć się dwójką cywili, którzy schowali się za ladą recepcji.

Obszedł ją i dostał w twarz dwa pociski z dwóch pistoletów.

Book i Matka natychmiast wstali.

— Przyszli po Rosenthala! — zawołał Book. — Idziemy!

Cały hol wyglądał jak po przejściu tornada.

Po chwili wbiegli do głównej strefy biurowej.

Na biurkach leżały poszarpane kulami ciała kobiet i mężczyzn, z porozbijanych komputerów unosił się dym.

Oddział IG-88 szedł jak burza przez pozbawioną ścian przestrzeń biurową, ich MetalStormy pluły ogniem.

Szkło rozpryskiwało się z hukiem, wybuchały kolejne monitory komputerów.

Ochroniarz sięgnął pod marynarkę po uzi — i w pół ruchu został poszatkowany pociskami.

Żołnierze IG-88 zaczęli wbiegać na trzydzieste ósme piętro spiralnymi schodami.

Book i Matka ruszyli w pogoń.

Kiedy dotarli na szczyt schodów, trzech ludzi z IG-88 oderwało się od głównej grupy i weszło do jednego z pokojów przesłuchań, gdzie natychmiast zabili dwóch starszych mężczyzn, a trzeciego, młodszego — musiał to być Rosenthal — wywlekli na korytarz. Mógł mieć nieco ponad trzydzieści lat i był bardzo przystojny. Miał rozpiętą pod szyją koszulę i wyglądał na kompletnie wycieńczonego.

Book i Matka nie marnowali czasu. Działając w idealnej synchronizacji, zlikwidowali trzech przeciwników: Book strzelił do lewego, Matka do prawego, a potem oboje powalili środkowego.

Rosenthal upadł na podłogę.

Book i Matka podbiegli do niego i podźwignęli go w górę.

— Jesteś Rosenthal? — spytał Book. — Benjamin Rosenthal?

— Tak...

— Przybyliśmy tu, aby ci pomóc. Przysłał nas Shane Schofield...

Na twarzy Rosenthala pojawił się błysk zrozumienia.

— Schofield... z listy...

Matka unieruchomiła kolejnego komandosa IG-88, który wyszedł z pokoju obok.

— Book! — wrzasnęła. — Nie ma czasu na pogaduszki! Musimy być w ruchu! Możesz go przesłuchać, idąc. Na górę! Tempo!

Poszli dalej spiralnymi schodami, prowadzącymi na trzydzieste dziewiąte piętro. Mijali wielkie okna, za którymi widać było panoramę Londynu. Nagle za jednym z nich pojawił się paskudnie wyglądający helikopter szturmowy i zaczął ustawiać się w pozycji do strzału — w Booka, Matkę i Rosenthala.

Był to lynx, angielski odpowiednik hueya, wyposażony w zamontowane po bokach rakiety TOW i sześciolufowe działko lotnicze.

— Ruch! — zawyła Matka. — Ruch, ruch, ruch, ruch, ruch!

Lynx otworzył ogień.

Rozległ się niesamowity łoskot i ogromne szyby w oknach zaczęły pękać i sypać się z ram.

Wszędzie rozprysnęło się szkło i po chwili tuż za ciągnącą Rosenthala parą zawalił się kawał schodów, odcięty wielkokalibrowymi nabojami. Bookowi i Matce w ostatniej chwili udało się wbiec na trzydzieste dziewiąte piętro.

Damon Larkham szedł po szczątkach pozostałych z wyposażenia trzydziestego ósmego piętra i słuchał przekazywanych mu raportów radiowych.

— *Tu Powietrze Jeden. Są na trzydziestym dziewiątym piętrze. Dwa kontakty w cywilu. Chyba mają Rosenthala...*

— *Powietrze Dwa. Ląduję właśnie na dachu. Wysadzam oddział drugi...*

— *Powietrze Trzy. Mijamy północno-wschodni róg. Kieruję się na trzydzieste dziewiąte...*

— *Oddział techniczny. Windy zablokowane. Cztery na trzydziestym siódmym piętrze, piąta na parterze. Nikt się tu nie zjawi.*

— Panowie — powiedział Larkham — macie natychmiast zlikwidować tę zarazę i sprowadzić mi Rosenthala.

Obserwowane z daleka trzy helikoptery IG-88, latające wokół szczytu King's Tower, wyglądały jak atakujące piknikującego turystę muchy.

Jeden wylądował na dachu, pozostałe dwa krążyły wokół okien górnych pięter, a piloci starali się zobaczyć, co się dzieje w środku.

Kiedy pracownicy kilku mieszczących się w budynku firm usłyszeli brzęk rozpryskujących się okien, wezwali policję.

Book II i Matka biegli korytarzem, ciągnąc ze sobą Rosenthala.

— Mów dalej! — krzyknął Book. — Lista! Dlaczego ty i Schofield na niej jesteście?

Rosenthal ciężko oddychał.

— M... M-dwanaście nas na niej umieściło... mnie, bo wiem, kto do nich należy i mogę ich zdradzić, jeśli zechcą zrealizować swój plan.

— A Schofielda?

— On to co innego. Jest szczególną osobą. Jako jeden z niewielu zdał testy Kobra... jest wśród dziewięciu ludzi na świecie, którzy mogliby rozbroić CincLock-siedem — system zabezpieczający rakiety Kameleon...

W tym momencie po prawej stronie otworzyły się drzwi prowadzące na schody przeciwpożarowe i wyskoczyło zza nich czterech komandosów IG-88 z zaopatrzonymi w zielone lasery karabinami MetalStorm.

Book i Rosenthal nie mieli czasu zareagować, ale Matka zdążyła.

Pchnęła ich za najbliższy róg, w inny korytarz, sama zaś pobiegła dalej, ścigana przez serie pocisków.

Book i Rosenthal przebiegli do końca korytarza i wpadli do niewielkiego gabinetu.

Ślepy zaułek.

— Cholera! — wrzasnął Book i podbiegł do okna. Ujrzał przelatujący za nim helikopter wroga.

Po sekundzie zobaczył za oknem coś jeszcze.

Czwórka najemników ze schodów przeciwpożarowych rozdzieliła się na dwie pary — dwóch podążyło za Bookiem i Rosenthalem, pozostałych dwóch — za Matką.

Para ścigająca Booka i Rosenthala widziała, jak uciekinierzy wbiegają do gabinetu.

Podeszli powoli i stanęli po obu stronach drzwi. Drzwi były oznakowane numerem 4009.

— Oddział techniczny, tu Szterling Pięć — szepnął starszy rangą do mikrofonu. — Potrzebny mi jest plan piętra. Gabinet cztery-zero-zero-dziewięć.

Odpowiedź nadeszła natychmiast.

— *To ślepy zaułek. Nie mają stamtąd dokąd uciec.*

Komandos kiwnął głową swojemu towarzyszowi — młodszy rangą żołnierz kopniakiem otworzył drzwi, po czym puścił serię do wnętrza pokoju.

Nikogo nie trafił.

Gabinet był pusty.

Sięgające od sufitu do podłogi okno zostało rozbite, przez dziurę wpadał do środka londyński deszcz.

Nigdzie nie było widać Booka ani Rosenthala.

Obaj najemnicy podbiegli do wybitego okna i spojrzeli w dół.

Nie było tam niczego. Jedynie pionowa szklana ściana budynku i park na dole.

Nagle usłyszeli odgłos pracującego silnika — spojrzeli w górę i ujrzeli spód snującej w górę platformy do mycia okien.

Book i Rosenthal stali na drewnianym podeście, szybko wznoszącym się ku najwyższemu piętru King's Tower.
Długa, wąska platforma zwisała na dwóch masywnych wysięgnikach, wystających znad krawędzi dachu.
Book ujrzał ją, zanim napastnicy wtargnęli do gabinetu.
Rozbił okno i trzymając jedną ręką Rosenthala, złapał za krawędź platformy. Zawiśli czterdzieści pięter nad londyńskimi chodnikami.
Po chwili wepchnął Rosenthala na górę i sam się wciągnął, znikając z widoku niemal w tym samym momencie, gdy ludzie z IG-88 wpadli do gabinetu.

Matkę, biegnącą korytarzem, ścigał grad pocisków, wystrzeliwanych przez gonią cą ją dwójkę najemników.
Kiedy kule już ją doganiały, skręciła ostro w lewo, wpadła do najbliższego pomieszczenia i stwierdziła, że stoi w ogromnej sali konferencyjnej.
Podłoga była wykonana z polerowanego drewna, wszędzie stały głębokie skórzane fotele, a środek pomieszczenia zajmował największy stół konferencyjny, jaki Matka kiedykolwiek widziała — miał przynajmniej trzydzieści stóp długości.
— Pieprzeni prawnicy... zawsze muszą sobie jakoś skompensować swoje maleńkie fiutki...
Było to narożne pomieszczenie, toteż z dwóch panoramicznych okien zastępujących ściany rozciągał się niesamowity widok.
Matka doskonale zdawała sobie sprawę, że jej colt 45 nie ma szans z dwoma karabinami MetalStorm ścigających ją najemników, stanęła więc tak, aby otwierające się drzwi ją ukryły.
Komandosi z IG-88 kopniakami wyłamali drzwi i wbiegli do środka.
Matka strzeliła pierwszemu w głowę, zanim ją zobaczył, a potem skierowała broń na drugiego przeciwnika...
— Kurwa! — zaklęła.

Skończyła jej się amunicja.

Zaatakowała drugiego mężczyznę ciałem i oboje padli na stół. Karabin najemnika strzelał wściekle we wszystkich możliwych kierunkach.

Okna rozpryskiwały się jedno po drugim.

Do środka zaczęły wpadać wiatr i deszcz.

Matka szarpała się z najemnikiem, leżąc na stole. Komandos był duży i silny. Równocześnie wyciągnęli noże i zaatakowali się nawzajem. Szczęknęła stal.

Nagle Matka ujrzała w otwartych drzwiach dwa cienie.

Dwaj mężczyźni.

Ale nie z IG-88.

Dwaj potężni Izraelczycy w garniturach i poplamionych krwią koszulach, z zawieszonymi na ramionach uzi.

Ochroniarze Mossadu.

Izraelczycy przez chwilę spoglądali na odbywającą się na stole walkę.

— Łowcy nagród! — wyrzucił z siebie z pogardą jeden z nich.

— Chodź! — krzyknął drugi i popatrzył na korytarz. — Idą!

Pierwszy z mężczyzn wyszczerzył do Matki i najemnika z IG-88 zęby w złośliwym uśmiechu, wyjął z kieszeni granat RDX, wyciągnął zawleczkę i rzucił.

Zaraz potem obaj Izraelczycy zniknęli.

Matka zobaczyła, jak granat wlatuje wysokim łukiem do pomieszczenia.

Odbił się od podłogi i zniknął pod gigantycznym stołem. Z metalicznym szczęknięciem uderzył w jego nogę i...

...eksplodował.

Wybuch był potężny.

Mimo grubości drewna, koniec stołu, pod którym doszło do eksplozji, zniknął — rozprysnął się na miliony drzazg.

Wznosząca się fala uderzeniowa uniosła stół, po czym — gdy oderwał się od podłogi — pchnęła go w kierunku roztrzaskanego okna.

Matka na ułamek sekundy przed faktem pojęła, co się za chwilę stanie.

Stół grzmotnął w okno niczym rozpędzony taran i wystrzelił w powietrze czterdzieści pięter nad ziemią.

Potężny blat przekręcał się w powietrzu — przechodząc do pionu — i Matka zaczęła zjeżdżać w kierunku czterystustopowej przepaści.

Widok był niesamowity — z okna na najwyższym piętrze drapacza chmur wysuwał się ogromny stół.

Stół wciąż się przechylał, najpierw o czterdzieści pięć stopni, potem jeszcze bardziej, a dwie maleńkie postacie na jego blacie zsuwały się coraz dalej i dalej.

Nagle — bez jakiejkolwiek zapowiedzi — stołem szarpnęło i zatrzymał się.

Górna krawędź uderzyła w sufit sali konferencyjnej, a nogi zahaczyły o krawędź okna i wielki mebel się zablokował, znieruchomiał czterdzieści pięter nad ziemią, przechylony pod nieprawdopodobnym kątem.

Matka prawie ześlizgnęła się z blatu, na szczęście w ostatnim momencie wbiła głęboko w drewno nóż i, wsadziwszy palce w otwory jego rękojeści, zawisła z nogami poza krawędzią niemal pionowego mebla.

Jej przeciwnik nie był na tyle szybki.

Próbując się utrzymać na powierzchni stołu, wypuścił z ręki nóż. Na swoje szczęście, gdy stół wylatywał przez okno, znajdował się nad Matką, spadł więc na nią i oparł się stopą o wbity przez nią nóż.

Uśmiechał się i deptał trzymającą nóż dłoń Matki.

Drugą stopą zaczął ją kopać po palcach.

Matka zacisnęła zęby i mimo bólu mocno trzymała się noża — osłona rękojeści częściowo ją chroniła.

W tym momencie do jej uszu doleciał jakiś dźwięk.

Był to łoskot łopat wirnika helikoptera.

Matka rozejrzała się i zobaczyła tuż przed sobą przypominający potężnego szerszenia helikopter.

— Ożeż kurwa mać... — jęknęła.

Stojący nad nią najemnik zamachał do pilota i dał znak, aby zniżył maszynę i zawisł pod stołem.

Pilot zrobił, o co go poproszono, i helikopter podleciał tak, że stopy Matki znalazły się tuż nad łopatami, wirującymi z taką prędkością, że wyglądały jak rozmazana biała tarcza.

Najemnik nad nią znów zaczął kopać — jeszcze mocniej.

Jej palec się złamał.

— Ty skurwy...synu! — wrzasnęła.

Znów ją kopnął.

Łopaty wirnika świstały jak piła tarczowa dziesięć stóp pod jej butami.

Mężczyzna uniósł stopę, by kopnąć po raz ostatni...

...i w tym momencie Matka zrobiła coś całkowicie niespodziewanego.

Wyciągnęła nóż z blatu i oboje zaczęli się zsuwać — prosto w kierunku migoczących stalowych ostrzy.

Najemnik, nie mając się na czym oprzeć, pomknął w dół, ku krawędzi stołu.

Matka również się zsuwała, ale w odróżnieniu od komandosa z IG-88 była na to przygotowana. Kiedy dotarła do krawędzi, wbiła nóż w spodnią część stołu i zawisła na nim.

Najemnik śmignął obok, minął krawędź stołu i poleciał w dół.

Świat jakby się zatrzymał, Matka widziała każdy szczegół jego przerażonej twarzy — wybałuszone oczy, otwarte usta — a on spadał, spadał, spadał...

Po chwili uderzył w łopaty wirnika i w ułamku sekundy zamienił się w rozpryśniętą masę krwi.

Czerwona maź chlusnęła na przednią szybę helikoptera i pilot gwałtownie oddalił się od budynku.

Matka nawet nie miała czasu odetchnąć z ulgą.

Zwisała ze skierowanego niemal pionowo ku ziemi, zalewanego londyńskim deszczem stołu.

Nagle ogromny mebel lekko szarpnął i odrobinę się przesunął. W dół.

Matka gwałtownie poderwała głowę, trzymające stół nogi zaczynały się wyginać.

Za chwilę stół spadnie.

— Niech to jasna cholera! — wrzasnęła Matka. — Nie zamierzam umierać!

Oszacowała swoje szanse.

Była blisko narożnika budynku, blisko jego południowo-
-zachodniego rogu, od zachodniej strony.

Tuż za nim, nieco w dole, stała jedna ze szklanych wind,
zatrzymana na trzydziestym siódmym piętrze.

— W porządku, zachowaj spokój — powiedziała sobie. —
Co zrobiłby Strach na Wróble?

Maghook, pomyślała.

Wyciągnęła maghooka, skierowała go ku sufitowi pomieszczenia na trzydziestym dziewiątym piętrze i nacisnęła spust.

Nic się nie wydarzyło.

Maghook nie wypalił. Skończył się gaz.

— Cholera... Strachowi na Wróble nigdy się to nie zdarza...

Nagle stół znów się osunął co najmniej dwie stopy.

Matka zaczęła odwijać linkę zębami — mrucząc przy tym
wściekle:

— To nie fair... nie fair... kurwa... to nie... fair...

Stół chybotał się na krawędzi trzydziestego dziewiątego
piętra. Potężny mebel postękiwał, lada chwila mógł pęknąć.

Matka poczuła, że ma wystarczającą ilość linki, i wolną ręką
rzuciła głowicę maghooka na trzydzieste dziewiąte piętro.

Głowica wylądowała na samym skraju rozbitego okna, ale
hak złapał...

...i w tym samym momencie stół wypadł z okna.

Matka puściła nóż i odsunęła się od lecącego w dół mebla,
który pomknął przez deszcz...

...a ona zawisła na lince.

Bujając się na niej, minęła róg budynku, uderzyła ciałem
w bok oszklonej windy i złapała się jej krawędzi.

Siedem sekund później gigantyczny mebel z kancelarii Gold-
mana, Marcusa & Meyera, Lawyersa walnął w chodnik i rozprysnął się na milion kawałeczków.

Book i Rosenthal dotarli na dach na platformie do mycia okien.

Kucnęli za wylotem wentylatora i kiedy ostrożnie wyjrzeli, zobaczyli stojący na miejscu przeznaczonym do lądowania helikopterów lynksa Damona Larkhama. Łopaty wirnika obracały się, spowijane deszczem niczym woalką.

— Mów dalej — nakazał Book Rosenthalowi. — M-dwanaście sporządziło listę i chce, żeby Schofield zginął z powodu...

— Testów Kobra. Dlatego, że przeszedł je pozytywnie. Choć w NATO nazywano je inaczej: Testy Prędkości Reakcji Neuronów Ruchowych. Kobra to rosyjska nazwa.

— Testy Prędkości Reakcji Neuronów Ruchowych? Masz na myśli odruchy?

— Właśnie. Chodziło o odruchy. Superszybkie odruchy. Ludzie z listy mają najszybsze odruchy na świecie. Zdali testy Kobra, a tylko tacy ludzie są w stanie rozbroić system zabezpieczenia rakiet CincLock-siedem, który jest podstawą planu M-dwanaście. Dlatego M-dwanaście musi ich wyeliminować.

— System zabezpieczenia rakiet...

— Właśnie, ale to polowanie na ludzi jest tylko elementem większego planu.

— O co w nim chodzi?

— O unicestwienie istniejącego porządku świata. Wywołanie ogólnoświatowej wojny. Zniszczenie świata, aby mógł się odrodzić na nowo... Posłuchaj, mam na dole całą teczkę na ten temat. Przez ostatnie dwa dni Mossad przesłuchiwał mnie w tej sprawie. W aktach są materiały dotyczące trwającego właśnie polowania na ludzi, M-dwanaście, jego członków i przede wszystkim zasadniczego planu...

W tym momencie głowa Rosenthala eksplodowała. Dosłownie się rozprysnęła.

Bez ostrzeżenia.

Został rozszarpany złożoną przynajmniej z dwudziestu pocisków serią, wystrzeloną z karabinu MetalStorm, gdzieś zza pleców Booka.

Book zawirował na pięcie...

...i w drzwiach prowadzących na schody pożarowe, w odległości mniej więcej trzydziestu jardów, ujrzał Damona Larkhama, przyciskającego straszliwą broń do ramienia.

Popatrzył na zakrwawione i poszarpane ciało Rosenthala. Człowiek Mossadu nie powie już nic więcej...

Zaczął uciekać.

Uniósł pistolet i strzelał, równocześnie pędząc w kierunku zaparkowanego nieopodal helikoptera.

Szklana ściana windy rozprysnęła się i Matka znalazła się w kabinie.

Znajdowała się na południowej fasadzie budynku, na trzydziestym siódmym piętrze. Pozostałe windy — nieruchome — stały na tej samej wysokości.

Gdyby je ponumerować od 1 do 5, to numery 1, 2, 3 i 5 stały na trzydziestym siódmym piętrze, z przerwą w miejscu windy numer 4. Brakująca kabina musiała się znajdować gdzieś niżej. Matka stała w kabinie windy numer 1, z lewego skraju południowej fasady.

Wcisnęła klawisz otwierania drzwi.

Była widoczna jak ryba w akwarium i doskonale zdawała sobie sprawę z tego, że helikopter, który jeszcze tak niedawno ją obserwował, zaraz znów nadleci i zacznie do niej strzelać jak do kacz...

Helikopter!

Odwróciła głowę do tyłu.

Był dokładnie przed nią!

Helikopter unosił się na wysokości windy — nieco w kierunku zachodnim — wyglądał, jak wpatrujący się w ofiarę gigantyczny owad.

Matka raz za razem waliła w klawisz otwierania drzwi.

— Jasna cholera! Czy to jest do czegoś podłączone?!

Z helikoptera wystrzeliła smużka dymu.

Strzelali do niej rakietą!

Od maszyny oderwała się rakieta TOW i zaczęła zakreślać linię, prowadzącą prosto ku windzie, w której stała Matka.

Drzwi windy zaczęły się otwierać.

Rakieta mknęła prosto na Matkę.

Matka przecisnęła się przez drzwi dokładnie w chwili, gdy rakieta wpadła z boku do środka kabiny. Płomień z jej dyszy spalił wnętrze, po czym wystrzeliła z drugiej strony kabiny i wbiła się w sąsiednią windę.

Widok był niesamowity.

Rakieta przebijała kolejne windy, rozbijając szklane ściany, aby na koniec — wraz z gigantyczną chmurą odłamków szkła — wystrzelić w powietrze i wpaść do Tamizy, w której eksplodowała, wznosząc potężny gejzer wody.

Matka wylądowała na podłodze recepcji na trzydziestym siódmym piętrze.

Szybko rozejrzała się wokół.

Wokół recepcji stało czterech najemników IG-88 — tuż przed nią. Byli jej widokiem tak samo zaskoczeni jak ona ich obecnością.

— Z deszczu pod rynnę... — jęknęła Matka.

Najemnicy zaczęli odwracać ku niej broń.

Matka skoczyła na nogi i rzuciła się w jedynym możliwym kierunku — z powrotem ku windzie.

Ledwie zdążyła schować się za kolumienką, w której znajdował się panel sterowania, gdy przez otwarte drzwi runęła fala śmiercionośnych pocisków.

Z zewnątrz wpadał do windy wiatr i deszcz — kabina zamieniła się w pozbawioną ścian platformę z widokiem na Londyn.

Matka rozejrzała się w poszukiwaniu jakiegoś wyjścia z sytuacji.

Obok stały trzy pozostałe windy — też bez ścian, porozbijanych przez rakietę TOW.

— Żyj lub umieraj, Matka! — powiedziała głośno. — Pieprzyć to! Umieraj!

Zaczęła biec.

Na wysokości trzydziestu siedmiu pięter nad ziemią zaczęła przeskakiwać między oddalonymi od siebie mniej więcej o trzy stopy windami.

Kiedy wylądowała w drugiej windzie, wrócił helikopter — natychmiast zajął pozycję do ataku i zaczął strzelać z działka pokładowego, zamieniając fasadę budynku w burzę odłamków szkła.

Matka ruszyła dalej, wyprzedzając o cale ogień z helikoptera, i po chwili znalazła się na trzeciej platformie.

Otwarła się przed nią dziura, w miejscu gdzie powinna znajdować się winda numer cztery.

Matka nawet na ułamek sekundy nie zwolniła.

Wyrwa była szeroka — miała mniej więcej dwanaście stóp — ale Matka skoczyła, wyrzucając ręce do przodu w nadziei, że uda jej się uchwycić jakiegoś występu na piątej kabinie.

Niestety.

Już gdy się odbijała, wiedziała, że jej się nie uda.

Końce palców o cale minęły piątą kabinę i Matka zaczęła spadać.

Hak maghooka, który trzymała w ręku, zdążył się jednak zahaczyć.

Strzelba mogła nie działać, ale trzymany w dłoni hak przedłużył zasięg ręki Matki o jakieś dwanaście cali.

To wystarczyło.

Stalowe pazury zaczepiły o podłogę windy i Matka zawisła pod kabiną. Zaczęła wspinać się na górę, gdy...

Helikopter!

Lynx wrócił i zawisł groźnie przed budynkiem. Po chwili za nim pojawił się drugi helikopter.

Pierwsza maszyna była tak blisko, że Matka dokładnie widziała uśmiechniętą gębę pilota.

Pomachał jej, po czym sięgnął do przycisku uruchamiającego karabin maszynowy.

Matka mogła jedynie pokręcić głową.

— O nie...

Kiedy lufy działka pokładowego helikoptera zaczęły się obracać, uwagę Matki zwrócił jakiś ruch — za unoszącą się w powietrzu maszyną pojawił się palec dymu z dysz rakiety, którą chyba wystrzelił...

...drugi helikopter!

Rakieta uderzyła w szykującego się do zastrzelenia Matki lynksa.

Powietrzem wstrząsnęła potężna eksplozja i lynx się rozpadł. Matka mogła się jedynie mocno trzymać i mieć nadzieję, że fala uderzeniowa wybuchu nie oderwie jej od windy.

Płonący i dymiący wrak zaczął spadać w dół.

Po chwili z potężnym tąpnięciem wylądował na wypielęgnowanym trawniku u podstawy budynku.

Matka popatrzyła na drugi helikopter, który pomógł jej w ostatniej chwili. Przyjrzała się pilotowi.

Był nim Book II.

Zaraz potem w jej słuchawce odezwał się jego głos:

— *Cześć, wziąłem go sobie z dachu. Zastanawiałem się, gdzie się podziałaś.*

— Haj-di-kurwa-hooo, Book! — wrzasnęła Matka i wspięła się do kabiny windy. — Co powiesz na zabranie mnie stąd?!

— *Z przyjemnością, ale czy mogłabyś najpierw coś dla mnie zrobić?*

Matka szła przez korytarz na trzydziestym ósmym piętrze, trzymając przed sobą colta.

Całe piętro wyglądało jak pobojowisko. Ściany były podziobane pociskami, każdy szklany element został rozbity.

Jeżeli ludzie z IG-88 jeszcze tu byli, nie pokazywali się.

— *Powinien być bliżej wewnętrznych schodów* — powiedział głos Booka w jej uchu. — *Gabinet, w którym znaleźliśmy Rosenthala. To musi być pomieszczenie do przesłuchań.*

— Rozumiem — odparła Matka.

Po chwili ujrzała drzwi, których szukała, i weszła do środka.

Stanęła przed lustrem weneckim, przez które można było obserwować sąsiednie pomieszczenie. Skierowane były na nie dwie kamery wideo. Na stoliku leżały grube teczki na akta i dwie kasety wideo.

— Zgadza się, to centrum przesłuchań — oświadczyła. — Są teczki i kasety. Co chcesz?

— *Wszystko. Co uniesiesz. Wszystko, co ma napis M-dwanaście albo CincLock-siedem. Weź taśmy — także te, które są w kamerach.*

Matka wzięła leżącą na podłodze srebrną aluminiową walizkę i zaczęła do niej ładować materiały. Wyjęła kasety z obu kamer i również je zabrała, po czym wybiegła pędem.

Na korytarz i w kierunku schodów przeciwpożarowych prowadzących na dach.

Błyskawicznie znalazła się na dachu — w tej samej chwili wylądował na nim Book. Matka wskoczyła do kabiny i helikopter wystartował, pozostawiając za sobą dymiące ruiny King's Tower.

Biura Defense Intelligence Agency
Poziom minus trzy, Pentagon
26 października, godzina 07.00 czasu lokalnego
(12.00 czasu londyńskiego)

Szef złapał Dave'a Fairfaksa, gdy komputerowiec zamierzał wyjść ze swego gabinetu, by udać się do szpitala Świętego Johna w poszukiwaniu doktora Thompsona Oliphanta.

— A dokąd to się wybieramy, Fairfax? — Nazywał się Wendel Hogg i był paskudnym dupkiem. Kiedyś służył w wojsku i był weteranem Pustynnej Burzy, o czym nie zapominał informować wszystkich swoich rozmówców.

Problem polegał na tym, że był głupi i podobnie jak wszyscy głupi szefowie tego świata a) trzymał się sztywno zasad oraz b) pogardzał utalentowanymi ludźmi, takimi jak David Fairfax.

— Idę na kawę — odparł Fairfax.

— A co złego jest w naszej?

— Pijałem lepszy od naszej kawy kwas wodorofluorowy.

W tym momencie do gabinetu weszła młoda kobieta o wyglądzie porzuconego kundelka. Była to urzędniczka zajmująca się pocztą, cicha myszka o imieniu Audrey. Na jej widok oczy Fairfaksa błysnęły. Niestety błysnęły także oczy Hogga.

— Cześć, Audrey! — powitał ją Fairfax.

— Cześć, Dave — odparła skromnie Audrey.

Ludzie uważali ją za pospolitą, ale dla Fairfaksa była piękna.

— Zdawało mi się, że zamierzał pan wychodzić, Fairfax —

187

powiedział głośno Hogg. — A jak pan już będzie w Starbucks, przy okazji niech nam pan przyniesie dwa frappacino, dobrze?

Przez głowę Fairfaksa przemknęło tysiąc zjadliwych odpowiedzi, westchnął jednak tylko.

— Jak pan sobie życzy, Wendel.

— Hola, młody człowieku — masz się do mnie zwracać „sierżancie Hogg" albo „sierżancie". Nie po to zostałem postrzelony w Irr-ra-ku, żeby jakiś wklepywacz danych odzywał się do mnie po imieniu. Kiedy przyjdzie co do czego, chłopcze, i trzeba będzie spojrzeć wrogowi prosto w oczy — Wendel uśmiechnął się do Audrey — chciałbyś, żeby który z nas trzymał broń: ja czy ty?

David Fairfax poczerwieniał.

— Powiedziałbym, że pan, Wendel.

— Racja jak cholera.

Fairfax z zażenowaniem kiwnął Audrey głową i wyszedł.

Izba przyjęć, szpital Świętego Johna
Arlington, USA
26 października, godzina 07.15

Fairfax wszedł na izbę przyjęć i od razu skierował się do recepcji.

O tej porze dnia było tu cicho i spokojnie. W poczekalni siedziało pod ścianami pięcioro ludzi o wyglądzie zombie.

— Dzień dobry, nazywam się David Fairfax. Chciałbym rozmawiać z doktorem Thompsonem Oliphantem.

Pielęgniarka za kontuarem leniwie żuła gumę.

— Sekundę... doktorze Oliphant! Ktoś chce z panem rozmawiać!

Zza parawanu wychyliła głowę druga pielęgniarka.

— Glendo... ciii. Poszedł się trochę zdrzemnąć. Zaraz po niego pójdę.

Powiedziawszy to, poszła w głąb korytarza.

Ledwie zdążyła odejść kilka metrów, gdy przy ladzie recepcji stanął — tuż obok Fairfaksa — ogromny Murzyn.

Miał bardzo ciemną skórę i wysokie, spadziste czoło, typowe dla pierwotnych mieszkańców południowej Afryki. Na nosie grube okulary słoneczne w stylu Elvisa i jasnobrązowy prochowiec.

Zulus.

— Dzień dobry — powiedział sztywno. — Chciałbym rozmawiać z doktorem Thompsonem Jeffreyem Oliphantem.

Fairfax próbował mu się nie przyglądać i nie zdradzić się z tym, że serce wali mu jak szalone.

Wysoki Zulus był prawdziwym gigantem — dorównywał wzrostem zawodowym koszykarzom. Czubek głowy Fairfaksa znajdował się na wysokości jego piersi.

Pielęgniarka za ladą recepcji zrobiła bąbel z gumy do żucia.

— Jezu, stary Tommy strasznie dziś jest popularny... Ktoś już po niego poszedł.

W tym momencie na końcu korytarza, z napisem na ścianie TYLKO DLA PERSONELU, pojawił się lekarz o zaczerwienionych oczach.

Był to starszy mężczyzna, siwy i pomarszczony. Zanim włożył na nos okulary, które wyjął z kieszeni białego kitla, potarł dłonią oczy.

— Doktor Oliphant? — zapytał Zulus.

— Tak.

Fairfax pierwszy ujrzał broń, którą Zulus zaczął wyjmować spod płaszcza.

Był to Cz-25, jeden z najprymitywniejszych pistoletów maszynowych świata. Wyglądał jak uzi, tyle że groźniej. Z jego brzydkiej kolby wystawał długi, czterdziestostrzałowy magazynek.

Zulus podniósł broń, wycelował w Oliphanta i nie zwracając uwagi na obecność co najmniej siedmiu świadków, pociągnął za spust.

Fairfax mógł zrobić tylko jedno.

Wyrzucił rękę w prawo, odpychając pistolet w bok, i salwa zorała ścianę nad głową doktora.

Pielęgniarki zaczęły krzyczeć.

Oliphant padł na podłogę.

Zulus grzbietem dłoni zdzielił Fairfaksa w twarz, posyłając go na przejeżdżający obok wózek sprzątaczki.

Potem — spokojnym, powolnym krokiem — okrążył ladę recepcji i wszedł do zastrzeżonego dla personelu korytarza, wyciągając przed siebie broń, z lufą skierowaną prosto na Oliphanta.

Otworzył ogień.

Pielęgniarki rozprysnęły się na boki.

Oliphant zaczął pełznąć przed siebie i uciekł do znajdującego się w korytarzu magazynku, ledwie umykając przed uderzającymi tuż za jego piętami pociskami.

Fairfax leżał wśród proszków i szmat. Jego spojrzenie padło na pudełko z napisem: CHLOREK ZEOLITU — PRZEMYSŁOWY ŚRODEK CZYSZCZĄCY — UNIKAĆ KONTAKTU ZE SKÓRĄ. Złapał pudełko, wstał i natychmiast ruszył biegiem za Zulusem. Kiedy stanął w drzwiach magazynku, tamten właśnie unosił pistolet maszynowy do strzału.

Fairfax rzucił przyniesione pudełko chlorku w powietrze. Trafiło Zulusa prosto w głowę i buchnął z niego biały proszek.

Zulus zawył, zatoczył się i zaczął oklepywać twarz, próbując strzepnąć z niej parzący zeolit. Na okularach miał grubą warstwę proszku. Na jego skórze zaczęły się tworzyć pęcherze.

Fairfax skoczył naprzód, opadł na podłogę tuż obok Zulusa i zajrzał do środka pomieszczenia. Doktor Thompson Oliphant próbował ukryć się pod półkami, zasłaniając dłońmi twarz.

— Doktorze! Niech pan posłucha! Nazywam się David Fairfax i pracuję w Defense Intelligence Agency. Nie jestem bohaterem, ale ma pan tylko mnie! Jeśli chce pan ujść z życiem, niech pan idzie ze mną!

Oliphant wyciągnął rękę. Fairfax ujął ją mocno i podniósł lekarza. Pochylili się, by przebiec pod schylonym, walczącym z chlorkiem Zulusem, i wybiegli z izby przyjęć na otwartą przestrzeń.

Jeszcze drzwi nie zdążyły się za nimi zamknąć, gdy z łoskotem zostały roztrzaskane przez salwę z Cz-25.

Zulus znów działał i gonił ich.

Tuż przed wejściem stała zaparkowana biała karetka.

— Do środka! — krzyknął Fairfax i szarpnął drzwi kierowcy. Oliphant okrążył samochód i wsiadł z drugiej strony.

Fairfax uruchomił silnik i wcisnął pedał gazu. Karetka ruszyła, nagle jednak coś z tyłu głośno załomotało.

— Oho... — jęknął Fairfax.

W lusterku bocznym zobaczył potężną postać Zulusa, stojącego na tylnym zderzaku i trzymającego się dachowego relingu.

Kiedy wyjeżdżali z zadaszonego miejsca załadunkowego przed szpitalem na główny parking, zapiszczały opony.

W nadziei, że uda mu się zrzucić wielkiego komandosa, Fairfax przejechał karetką najpierw po krawężniku, a potem po obramowanym niskimi betonowymi murkami pasie zieleni. Gdy podskoczyli na kolejnym krawężniku, Fairfax byłby gotów się założyć, że nikt tego nie wytrzyma.

Po chwili jednak tylne drzwi karetki otworzyły się nagle i do jej wnętrza wgramolił się Zulus.

— Jasna cholera! — wrzasnął Fairfax.

Zulus nie miał pistoletu maszynowego — odrzucił go, aby móc używać obu rąk.

W przedziale do transportu chorych, gdzie podskoki samochodu już mu nie zagrażały, wyciągnął z płaszcza długą maczetę i wbił wściekłe, nabiegłe krwią oczy w Fairfaksa i Oliphanta.

Komputerowiec popatrzył na maczetę.

— Ożeż ty...

Zulus ruszył w kierunku kabiny kierowcy, przełażąc po drodze przez łóżko na kółkach.

Fairfax szybko musiał coś wymyślić.

Droga przed nimi rozdzielała się — jeden pas kierował się ku wyjazdowi z terenu szpitala, drugi skręcał w prawo, do piętrowego szpitalnego garażu.

Fairfax zdecydował się jechać w prawo. Kiedy przekręcił ostro kierownicę i dodał gazu, aby wjechać spiralnym podjazdem, Zulus stracił równowagę i załomotał plecami o ścianę. Na chwilę został zneutralizowany.

Na pewno nie będą mieli zbyt wiele czasu. Parking miał tylko sześć kondygnacji.

Fairfaksowi pozostawało na wymyślenie czegoś jedynie pięć pięter.

Gwałtowny wjazd karetki do piętrowego garażu obserwował ktoś jeszcze.

Była to piękna długonoga kobieta o silnych ramionach i skośnych, japońskich oczach.

Jej prawdziwe nazwisko brzmiało Alyssa Idei, ale w środowisku łowców nagród znano ją jako Królową Lodu. Zdobyła już głowę Damiena Polanskiego i teraz ścigała Oliphanta.

Ubrana była w czarną skórę: obcisłe biodrówki, kurtkę motocyklową i wysokie sznurowane buty. Pod kurtką, w bliźniaczych kaburach, miała dwa supernowoczesne pistolety maszynowe Steyr SPP.

Zapaliła silnik swojej hondy NSX i ruszyła w kierunku garażu.

Kierowany przez Fairfaksa ambulans wspinał się z piskiem opon w górę spiralnego podjazdu, otwarte tylne drzwi wściekle łopotały.

Wjechali na poziom trzeci.

Jeszcze trzy do końca, zanim siedzący z tyłu Zulus znów zacznie strzelać.

Teraz jednak Fairfax miał plan.

Zamierzał wjechać karetką na najwyższy poziom i zrzucić ją stamtąd w przestrzeń, tak, aby obaj z Oliphantem zdążyli w ostatniej chwili wyskoczyć, a Zulus pozostał w środku.

— Doktorze! Niech pan słucha, i to szybko, bo nie wiem, czy będziemy jeszcze mieli okazję o tym rozmawiać! Jest pan celem międzynarodowych łowców głów!

— Co?!

— Za pańską głowę wyznaczono nagrodę: prawie dwadzieścia milionów dolarów. Ma to chyba coś wspólnego z badaniem NATO, które robił pan w dziewięćdziesiątym szóstym roku razem z niejakim Nicholsonem z USAMRMC! Badaniem PRNR Czego ono dotyczyło?!

Oliphant zmarszczył czoło. Nadal jeszcze był w szoku i nie bardzo kojarzył zadawane mu pytania z atakiem na jego życie.

— PRNR? Chodziło o...

Ambulans wciąż jechał w górę.

Minęli poziom czwarty.

— To było coś w rodzaju sowieckich testów Kobra, testów...

Komputerowiec rzucił okiem do tyłu, na Zulusa — wielki komandos jakimś sposobem znalazł się znacznie bliżej i właśnie brał zamach maczetą.

Fairfax nie miał gdzie uciec.

Maczeta świsnęła.

Ostrze wbiło się w oparcie fotela kierowcy i znieruchomiało przy samym uchu Fairfaksa.

Jezu!

Zulusowi udało się jakoś przejść do przodu — mimo siły odśrodkowej w karetce.

Poziom piąty...

Fairfax zmrużył oczy i skoncentrował się.

Wbił pedał gazu w podłogę.

Karetka skoczyła do przodu.

Wjechali na krawędź podjazdu czterdziestką — na dwóch kołach, na granicy wywrotki.

O tej porze najwyższy poziom był pusty. Fairfax wyprostował kierownicę i samochód opadł na cztery koła, a gwałtowne szarpnięcie przy zmianie kierunku sprawiło, że Zulus pofrunął w drugi koniec przedziału dla chorych i załomotał plecami o bok samochodu, zostawiając maczetę w fotelu kierowcy.

Fairfax znów wcisnął gaz do dechy i ruszył prosto na skraj budynku.

— Doktorze! Skaczemy!

Mknęli w kierunku mizernego murku, ograniczającego dach.

Komputerowiec przesunął się na fotelu.

— Uwaga... na trzy. Raz... dwa... t...

W tym momencie Zulus doskoczył do nich.

Skraj dachu pędził w ich kierunku z niesamowitą prędkością. Fairfax gwałtownie skręcił kierownicą i wcisnął hamulec.

Karetką wściekle zarzuciło.

Nie uderzyli jednak w murek przodem, jak zamierzał Fairfax, bo samochód obrócił się o sto osiemdziesiąt stopni, ale tyłem.

Karetka przeleciała przez barierkę i wyprysnęła za krawędź budynku, po czym zaczęła spadać w pięciopiętrową przepaść...

Przelecieli jakieś dziesięć stóp.

Gdy karetka wypadała za krawędź dachu, przedni zderzak zahaczył o słupek, który jakimś cudem przetrwał.

Lot samochodu został gwałtownie przerwany. Wielka blaszana puszka, wysunięta poza obrys dachu, zatrzymała się z potężnym szarpnięciem.

Samochód wisiał pionowo, zahaczony przednim zderzakiem o słupek, z otwartymi tylnymi drzwiami.

W środku wszystko, co jeszcze przed chwilą było poziome, zrobiło się pionowe.

Oliphant siedział w fotelu pasażera, wgnieciony w oparcie.

Fairfax nie miał tyle szczęścia.

Kiedy uderzyli w barierkę, Zulus wyciągnął go właśnie z fotela i rzucił nim do tyłu.

Ponieważ tylne drzwi były otwarte, aby nie wypaść, obaj zaczęli się rozpaczliwie chwytać wszystkich dających oparcie elementów.

Ogromny Zulus złapał za zablokowane łóżko na kółkach. Fairfax przytrzymał się półki.

Gdyby któryś z nich się puścił, wyleciałby przez otwarte drzwi i spadł pięć pięter w dół.

Ale Zulus jeszcze nie skończył.

Wciąż zamierzał zabić Oliphanta.

Sięgnął ręką po wbitą w oparcie fotela maczetę.

— Nie! — zawył Fairfax i podciągnął się do góry.

Zareagował jednak zbyt późno.

Zulus złapał rękojeść maczety i uwolnił ją jednym potężnym szarpnięciem.

Popatrzył nabiegłymi krwią oczami na Fairfaksa i wyszczerzył się w paskudnym uśmiechu, ukazując popsute, żółte zęby.

— Do widzenia... — warknął i zamachnął się do ostatecznego ciosu.

— Jak sobie życzysz, frajerze... — odparł Fairfax.

Kiedy ostrze mknęło w kierunku jego głowy...

...kopnął w zabezpieczenia łóżka.

Łóżko na kółkach natychmiast wyprysnęło przez otwarte tylne drzwi ambulansu...

...razem z trzymającym się go Zulusem.

Fairfax patrzył, jak·olbrzym mknie w dół. Z każdym ułamkiem sekundy jego twarz i oczy malały i malały...

Łóżko obróciło się w powietrzu i Zulus pierwszy uderzył w ziemię. Kiedy huknął o beton, popękały mu narządy wewnętrzne, ale nie zginął na miejscu.

Nie żył jednak długo. Sekundę później został trafiony w głowę krawędzią metalowej ramy łóżka i jego głowa pękła jak orzech.

Fairfax i Oliphant potrzebowali kilku minut na wydostanie się z karetki — wyszli przez wybitą przednią szybę, po czym wspięli się na maskę i padli bez tchu na najwyższym poziomie parkingowym.

Fairfax popatrzył na zwisającą z dachu karetkę.

Oliphant bełkotał:

— Chodziło o... reakcję neuronów... prędkość reakcji neuronów ruchowych... badaliśmy szybkość reakcji amerykańskich i angielskich żołnierzy na określone bodźce... różne bodźce: wzrokowe, słuchowe, dotykowe... odruchy... chodziło o odruchy... Przetestowaliśmy trzystu żołnierzy i każdy miał inny czas reakcji... niektórzy byli bardzo szybcy, inni ociężali i powolni... Szefowie nie powiedzieli nam, po co jest to badanie, choć mieliśmy pewne podejrzenia. Większość z nas uważała, że to próba stworzenia metody doboru kadr do oddziałów komandoskich, niektórzy technicy twierdzili jednak, że chodzi o jakiś nowy system zabezpieczający do rakiet balistycznych, zwany CincLock... nagle badanie przerwano, podając oficjalnie, że Ministerstwo Obrony zawiesiło pierwotny projekt, ale naszym zdaniem po prostu zebrano już potrzebne informacje...

Ponieważ Fairfax patrzył w tym momencie na karetkę, dotarł do niego jedynie dźwięk.

Odwrócił się gwałtownie.

Klęczący obok niego doktor Oliphant został pozbawiony głowy. Ciało przez chwilę kiwało się na boki, po czym przewróciło się bezwładnie na bok.

Nad trupem — z błyszczącym samurajskim mieczem w dłoni — stała ubrana w skórzany strój młoda Japonka.

Alyssa Idei.

Łowczyni nagród.

Złapała głowę Oliphanta za włosy i jednym płynnym ruchem schowała miecz, wyciągnęła pistolet maszynowy i wycelowała go w Fairfaksa.

Przez chwilę patrzyła na niego znad lufy. Ani razu nie mrugnęła. Jej oczy były jak z lodu.

Nagle jej piękną twarz przecięła zmarszczka.

— Nie jesteś łowcą nagród, prawda? — spytała głosem gładkim jak miód.

— Nie... nie jestem.

— Ale walczyłeś z Zulusem. Dlaczego?

— Mój... przyjaciel jest na waszej liście. Chcę mu pomóc.

Alyssa Idei nie bardzo mogła to zrozumieć.

— To był ten człowiek?

— Nie. Ktoś inny z listy.

— I walczyłeś z Zulusem, aby pomóc swojemu przyjacielowi?

— Tak.

Zdziwienie Alyssy zamieniło się w zaciekawienie.

— Jak się nazywasz?

— David Fairfax.

— Fair Fax? David Fair Fax... — powtórzyła powoli. — Nie spotykam często takich objawów lojalności, panie Fair Fax.

— Nie?

Przez chwilę przyglądała mu się uważnie.

— Nie. Twój przyjaciel musi być nie byle kim, jeżeli skłania cię do takiego bohaterstwa. Taka odwaga jest rzadkością, panie Fair Fax. Jest też bardzo podniecająca...

Fairfax przełknął ślinę.

— Naprawdę?

— Pozwolę ci żyć — oświadczyła Alyssa — żebyś mógł dalej pomagać przyjacielowi i żebyśmy mogli znów się spotkać... w milszych okolicznościach. Pamiętaj jednak, że jeżeli znów się spotkamy i będziesz mi przeszkadzać, nie daruję ci ponownie życia.

Wsunęła pistolet do kabury i obróciła się na pięcie. Po chwili wsiadła do swojego sportowego samochodu i odjechała.

Fairfax patrzył, jak honda znika, po czym spojrzał na leżące obok na betonie bezgłowe ciało Thompsona Oliphanta. W oddali wschodziło słońce, a powietrze przecinały zbliżające się policyjne syreny.

CZWARTY ATAK

FRANCJA—ANGLIA
26 PAŹDZIERNIKA, GODZINA 14.00 (FRANCJA)
EST (NOWY JORK) GODZINA 08.00

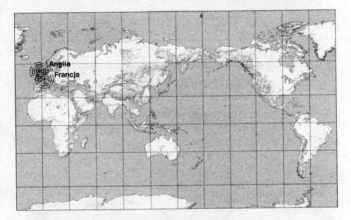

Żyjemy w dwuwarstwowym świecie: na powierzchni trwa karnawał, a pod spodem — tam, gdzie dzieje się to, co najbardziej istotne — odbywa się komasacja władzy.

Cytat z: *No Logo*, Naomi Klein (Harper Collins, Londyn 2000).

Chleb i igrzyska. To wszystko, czego pożądają ludzie.

Juwenalis, rzymski satyryk

CZWARTY ATAK

FRANCJA ... ALBANIA

LA GRANDE RUE DE LA MER
ATLANTYCKIE WYBRZEŻE BRETANII, FRANCJA

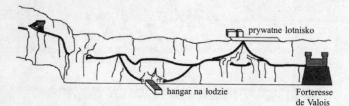

prywatne lotnisko

hangar na łodzie

Forteresse
de Valois

Forteresse de Valois, Bretania
26 października, godzina 14.00 czasu lokalnego
(08.00 EST USA)

Troje ludzi przeszło przez most, łączący Forteresse de Valois z lądem.

Shane Schofield.

Libby Gant.

Aloysius Knight.

Każde z nich miało w ręku pojemnik do transportu materiałów medycznych.

Trzy pojemniki. Trzy głowy.

Ponieważ Schofield był jednym z najbardziej poszukiwanych ludzi na kuli ziemskiej, a zamierzali wejść do kwatery głównej organizatorów polowania, którego miał być ofiarą, Schofield i Gant musieli nieco zmienić swój wygląd.

Byli ubrani w kruczoczarne kombinezony bojowe i hełmy, odebrane najemnikom IG-88 w herculesie. Poza własną bronią mieli karabiny MetalStorm. Dolna część twarzy Schofielda była owinięta zakrwawionymi bandażami, a na jego nosie tkwiły zwykłe okulary przeciwsłoneczne, co wystarczyło, aby ukryć blizny na oczach.

W kieszeni miał jeden ze zmodyfikowanych palmpilotów Aloysiusa Knighta.

Knight nacisnął dzwonek.

— Ponieważ jestem jedyną osobą, która już to robiła, to ja zaniosę głowy weryfikatorowi. Was poprosi się o zaczekanie... w bezpiecznym miejscu.

201

— W bezpiecznym miejscu?

— Weryfikatorzy zawsze podejrzewają łowców nagród, że będą próbowali dostać się do ich gabinetów i ukraść im pieniądze. Takie rzeczy już się zdarzały, stosują więc dość paskudne zabezpieczenia. Jeżeli ten weryfikator jest osobą, o której myślę, nie jest zbyt miły. W każdym razie przez cały czas obserwuj swojego palmpilota. Nie wiem, ile informacji uda mi się wyciągnąć z komputera tego człowieka, ale miejmy nadzieję, że dość, aby się dowiedzieć, kto za to płaci.

Knight miał w kieszeni takiego samego palmpilota. Jak większość komputerów ręcznych, był wyposażony w port podczerwieni, aby można było bezprzewodowo przesyłać do niego dane z innego komputera.

Knight dokonał w nim jednak modyfikacji — zainstalował program, pozwalający urządzeniu bezprzewodowo wniknąć do każdego komputera w promieniu dziesięciu stóp.

Była to bardzo użyteczna modyfikacja: po wystarczająco bliskim podejściu, Knight mógł się włamać do dowolnego nie podłączonego do sieci komputera.

Brama otworzyła się.

Pojawił się *monsieur* Delacroix, jak zawsze elegancki.

— Kapitanie Knight... — powiedział. — Byłem ciekaw, czy uda mi się pana ujrzeć.

— *Monsieur* Delacroix... przeczuwałem, że to pan będzie weryfikatorem. Właśnie mówiłem moim współpracownikom, jakim pan jest czarującym człowiekiem...

— Dziękuję — odparł Delacroix. Przyjrzał się Schofieldowi i Gant. — Nowi pomocnicy? Nie wiedziałem, że rekrutuje pan ich spośród ludzi Larkhama.

— Trudno dziś o dobrych pracowników.

— Złote słowa. Zapraszam do środka.

Przeszli przez przypominający samochodowe muzeum garaż, pełen błyszczących luksusowych aut — było wśród nich między innymi porsche GT-2, aston martin, lamborghini i rajdowe subaru WRX z turbodoładowaniem.

Delacroix prowadził, pchając przed sobą wózek z trzema białymi pudłami.

— Wspaniały zamek — powiedział Knight.

— Owszem...

— Do kogo należy?

— Do bardzo bogatego człowieka.

— Który nazywa się...

— Niestety nie wolno mi tego zdradzić. Moje instrukcje w tym zakresie są jednoznaczne.

— Jak zwykle — mruknął Knight. — Co z naszą bronią?

— Możecie ją zatrzymać. Tu i tak wam się do niczego nie przyda.

Zeszli schodami zaczynającymi się pod ścianą garażu i znaleźli się w okrągłym przedsionku, za którym zaczynał się długi wąski korytarz.

Delacroix zatrzymał się.

— Pańscy współpracownicy będą musieli tu zaczekać, kapitanie Knight.

— Nie ma sprawy — odparł Knight, po czym skinął głową swoim towarzyszom. — Nie przestraszcie się, kiedy zamkną się drzwi.

Schofield i Gant usiedli na kanapie pod ścianą.

Delacroix poprowadził Knighta wąskim, oświetlonym pochodniami tunelem.

Po chwili weszli do wspaniale wyposażonego gabinetu. Delacroix wszedł pierwszy, po czym odwrócił się — z pilotem w dłoni.

Troje stalowych drzwi opadło, zamykając Schofielda i Gant w przedsionku, a Knighta w korytarzyku.

Knight nawet nie mrugnął.

Delacroix przystąpił do weryfikacji głów, zdobytych przez Damona Larkhama w jaskiniach Afganistanu: Zawahiriego, Khalifa i Kingsgate'a.

Zaczął je skanować, badać zęby, sprawdzać DNA...

Knight stał uwięziony w tunelu i czekał.

Zauważył znajdujące się w ścianach pojemniki z wrzącym olejem.

— Hm... — powiedział głośno. — Paskudne.

Przez plastikowe okienko w stalowych drzwiach widział, co Delacroix robi w gabinecie.

Obserwował go chwilę, a potem popatrzył przez panoramiczne okno za biurkiem bankiera na Atlantyk i zobaczył okręty.

Na dalekim horyzoncie stała grupa okrętów bojowych: niszczyciele i fregaty, zebrane wokół potężnego lotniskowca, w którym od razu rozpoznał nowiusieńki lotniskowiec klasy Charles de Gaulle o napędzie atomowym.

Była to lotniskowcowa grupa bojowa.

Francuska lotniskowcowa grupa bojowa.

Schofield i Gant czekali w przedsionku.

Nagle uwagę Schofielda zwrócił dolatujący spod sufitu cichy warkot.

Popatrzył w górę — wokół sufitu, w głębi ścian, rozmieszczono sześć dziwnych anten. Mimo ich osobliwego wyglądu, rozpoznał w nich emitery mikrofal.

Dostrzegł też źródło warkotu — była to pracująca kamera nadzorcza.

— Jesteśmy obserwowani — powiedział do Gant.

W jednym z pomieszczeń gdzieś w głębi zamku ktoś rzeczywiście obserwował kapitana i jego towarzyszkę.

Szczególnie uważnie przyglądał się Schofieldowi — jakby chciał zajrzeć za bandaże i okulary.

Monsieur Delacroix zakończył testy.

Odwrócił się do Knighta, przez cały czas uwięzionego w tunelu.

— Kapitanie... — powiedział przez interkom. — Gratulacje. Każda z pańskich głów osiągnęła maksymalną punktację. Jest pan bogatszy o pięćdziesiąt pięć koma osiem miliona dolarów.

Wcisnął guzik na pilocie i dzielące ich drzwi schowały się w suficie.

Kiedy Knight wszedł do gabinetu bankiera, Szwajcar usiadł za gigantycznym biurkiem i zaczął coś pisać na klawiaturze laptopa.

— A więc — powiedział po chwili, unosząc dłonie nad klawiaturą — na jakie konto mam przekazać nagrodę? Czy słusznie zakładam, że nadal współpracuje pan z Alanem Gemesem w Genewie?

Knight nie odwracał oczu od komputera Szwajcara.

— Tak, oczywiście — odparł i wcisnął na ukrytym w kieszeni palmpilocie klawisz przesyłania danych.

Palmpilot i komputer *monsieur* Delacroix natychmiast rozpoczęły komunikację.

Siedzący w kamiennym przedsionku Schofield spojrzał na swojego palmpilota i stwierdził, że minikomputer ożył.

Po ekranie zaczęły w ogromnym tempie przepływać dane. Były to dokumenty z nazwiskami, liczbami i wykresami.

Źródło	System transp.	Gł.boj.	Pochodzenie	Cel	Czas
Talbot	Shahab-5	TN76	35702.90	00001.65	11.45
			5001.00	5239.10	
	Shahab-5	TN76	35702.90	00420.02	11.45
			5001.00	4900.25	
	Shahab-5	TN76	35702.90	01312.15	11.45
			5001.00	5358.75	
Ambrose	Shahab-5	TN76	28743.05	28743.98	12.00
			4104.55	4104.64	

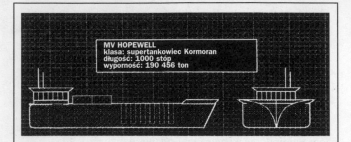

MV HOPEWELL
klasa: supertankowiec Kormoran
długość: 1000 stóp
wyporność: 190 456 ton

TEMAT: PŁATNOŚĆ PROWIZJI WERYFIKATORA

PŁATNOŚĆ ZOSTANIE DOKONANA ZA POMOCĄ
WEWNĘTRZNEGO ELEKTRONICZNEGO TRANSFERU W AGM-SUISSE
Z PRYWATNEGO KONTA ASTRAL-66 PTY LTD

Plan podróży zarządu

Proponowana trasa podróży: Asmara (01/08), Luanda (01/08),
Abuja (05/08), N'djamena (07/08) i Tobruk (09/08)

01/08 — Asmara (ambasada)
03/08 — Luanda (spotkanie z M. Lochem, bratankiem R.)

Nazwisko	Kraj	Org.
1. ASHCROFT, William H.	GB	SAS
2. CHRISTIE, Alec P.	GB	MI6
3. FARRELL, Gregory C.	USA	DELTA
4. KHALIF, Iman	AFG	AL KAIDA
5. KINGSGATE, Nigel E.	GB	SAS
6. McCABE, Dean P.	USA	DELTA

Schofield rozpoznał ten dokument.
Była to lista celów.
Podczas gdy palmpilot przechwytywał dane, kliknął na listę
i otworzył ją.

Nieco różniła się od tej, którą dostał od dowódcy Executive Solutions, Cedrica Wexleya. Niektóre nazwiska zacieniowano. Cała lista wyglądała następująco:

WZORCOWA LISTA WERYFIKACYJNA

SPRAWDZONE RAPORTY
INFORMACJE AKTUALNE NA
26 PAŹDZIERNIKA, GODZ. 13.30

	Nazwisko	Kraj	Org.
1.	ASHCROFT, William H.	GB	SAS
2.	CHRISTIE, Alec P.	GB	MI6
3.	FARRELL, Gregory C.	USA	DELTA
4.	KHALIF, Iman	AFG	AL KAIDA
5.	KINGSGATE, Nigel E.	GB	SAS
6.	McCABE, Dean P.	USA	DELTA
7.	NAZZAR, Yousef M.	LIB	HAMAS
8.	NICHOLSON, Francis X.	USA	USAMRMC
9.	OLIPHANT, Thompson J.	USA	USAMRMC
10.	POLANSKI, Damien G.	USA	ISS
11.	ROSENTHAL, Benjamin Y.	IZR	MOSAD
12.	SCHOFIELD, Shane M.	USA	KPMUSA
13.	WEITZMAN, Ronson H.	USA	KPMUSA
14.	ZAWAHIRI, Hassan M.	AR-SAU	AL KAIDA
15.	ZEMIR, Simon B.	IZR	IAF

To lista celów, które już zostały wyeliminowane i których śmierć potwierdzono, pomyślał Schofield i wzdrygnął się.

Mógłby dodać do tej listy Ashcrofta i Weitzmana — pierwszego zabili komandosi specnazu w Afganistanie, drugiego zlikwidowano w samolocie transportowym.

Oznaczało to, że w najlepszym wypadku żyje już tylko pięć osób z listy: Christie, Oliphant, Rosenthal, Zemir i on.

Zmarszczył czoło.

Coś w tej liście mu się nie podobało, ale nie bardzo wiedział, co to takiego.

Potem na jednym z dokumentów dostrzegł słowo WERYFI-KATOR.

Otworzył cały dokument.

Był to e-mail:

TEMAT: PŁATNOŚĆ PROWIZJI WERYFIKATORA

PŁATNOŚĆ ZOSTANIE DOKONANA ZA POMOCĄ WEWNĘTRZNEGO ELEKTRONICZNEGO TRANSFERU W AGM-SUISSE Z PRYWATNEGO KONTA ASTRAL-66 PTY LTD (NR 437-666-21) W WYSOKOŚCI 3,2 MLN $ (TRZY KOMA DWA MILIONA DOLARÓW USA) ZA WERYFIKACJĘ.

WERYFIKATOREM MA BYĆ **M. JEAN-PIERRE DELACROIX** Z AGM-SUISSE.

Schofield wpatrywał się w tekst.

ASTRAL-66 PTY LTD.

To stamtąd pochodziły pieniądze. Niezależnie od tego, co to było lub kto to był, właśnie Astral-66 opłacał to polowanie.

— Dobry wieczór — powiedział nagle czyjś głos.

Schofield i Gant podnieśli głowy.

U podstawy kamiennych schodów prowadzących do garażu stał przystojny młodzieniec. Wyglądał na trzydzieści parę lat i był ubrany w dżinsy jakiegoś dobrego projektanta mody oraz koszulę od Ralpha Laurena na bawełnianym podkoszulku. Schofield natychmiast zwrócił uwagę na jego oczy — jedno było błękitne, a drugie brązowe.

— Witam w moim zamku — powiedział młodzieniec z uśmiechem. Nie był to miły uśmiech. — Kim państwo jesteście?

— Colton. Tom Colton — przedstawił się Schofield. — A to Jane Watson. Przyszliśmy tu z Aloysiusem Knightem, by zobaczyć się z panem Delacroix.

— Rozumiem — odparł przystojny młodzieniec i wyciągnął rękę. — Jestem Jonathan Killian. Wyglądacie, jakbyście sporo dziś przeszli. Mogę zaoferować wam coś do picia, może do zjedzenia? Może mój lekarz mógłby panu zmienić opatrunek?

Schofield spojrzał w głąb tunelu, szukając Knighta.

— Bardzo proszę... — Killian zaprowadził ich do schodów. Nie chcąc wywoływać zamieszania, podążyli za nim.

— Widziałem pana kiedyś — powiedział Schofield, kiedy wchodzili po schodach. — W telewizji.

— Od czasu do czasu się tam pojawiam.

— Afryka — dodał Schofield. — Był pan w Afryce. W zeszłym roku, otwierał pan tam fabryki. Fabryki żywności. W Nigerii...

Była to prawda. Schofield rzeczywiście pamiętał Killiana z wiadomości, z krótkich filmików pokazujących, jak ściska dłonie afrykańskim przywódcom i wita się z tłumami wiwatujących robotników.

Znaleźli się w garażu.

— Ma pan dobrą pamięć — stwierdził Killian. — Byłem też w Erytrei, Czadzie, Angoli i Libii, gdzie również otwierałem fabryki żywności. Choć niewiele osób zdaje sobie z tego sprawę, przyszłość świata to Afryka.

— Podoba mi się pańska kolekcja samochodów — powiedziała Gant.

— To zabawki — odparł Killian. — Zwykłe zabawki.

Wprowadził ich do odchodzącego od garażu korytarzyka, który miał podłogę z ciemnego polerowanego drewna i nieskazitelnie białe ściany.

— Ale ja lubię bawić się zabawkami — dodał Killian. — Tak samo jak ludźmi. Uwielbiam obserwować ich reakcje w sytuacjach stresowych.

Zatrzymał się przed masywnymi drzwiami. Dolatywał zza nich śmiech. Hałaśliwy, męski śmiech. Jakby za drzwiami odbywało się przyjęcie.

— W sytuacjach stresowych? — powtórzył Schofield. — Co pan ma na myśli?

— No cóż... weźmy na przykład niezdolność zrozumienia przez przeciętnego mieszkańca Zachodu islamskiego samobójcy, wysadzającego się bombą. Ludzie Zachodu znają tylko walkę fair: francuski pojedynek na dziesięć kroków, angielski turniej rycerski, amerykańską walkę rewolwerowców stających naprzeciwko siebie na głównej ulicy miasteczka na Dzikim Zachodzie. W świecie zachodnim zakłada się, że obie strony chcą wygrać daną bitwę...

— A samobójca z bombą myśli inaczej — dokończył Schofield.

— Właśnie. On nie chce wygrać bitwy, ponieważ bitwa jest dla niego niczym. On chce wygrać całą wojnę — wojnę psychologiczną, w której ten, kto ginie wbrew swej woli, w rozpaczy, przerażeniu i strachu — przegrywa, a ten, kto umiera, gdy jest do tego gotów emocjonalnie i duchowo — wygrywa. Ludzie Zachodu w konfrontacji z wyposażonym w bombę samobójcą rozpadają się. Niech mi pan wierzy... widywałem to nieraz — powiedział Killian. — Tak jak widywałem reakcje ludzi na inne stresowe sytuacje: przestępców na krześle elektrycznym, ludzi atakowanych w wodzie przez rekiny. Muszę przyznać, że uwielbiam widok przerażenia, pojawiający się na twarzy człowieka, który uświadamia sobie, że za chwilę zginie.

Pchnął drzwi...

...i w tym momencie Schofield zrozumiał, co go dręczyło w związku z listą.

Zacieniono na niej nazwiska McCabe'a i Farrella.

McCabe i Farrell, którzy zginęli dziś rano na Syberii, zostali już oficjalnie uznani za martwych.

I zapłacono za nich.

Co oznaczało, że...

Wielkie drzwi otworzyły się...

...i Schofield wraz z Gant znaleźli się w pomieszczeniu pełnym najemników Executive Solutions — dwudziestu jedzących, pijących i palących mężczyzn. U szczytu stołu — ze świeżym opatrunkiem na złamanym nosie — siedział Cedric Wexley.

Twarz Schofielda stężała.

— Właśnie o takiej reakcji mówiłem — powiedział Killian i uśmiechnął się pozbawionym wesołości uśmiechem. — Witam w moim zamku, kapitanie Schofield...

Schofield i Gant rzucili się do ucieczki.

Biegli ile sił w nogach.

Kiedy wyprysnęli z otwartych drzwi jadalni jak wystrzeleni z procy i pomknęli wspaniałym korytarzem, ścigał ich śmiech Jonathana Killiana.

Najemnicy ExSol natychmiast powstawali z miejsc i pozbierali swoją broń — perspektywa zdobycia kolejnych osiemnastu koma sześć miliona dolarów była zbyt nęcąca, aby mogli się jej oprzeć.

Killian pozwolił Schofieldowi i Gant przebiec do wyjścia, zadowolony z szykującego się przedstawienia.

Kapitan i Gant wpadli do garażu.

— Cholera... co teraz? Tyle możliwości... — wysapał Schofield, ściągając bandaże i patrząc na warte miliony dolarów samochody.

Gant spojrzała przez ramię — najemnicy Executive Solutions byli tuż za nimi.

— Masz dziesięć sekund na wybór najszybszego, staruszku.

Schofield popatrzył na porsche GT-2. Ten srebrny niski samochód z dachem targa był absolutną bestią.

— Nie chodzi tylko o mnie — mruknął i wskoczył do równie szybkiego samochodu obok: niebieskiego subaru WRX z turbodoładowaniem.

Dziewięć sekund później ludzie z ExSol wpadli do garażu i ujrzeli, jak WRX rusza do przodu, paląc tylne opony.

Zewnętrzne drzwi garażu zaczęły się otwierać, przy panelu sterującym stała Libby Gant.

Najemnicy otworzyli ogień.

Schofield zatrzymał się obok Gant.

— Wsiadaj!

— A co z Knightem?

— Poradzi sobie!

Gant wskoczyła do środka przez otwarte okno pasażera w chwili, gdy drzwi garażu otworzyły się całkowicie i ukazały zalany słońcem wewnętrzny podwórzec zamku...

...na którym stał kompletnie zaskoczony major Dmitrij Zamanow.

Był z sześcioma Skorpionami, niosącymi dwa białe pojemniki. Za komandosami specnazu stały dwa helikoptery Mi-34, łopaty wirników powoli się zatrzymywały.

— O rany... — jęknął Schofield. — Nie mogło być gorzej.

Stojący w gabinecie *monsieur* Delacroix Aloysius Knight zawirował na pięcie, kiedy usłyszał strzelaninę w garażu.

Zajrzał do przedsionka, w którym powinien znajdować się Schofield.

Nie było go tam.

— Cholera... — syknął — czy ten facet nie może choć na pięć minut przestać rozrabiać?

Wybiegł z gabinetu.

Monsieur Delacroix nawet nie podniósł głowy.

WRX Schofielda stał przed Zamanowem w drzwiach garażu.

Obaj mężczyźni wpatrywali się w siebie.

Wyraz zaskoczenia na twarzy Zamanowa szybko zamienił się w straszliwą nienawiść.

— Gaz! — wrzasnęła Gant.

Schofield wdepnął pedał.

Samochód wystrzelił do przodu i wyprysnął przez drzwi garażu, zmuszając Skorpiony do rozbiegnięcia się na boki.

Pędził przez podwórze, wyrzucając w górę żwir, po czym przeleciał jak rakieta pod wielkim portalem i pomknął mostem w kierunku lądu.

Dmitrij Zamanow ledwie zdążył się odsunąć, gdy nagle minęło go pięć kolejnych samochodów i pognało za WRX Schofielda. Były to czerwone ferrari, srebrne porsche GT-2 i trzy żółte peugeoty z logo sponsora na bokach: AXON.

ExSol.

— Kurwa! — wrzasnął Zamanow. — To on! Schofield! Ruszajcie się! Złapać go i doprowadzić! Zanim Delacroix dostanie jego głowę, obedrę go ze skóry!

Czterech jego ludzi natychmiast pobiegło do helikopterów.

Rozpoczął się pościg.

Lotnisko Whitmore (zamknięte)
40 mil na zachód od Londynu
Godzina 12.30 czasu lokalnego
(13.30 we Francji)

Pół godziny wcześniej — zanim Schofield, Gant i Knight zjawili się w Forteresse de Valois — Book II i Matka wylądowali przejętym helikopterem Lynx na tym samym nieczynnym lotnisku, na którym niedawno wysadził ich Rufus.

Nie spodziewali się, że będzie tam na nich czekał — miał lecieć do Francji, by spotkać się z Knightem.

Kiedy jednak wylądowali, ujrzeli Czarnego Kruka w starym hangarze, otoczonego przez cywilne radiowozy z wirującymi na dachach lampami.

Rufus stał obok, trzymany w szachu przez przynajmniej sześciu policjantów w cywilu i pluton uzbrojonych po zęby Royal Marines.

Matkę i Booka przechwycono natychmiast po wylądowaniu.

Podszedł do nich jeden z ubranych po cywilnemu mężczyzn. Był młody, gładko ogolony i trzymał w dłoni telefon komórkowy, jakby właśnie z kimś rozmawiał.

Mówił z amerykańskim akcentem.

— Sierżanci Newman i Riley? Nazywam się Scott Moseley, Departament Stanu USA, biuro londyńskie. Z naszych informacji wynika, że pomagacie kapitanowi Shane'owi Schofieldowi z korpusu piechoty morskiej Stanów Zjednoczonych uniknąć likwidacji w prowadzonym na skalę międzynarodową polowaniu na ludzkie głowy. Zgadza się?

214

Book i Matka zbledli.

— Eee... nnno... tak — wydukał Book.

— Rząd Stanów Zjednoczonych dowiedział się o tej akcji. Domyślamy się powodu jej rozpoczęcia i doszliśmy do wniosku, że utrzymanie kapitana Shane'a Schofielda przy życiu jest zagadnieniem o zasadniczej wadze dla bezpieczeństwa kraju. Czy wiecie, gdzie on się teraz znajduje?

— Możliwe... — mruknęła Matka.

— O co w tym wszystkim chodzi? — spytał Book II. — Może zdradzi nam pan tę tajemnicę?

Scott Moseley poczerwieniał.

— Nie znam szczegółów — odparł.

— Daj pan spokój — burknął Book. — Musi nam pan powiedzieć coś więcej.

— Jestem w tej sprawie jedynie posłańcem — oświadczył Moseley. — Nie posiadam uprawnień do zapoznawania się z informacjami o określonym statusie tajności, ale uwierzcie mi: nie mam zamiaru utrudniać wam życia. Powiedziano mi tylko, że celem osoby lub osób, które stoją za tym polowaniem na ludzi, może być zniszczenie Stanów Zjednoczonych Ameryki. Więcej mi nie przekazano. Przybyłem tu na bezpośredni rozkaz prezydenta Stanów Zjednoczonych, aby wam pomóc. Mam dostarczyć was tam, gdzie zechcecie. Polecono mi zapewnić wam wszystko, co pomoże zachować życie kapitanowi Shane'owi Schofieldowi. Jeżeli potrzebujecie broni — wybierajcie. Jeśli chcecie pieniędzy — mam pieniądze. Jeżeli zamierzacie gdzieś polecieć — w dowolne miejsce świata — prezydencki samolot jest do waszej dyspozycji.

— Super... — westchnęła Matka.

— Skąd mamy wiedzieć, że można panu ufać? — spytał Book II.

Scott Moseley podał mu trzymany w ręku telefon komórkowy. Book przyłożył go do ucha.

— Z kim mówię? — spytał.

— Sierżant Riley? — powiedział jakiś głos. Book II natychmiast go rozpoznał — i zamarł.

Miał kiedyś do czynienia z tą osobą podczas wydarzeń, jakie miały miejsce w Strefie 7.

Był to głos prezydenta Stanów Zjednoczonych.

215

To, co się teraz działo, działo się naprawdę!

— Sierżancie Riley — zaczął prezydent — wszelkie zasoby rządu Stanów Zjednoczonych są do pańskiej dyspozycji. Jeśli będzie pan czegoś potrzebował, proszę przekazać to podsekretarzowi Moseleyowi. Ma pan za wszelką cenę zachować Shane'a Schofielda przy życiu! Muszę już kończyć — dodał.

— Tak jest! — odparł Book II.

— A więc... czego potrzebujecie? — spytał Moseley.

Matka i Book wymienili spojrzenia.

— Ty leć ratować Stracha na Wróble — powiedział Book — a ja dowiem się, o co tu chodzi.

— Tak jest! — odparła Matka.

Odwróciła się, wskazała palcem na Rufusa i powiedziała do Moseleya:

— Potrzebuję go. I jego samolotu, zatankowanego do pełna. No i zezwolenia na swobodny wylot z Anglii. Wiemy, gdzie jest Strach na Wróble, i musimy szybko się do niego dostać.

— Mogę zaaranżować najszybszy... — zaczął Moseley, ale Matka nie dała mu skończyć.

— Jeszcze panu nie ufam — oświadczyła. — A Rufusowi tak, poza tym wcale nie będzie wolniejszy od innych.

— W porządku. Załatwione. — Scott Moseley kiwnął głową jednemu ze swoich ludzi. — Zatankować samolot. Oczyścić niebo — rozkazał, po czym odwrócił się do Booka. — A pan?

Ale Book żegnał się właśnie z Matką.

— Życzę ci szczęścia — powiedział. — Uratuj go.

— Zrobię wszystko, co w mojej mocy — obiecała i pobiegła za Rufusem do suchoja.

Po kilku minutach Czarny Kruk był zatankowany. Wzleciał w powietrze i pomknął w dal na pełnej mocy dopalacza.

Dopiero kiedy zniknęli za horyzontem, Book odwrócił się do Moseleya.

— Potrzebuję magnetowidu — oznajmił.

Samochód Schofielda pędził wzdłuż francuskiego wybrzeża.

Droga prowadząca od Forteresse de Valois jest znana jako La Grande Rue de la Mer — Wielka Droga Oceaniczna.

Ciągnąca się wzdłuż Atlantyku, wykuta w skalnych klifach, jest wijącym się pasmem asfaltu, odgrodzonego od czterystustopowej przepaści jedynie niskimi, betonowymi murkami. Są na niej liczne zakręty, za którymi nic nie widać, i miejscami biegnie przebitymi przez skalne występy tunelami.

Ponieważ teren w promieniu piętnastu mil od Forteresse de Valois należał do Jonathana Killiana, była to właściwie prywatna droga. W dwóch miejscach odchodziły od niej boczne — jedna w górę, do prywatnego lotniska Killiana, druga stromo w dół, ku wodzie — dojeżdżało się nią do wielkiego hangaru na łodzie.

Niebieski WRX Schofielda pędził oceaniczną drogą z prędkością ponad 100 mil na godzinę, a turbosprężarka sprawiała, że silnik subaru nie tyle ryczał, co świszczał. Dzięki napędowi na cztery koła samochód idealnie nadawał się do jazdy po drodze pełnej krótkich, ciasnych zakrętów.

Za Schofieldem pędziło pięć samochodów z ludźmi ExSol — porsche, ferrari i trzy peugeoty.

— Knight! — wrzasnął Schofield do laryngofonu. — Jesteś tam? Mamy... drobne kłopoty.

— *Jestem w drodze* — padła spokojna odpowiedź.

W tym samym momencie milę za subaru Schofielda — i dość daleko za ścigającymi go samochodami — z Forteresse de

Valois wyprysnął samotny samochód i przemknął po podnoszonym moście fortecy.

Lamborghini diablo z silnikiem V-12. Superszybki.

No i oczywiście pomalowany na czarno.

Schofield włączył radio satelitarne.

— Book! Matka! Słyszycie mnie?

— *Jasne, Strachu na Wróble* — odpowiedział natychmiast głos Matki.

— Nie jesteśmy już w zamku. Jedziemy prowadzącą od niego drogą na północ.

— *Co się stało?*

— Zaczęło się nieźle, ale potem zjawili się najgorsi chłopcy świata.

— *Wszystko już zniszczyłeś?*

— Jeszcze nie, ale pracuję nad tym. Jesteś w drodze?

— *Prawie. Siedzę z Rufusem w Kruku. Book został w Londynie, aby dowiedzieć się czegoś więcej o tym polowaniu. Jestem jakieś dwadzieścia minut od ciebie.*

— Dwadzieścia minut... Nie wiem, czy tyle wytrzymamy.

— *Musisz, Strachu na Wróble, ponieważ mam ci dużo do powiedzenia.*

— Streszczaj się. Maksimum dwadzieścia pięć słów.

— *Rząd USA wie o polowaniu i zrobi, co będzie mógł, abyś przeżył. Stałeś się zagrożonym gatunkiem. Musisz się dostać na teren amerykański. Do ambasady, konsulatu, wszystko jedno.*

Schofield wyjechał z ciasnego zakrętu i ujrzał przed sobą perspektywę drogi, którą jechali.

Wielka Droga Oceaniczna ciągnęła się niemal po horyzont, wijąc się jak gumowa taśma i okrążając nabrzeżne klify.

— Rząd USA chce mi pomóc? — zdziwił się Schofield. — Z doświadczenia wiem, że rząd USA dba jedynie o rząd USA.

— *Eee... Strachu na Wróble...* — przerwała mu Gant. — Mamy problem.

— Co? — Schofield spojrzał w przód. — Cholera! Ci z Ex-Sol musieli zadzwonić...

Pół mili przed nimi droga rozwidlała się — w prawo odchodziła boczna odnoga. Był to prowadzący na szczyt klifów, stromo wznoszący się dojazd do lotniska i właśnie w tej chwili w kierunku skrzyżowania pędziły z ogromną prędkością dwa ciężarowe ciągniki.

Ciągnikom towarzyszył smukły helikopter Bell Jet Ranger z napisem AXON CORP na bokach.

Pewnie ci z ExSol dali znać, że potrzebują wsparcia, pomyślał Schofield.

— Te ciągniki jadą prosto na nas! — zawołała Gant.

— Nie staranują nas. Po prostu zablokują drogę.

Oba ciężkie pojazdy dojechały do skrzyżowania z Wielką Drogą Oceaniczną i natychmiast ustawiły się bokiem, blokując jezdnię.

— Matka, musimy się stąd zabierać — powiedział Schofield do mikrofonu. — Zjaw się najszybciej, jak tylko możesz.

WRX nadal pędził wijącą się drogą, błyskawicznie zbliżając się do barykady.

Mniej więcej dwieście jardów przed ciągnikami Schofield nacisnął na hamulec i WRX zatrzymał się z piskiem opon pośrodku jezdni.

Szykował się pojedynek.

Dwie ciężarówki. Jeden samochód rajdowy.

Schofield spojrzał w lusterko — sfora samochodów pędziła za nimi z całą mocą silników.

Za samochodami widać było potężny kamienny zamek — ciemny i ponury. Po chwili na jego tle pojawiły się dwa helikoptery, które dołączyły do pogoni.

Mi-34 Zamanowa.

— Jesteśmy między młotem a kowadłem — mruknął Schofield.

— Będzie cienko... — dodała Gant.

Schofield ponownie odwrócił się do przodu.

Przed nimi znajdowały się dwa ciągniki i helikopter Axonu, z prawej strony naga skała, a z lewej czterystustopowa przepaść, oddzielona od drogi jedynie niskim betonowym murkiem.

Murek...

— Samochody zaraz tu będą... — ostrzegła Gant.

Schofield wpatrywał się jednak w betonowy murek. Helikopter Axonu unosił się tuż za nim — niemal na poziomie jezdni.

— To może się udać — powiedział głośno Schofield.

— Co? — spytała Gant zaniepokojona.

— Trzymaj się mocno.

Wcisnął pedał gazu.

WRX ryknął i pomknął na ciągniki.

Samochód szybko nabierał prędkości, turbosprężarka wyła...
Czterdzieści mil na godzinę zamieniło się w pięćdziesiąt...
Sześćdziesiąt...

Siedemdziesiąt pięć...

Pędzili w kierunku blokady z ciągników.

Ich kierowcy — najemnicy ExSol, którzy przyjechali z lotniska — wymienili spojrzenia. Co ten facet wyprawia?

Nagle Schofield odbił w lewo, w stronę betonowego murku.

WRX uderzył w beton, lewe koła zazgrzytały i lewa strona samochodu uniosła się nieco nad jezdnię.

Minęła jeszcze sekunda...

...i WRX, z trzaskiem i łoskotem, wjechał na murek.

Lewe koła oderwały się całkowicie od asfaltu i jechały teraz po szczycie betonowego obramowania — WRX pędził przechylony pod kątem 45 stopni.

Świat Schofielda i Gant przekrzywił się.

— Jeszcze za mało miejsca! — krzyknęła Gant, wskazując na stojący bliżej brzegu drogi ciągnik.

Miała niestety rację.

— Jeszcze nie skończyłem! — odkrzyknął Schofield.

Gwałtownie szarpnął kierownicą w prawo.

WRX zareagował błyskawicznie, jego przód przeniósł się w prawo, a tył w lewo, w kierunku oceanu...

...i znalazł się nad przepaścią.

Tylne koła subaru wisiały czterysta stóp nad oceanem.

Samochód jednak w dalszym ciągu się poruszał i choć koła go nie napędzały, bo tylne wisiały nad przepaścią, a przednie były uniesione nad jezdnią, sunął podwoziem po betonowym murku.

— Aaaaaaa! — wrzasnęła Gant.

Pojazd sunął po murku, niemal idealnie wyważony, stal podwozia zgrzytała i wzbijała snopy iskier — i po chwili, ku zaskoczeniu kierowców obu ciągników, WRX minął utworzoną przez nich blokadę, przeciskając się między zewnętrznym ciągnikiem a betonowym murkiem przez przestrzeń zbyt wąską, aby mógł tamtędy przejechać jakikolwiek samochód.

Po chwili jednak nastąpiło to, co nieuniknione.

Wystarczyło, że za murkiem znalazło się odrobinę więcej ciężaru i — mimo posuwania się naprzód — WRX zaczął się przechylać.

— Zaraz spadniemy! — krzyknęła Gant.

— Nie spadniemy — odparł spokojnie Schofield.

Ledwie to powiedział, tył ich samochodu uderzył z impetem w przód helikoptera, unoszącego się tuż obok drogi.

WRX odbił się od nosa helikoptera, odskoczył jak kulka w automacie do gry, i został zepchnięty z murku na jezdnię. Za blokadą.

Dokładnie tak, jak Schofield zaplanował.

Opony znów przywarły do asfaltu i rajdowy samochód ruszył dalej.

W tym momencie oba ciągniki się cofnęły, by przepuścić pięć ścigających Schofielda aut, które przemknęły przez wolną przestrzeń jak pociski karabinowe.

Doganiali ich.

Dwa samochody sportowe, które ludzie z ExSol „pożyczyli" od Jonathana Killiana — czerwone ferrari i srebrne porsche, oba niskie, opływowe i niesamowicie szybkie — siadły Schofieldowi na ogonie.

Najemnicy w porsche wykorzystywali otwierany dach — jeden z nich stał i strzelał. W ferrari strzelec musiał się wychylać przez okno.

Kiedy tylna szyba rozprysnęła się po kolejnym trafieniu, Gant odwróciła się do Schofielda.

— Mogę ci zadać pytanie?

— Jasne!

— Jest jakaś tajna szkoła, w której można się nauczyć takich rzeczy?

— To się nazywa jazda ofensywna — powiedział Schofield, patrząc przez ramię. — Uczestniczyłem w Quantico w kursie, prowadzonym przez byłego specjalistę z Delty, Krisa Hankisona. Hank odszedł z Delty w dziewięćdziesiątym pierwszym roku i został kaskaderem w Hollywood. Zarabia kupę szmalu, ale co dwa lata, w podzięce dawnej jednostce, robi darmowe kursy jazdy dla ludzi z Delty i wybranych gości. Zaproszono mnie na taki kurs w zeszłym roku. Jeśli sądzisz, że to było coś wielkiego, powinnaś zobaczyć, co wyprawia Hank...

Seria pocisków zorała drogę tuż obok ich samochodu, wyrywając kawałki asfaltu, które zadudniły o boczne szyby. Ułamek sekundy później przemknął nad nimi jeden z helikopterów Mi-34.

Droga skręcała w prawo, okrążając występ w klifie, ale helikopter poleciał prosto, dzięki czemu WRX mógł usunąć się z linii ognia. Nie ujechali jednak więcej niż kilkadziesiąt jardów, kiedy ze skalnej ściany po ich prawej stronie wystrzeliła fontanna ziemi zmieszanej z kamieniami, zasypując drogę tuż za nimi.

— Co to ma do... — Schofield gwałtownie odwrócił się w lewo. — O nie...

W kierunku brzegu płynął okręt wojenny, który odłączył się od widocznej na horyzoncie dużej grupy.

Był to francuski niszczyciel klasy Tourville i strzelał z zamontowanych na dziobie armat kalibru 400 milimetrów. Każdemu strzałowi towarzyszył tak potężny grzmot, że nawet znajdującym się w oddaleniu wielu mil człowiekiem wstrząsało. Wystrzałom towarzyszyły ogromne chmury dymu.

Pociski wbijały się w skały, obsypując samochód Schofielda piaskiem i kamieniami. Tam, gdzie trafiły w asfalt, w górę wystrzeliwały potężne gejzery ziemi, pozostawiając głębokie dziury w nawierzchni.

Gdy pierwszy pocisk trafił w drogę, WRX przeleciał z rykiem nad krawędzią leja, przefruwając przez chmurę dymu. Schofield spojrzał za siebie i zobaczył ogromną dziurę w asfalcie.

Następne pociski, kierowane na drogę przed nimi, zasypywały ją z lewa i prawa. Schofield jechał szaleńczym slalomem, o cale mijając świeżo powstałe kratery.

Helikopter za nimi raz za razem to się wznosił, to opadał, aby nie zostać przypadkowo trafionym.

Ale oba zwinniejsze Mi-34 nadal wściekle ścigały Schofielda, rozrywając ogniem z zamontowanych na bokach działek kolejne fragmenty jezdni.

Po chwili WRX wjechał w szeroki zakręt i wpadł w tunel, więc oba rosyjskie helikoptery musiały szybko unieść się nad poszarpane skały klifu i nagle wokół Gant i Schofielda zapanowała cisza.

Nie na długo jednak.

Tuż za nimi do tunelu wpadły dwa ścigające ich samochody sportowe — ferrari i porsche. Z każdego z nich ostrzeliwano uciekinierów.

Schofield zjechał na lewy pas i stwierdził, że tunel wcale nie jest tunelem, bo od strony oceanu nie oddziela go lita ściana, a sufit podtrzymuje jedynie szereg cienkich kolumn, by podczas jazdy można było podziwiać panoramę Atlantyku.

Dotarło to do niego, gdy za rozmazaną linią kolumn pojawił się helikopter z najemnikami specnazu na pokładzie i zaczął strzelać do wnętrza tunelu.

O jezdnię, samochód i ścianę tunelu załomotały pociski.

Schofield zjechał na prawo, by oddalić się od lawiny ołowiu, przycisnął samochód do ściany.

Zwolnił...

...i ścigające ich samochody natychmiast znalazły się przy WRX. Porsche uderzyło ich w tylny zderzak, ferrari pchnęło od lewej.

Do wnętrza samochodu wpadły pociski.

Okno od strony kierowcy rozprysnęło się na kawałki.

Na końcu tunelu pojawił się groźny cień.

Nad jezdnią unosił się drugi helikopter Skorpionów, zawieszone na bokach kadłuba rakiety były gotowe do strzału.

— Chyba to już koniec — powiedział Schofield.

Z jednej z wyrzutni rakietowych helikoptera wystrzelił snop dymu i Mi-34 eksplodował. Został trafiony przez pocisk wystrzelony ze zbliżającego się morzem francuskiego niszczyciela. Rakieta, które miała zostać odpalona, eksplodowała w wyrzutni.

Pocisk o kalibrze 400 milimetrów uderzył w helikopter z taką siłą, że pchnęło go na lewą krawędź drogi i zgniotło niczym aluminiową puszkę. Cały w ogniu, runął w czterystustopową przepaść.

— Było blisko... — mruknęła Gant.

— Owszem — przyznał Schofield.

VRX wyprysnął z tunelu i minął miejsce, w które spadł helikopter — w dalszym ciągu spychany przez dwa samochody na strome skały po prawej stronie.

Trzy sczepione ze sobą samochody pędziły dalej. Po chwili przed nimi — w odległości jakichś dwustu jardów — pojawił się wjazd do następnego tunelu.

Ferrari z lewej jeszcze silniej pchnęło subaru WRX.

Schofield mocniej złapał kierownicę.

Porsche pchało od tyłu.

Z początku Schofield nie zdawał sobie sprawy z grożącego im niebezpieczeństwa, kiedy jednak dostrzegł, że między skalną ścianą po prawej stronie a wjazdem do tunelu jest wystająca niemal na szerokość sześciu stóp ściana, natychmiast zrozumiał, co to oznacza.

Jeżeli porsche i ferrari będą przez cały czas spychać ich w ten sam sposób, uderzą prosto w skalną ścianę.

Oceniał, że zostało im pięć sekund.

— Źle to wygląda — stwierdziła Gant.

— Wiem — odparł.

Cztery sekundy...

Trzy samochody pędziły w zbitej formacji.

Trzy sekundy...

Ferrari wciąż pchało ich na stromą ścianę. Prawe koła WRX lekko uniosły się nad jezdnię i opony zaczęły trzeć skałę. Porsche napierało tak mocno, że wcale nie zwalniali.

— Zrób coś... — jęknęła Gant.

Dwie sekundy...

Wjazd do tunelu był coraz bliżej.

— No dobrze.. — mruknął Schofield. — Chcecie po chamsku? Będziecie mieć po chamsku...

Sekun...

Kiedy WRX już miał uderzyć w poprzeczny występ, kapitan pozwolił, by ferrari wepchnęło ich na ścianę. Samochód zaczął jechać przechylony o 60 stopni, z kołami całkowicie oderwanymi od jezdni.

Czas nagle się zatrzymał i Schofield zrobił to, co wydawało się niemożliwe.

Pięć jardów przed wylotem z tunelu wjechał wysoko na stromą skałę i WRX zaczął się przewracać na bok... odwrócił się podwoziem ku górze i... wylądował na dachu... jadącego obok ferrari...

Przez chwilę dwa samochody jechały razem, jak dziwny pojazd o ośmiu kołach — czterech przyczepionych do jezdni i czterech skierowanych ku górze. WRX wjechał do tunelu na dachu czerwonego ferrari.

Jadące tuż za subaru porsche nie miało miejsca na żaden manewr.

Jego kierowca chciał w ostatniej chwili odbić w lewo, nie wiedział jednak, co zrobi Schofield. Kiedy kapitan wykonywał swój kolejny kaskaderski numer, najemnik ExSol przyglądał się temu o ułamek sekundy za długo i porsche z ogromną prędkością uderzyło w występ obok wjazdu do tunelu. Pojazd natychmiast eksplodował.

Ferrari miało niewiele więcej szczęścia.

WRX stoczył się na bok z jego dachu, znalazł po lewej stronie i teraz on zaczął spychać przeciwnika na prawą ścianę. Schofield zabrał się jednak lepiej do sprawy — pchał czerwony samochód nie z boku, a skośnie. W efekcie ferrari uderzyło w ścianę tunelu pod kątem, po czym zaczęło koziołkować, jak rzucona przez dziecko zabawka. W ciasnej przestrzeni czerwony samochód odbił się kilka razy od ścian i w końcu zatrzymał na dachu — rozbity i pognieciony — z pasażerami bardziej martwymi niż muzyka disco.

Ledwie Schofield i Gant wyprysnęli z tunelu, dogonił ich drugi helikopter szturmowy Mi-34. Leciał równolegle do nich, a wychylony z prawych drzwi komandos ostrzeliwał ich wściekle.

Było jasne, że nawet pędząc całą mocą silnika, nie zdołają mu uciec. Dla helikoptera WRX poruszał się w żółwim tempie.

— Lis! — wrzasnął Schofield. — Musimy się pozbyć tej maszyny! Rozwal strzelca!

— Z przyjemnością. Oprzyj się wygodnie...

Schofield zrobił, co mu kazano, i Gant strzeliła z desert eagle'a. Pociski przeleciały o cal przed klatką piersiową kapitana i pomknęły przez rozbite okno na zewnątrz.

Dwa strzały. Oba celne.

Strzelec osunął się i wypadł z helikoptera.

Był jednak zabezpieczony linką, więc gdy przeleciał jakieś czterdzieści stóp w dół, linka się napięła i zawisł w powietrzu.

— Dzięki, mała! — krzyknął Schofield, patrząc na dyndające na lince ciało.

Gant nie pozwoliła mu się zbyt długo zastanawiać.

— Strachu na Wróble! Uważaj!

Spojrzał do przodu — w lewo odchodziła odnoga do hangaru na łodzie, druga biegła w prawo.

Lewo czy prawo? Decyduj się...

Kolejna salwa z nadpływającego niszczyciela zniszczyła prawą odnogę.

A więc w lewo.

Schofield skręcił i z piskiem opon pomknęli w dół.

Helikopter podążył za nimi.

Niecały kilometr za subaru WRX Aloysius Knight pokonywał Wielką Drogę Oceaniczną w czarnym lamborghini diablo.

Dwa ciągniki, które jeszcze niedawno blokowały drogę, jechały z łoskotem tuż przed nim, jeszcze dalej z przodu widział trzy peugeoty, które zabrali z zamku najemnicy ExSol.

Pięćdziesiąt jardów przed peugeotami był WRX Schofielda — właśnie dojeżdżał do rozwidlenia dróg. Ścigał go helikopter ze Skorpionami.

Knight rzucił kątem oka na niszczyciel na oceanie — w tym samym momencie powietrze nad okrętem przecięły dwa przypominające ptaki cienie i pomknęły prosto w kierunku nadmorskiej drogi.

Wyglądały na myśliwce szturmowe i najprawdopodobniej wystartowały z niedalekiego francuskiego lotniskowca.

Niedobrze...

Odwrócił się do przodu i zobaczył, że Schofield odbija w lewo i znika za pierwszym zakrętem dość stromo opadającej drogi, wykutej w skale.

Nagle ścigające go pojazdy zrobiły coś dziwnego.

Rozdzieliły się.

Jeden z peugeotów pojechał za Schofieldem w dół, a dwa pozostałe ruszyły górą, omijając krater w jezdni.

Oba ciągniki skręciły w lewo — ku morzu.

Skoordynowane działanie, pomyślał Knight. Mają plan.

Kiedy dotarł do rozwidlenia, bez namysłu dodał gazu i popędził w lewo, za Schofieldem.

WRX mknął opadającą stromo drogą, przyhamowywał, paląc opony przed zakrętami, za którymi nie było widać drogi, i wchodził w ciasne łuki kontrolowanymi poślizgami.

O boki samochodu i skalne ściany łomotały pociski — lecący nisko Mi-34 cały czas ich ostrzeliwał ze swoich działek.

Martwy strzelec pokładowy w dalszym ciągu wisiał w powietrzu, od czasu do czasu odbijając się od jezdni i zostawiając krew na asfalcie.

Z żółtego peugeota, goniącego Schofielda prowadzącą w dół drogą, również strzelano — jego pasażer, wychylony z bocznego okna, ostrzeliwał uciekinierów z automatycznego steyra.

Jadący dwieście jardów za czołówką pogoni Knight robił, co mógł.

Jego lamborghini bez trudu pozostawiło oba ciągniki z tyłu — zanim kierowcy zdążyli się zorientować, że za nimi jedzie, wyprzedził ich jednym płynnym manewrem.

Dogonił żółtego peugeota i próbował wyprzedzić go od prawej, został jednak zablokowany. Spróbował tego samego od lewej strony i ostro — bardzo ostro — wcisnął pedał gazu.

Kiedy lamborghini wystrzeliło do przodu, kierowca peugeota zdążył jedynie kątem oka ujrzeć przemykającą obok czarną smugę i w tym samym momencie do kabiny peugeota wpadł łukiem granat M-67.

Lamborghini pomknęło dalej, a peugeot eksplodował w kuli ognia. Płonące auto nie zmieściło się w następnym zakręcie, przebiło betonowy murek zabezpieczający i zaczęło spadać. Leciało powoli, spadało i leciało, i w końcu, daleko w dole, uderzyło w powierzchnię Oceanu Atlantyckiego.

Lamborghini Knighta jechało dwadzieścia jardów za WRX Schofielda i helikopterem Mi-34.

Schofield pędził długim prostym odcinkiem, który kończył się tunelem w najniższym miejscu drogi — tunelem, z którego wjeżdżało się do hangaru na łodzie.

— Schofield! — krzyknął Knight do mikrofonu. — Nie strzelaj za siebie. Lamborghini to ja!

— *Lamborghini... ciekawe, dlaczego mnie to nie dziwi?* — odparł głos Schofielda. — *Miło, że do nas dołączasz. Możesz coś zrobić z tym cholernym helikopterem?*

Knight rozejrzał się i przeanalizował sytuację: niebieski WRX Schofielda błyskawicznie zbliżał się do tunelu, Mi-34 unosił się tuż nad uciekającym samochodem, a z jego otwartych drzwi zwisał rosyjski strzelec, odbijając się od nierówności drogi i podskakując na wybojach tuż przed jego diablo.

Helikopter — strzelec — tunel...

Potrzebował jeszcze jednego samochodu.

Spojrzał we wsteczne lusterko: całe pole widzenia wypełniał przód pędzącego za nim z łoskotem ciągnika — był to mack z charakterystyczną długą maską.

— Trzymaj się, Schofield! Zaraz dorwę drania.

Podjechał tak, aby znaleźć się dokładnie pod helikopterem, poza zasięgiem wzroku pilota, po czym wjechał prosto w wiszące na linie ciało martwego strzelca, w efekcie czego trup wpadł przez otwarty dach do lamborghini.

Knight wyjął kajdanki — najważniejszy element wyposażenia łowcy nagród — i przypiął nadgarstek trupa do kierownicy.

Potem wcisnął przycisk tempomatu *, wstał z fotela i przeszedł na tył samochodu.

W tym momencie wielki mack staranował lamborghini od tyłu.

Knight był jednak przygotowany na uderzenie, więc kiedy pojazdy się zetknęły, wykonał następny ruch: przebiegł po płaskim tyle swojego samochodu, jednym strzałem w przednią szybę ciągnika zastrzelił kierowcę i wskoczył na maskę macka.

Po paru sekundach był już w kabinie ciągnika i siedział na fotelu kierowcy. Wielki mack należał teraz do niego, a z jego kabiny było doskonale widać, co się wokół dzieje.

WRX wjechał do tunelu.

Pilot helikoptera, zamierzając przechwycić Schofielda u wylotu tunelu, próbował unieść maszynę.

Lekki Mi-34 nie mógł jednak wykonać tego manewru, bo był obciążony wyścigowym lamborghini diablo.

Pilot zrozumiał to o sekundę za późno.

Pozbawione kierowcy lamborghini wjechało do tunelu, a helikopter znalazł się nad wjazdem do tunelu. Łącząca obie maszyny lina napięła się i złożyła w pół.

---

* Urządzenie pozwalające utrzymać stałą prędkość bez naciskania pedału gazu.

Samochód uniósł się nad jezdnię i pofrunął ku górze, a kiedy uderzył w sufit tunelu, zamienił się natychmiast w kupę złomu i wybił dziurę, z której spadł grad połamanych kafelków.

Helikopter szarpnęło w dół i huknął w skały nad wjazdem do tunelu, po czym wybuchł, rozpryskując wokół kawały metalu.

Knight przemknął przez miejsce katastrofy, zostawiając za sobą dymiące szczątki lamborghini, którym niedawno jechał.

Schofield wyprysnął z drugiego końca tunelu i zaczął wjeżdżać pod górę.

Gdy wyjechał zza zakrętu, ujrzał wznoszącą się przed nim drogę — mnóstwo mniej i bardziej ostrych zakrętów — na której szczycie czekały dwa żółte peugeoty.

Pojechały do przodu krótszą drogą i zawróciły, by teraz ruszyć w dół — prosto na Schofielda.

WRX pędził w górę, mając za sobą dwa pojazdy: długonosego macka z Knightem za kierownicą i tęponosego kenwortha.

Kiedy WRX wyjechał zza kolejnego zakrętu, na jego pasażerów czekał kolejny nieoczekiwany widok: tuż nad drogą wisiał myśliwiec. Jego dziób wskazywał groźnie w dół, a pod skrzydłami miał cały arsenał rakiet.

Schofield natychmiast rozpoznał tę maszynę — był to mirage dassault 2000N-II. Model II jest modyfikacją zwykłego mirage 2000N, może startować i lądować pionowo, i stacjonuje tylko na najnowszych i największych francuskich lotniskowcach. Przypomina wyglądem harriera — jest tak samo krępy i „garbaty" z przodu, a po obu stronach dwuosobowego kokpitu ma półokrągłe wloty powietrza.

Po chwili karabiny maszynowe mirage'a bluznęły ogniem i w skały tuż nad samochodem uderzyła chmara pocisków smugowych.

Schofield wcisnął pedał gazu do podłogi i przemknął pod unoszącym się w powietrzu samolotem, który powoli się obracał. Gdy WRX znikał za kolejnym zakrętem, kilka pocisków smagnęło jego tylny zderzak.

— Przejmij kierownicę — powiedział Schofield do Gant.

Natychmiast wślizgnęła się na jego miejsce, a on sięgnął do kieszeni kombinezonu po pociski — dziewięciomilimetrowe naboje z pomarańczowym paskiem, które dał mu Knight, mówiąc, że służą do „powstrzymywania byków".

— W sam raz na myśliwce — mruknął, ładując pociskami swojego desert eagle'a. Skończył w momencie, gdy nadleciał drugi mirage i otworzył do nich ogień.

Teraz jednak Schofield miał czym odpowiedzieć.

Wysunął się z okna pasażera, usiadł na jego krawędzi, wycelował i zaczął raz za razem pociągać za spust.

Pociski z mirage'a wyrywały dziury w jezdni, a gazowe pociski Schofielda wpadały do wlotów powietrza myśliwca.

Kiedy pierwszy z nich trafił w znajdujący się tuż za wlotem powietrza wentylator, sprężone gazy wystrzeliły na zewnątrz, rozginając łopatki na boki i skręcając je. Wentylator natychmiast się zablokował i samolot stracił moc. Następne pociski wpadły do wnętrza silników i eksplodowały w komorach wtrysku paliwa.

Wystarczyły dwa „powstrzymywacze byków", aby zniszczyć wart 600 milionów dolarów samolot bojowy.

Gdy maszyna straciła silniki, zaczęła się dziko obracać w poziomie, śląc pociski smugowe we wszystkie strony, a po kilku sekundach buchnęła lawiną ognia i spadła na ziemię, lądując w postaci kupy dymiącego złomu pięćdziesiąt jardów przed pędzącym samochodem.

Schofield wsunął się z powrotem do kabiny i popatrzył na Gant...

...która siedziała ciężko oparta o drzwi kierowcy.

Z rany na jej lewym ramieniu tryskała krew, a w oparciu fotela widać było dziurę, o średnicy dwóch cali, wskazującą miejsce, gdzie Gant została trafiona.

Dostała pociskiem smugowym z mirage'a.

— O nie... — jęknął Schofield.

Przysunął się do Gant i wdepnął hamulec.

WRX zahamował z piskiem, zatrzymując się tuż przed wrakiem mirage'a.

— Lis! Libby!

Z trudem otworzyła oczy.

— Boli... — wyszeptała.

— Ruszamy! — Schofield kopniakiem otworzył drzwi kierowcy i wyniósł Gant z samochodu. — Knight, gdzie jesteś?!

— *W pierwszej ciężarówce. Druga jedzie tuż za mną. A gdzie ty... już widzę.*

— Lis jest trafiona. Potrzebujemy transportu.

— *Kiedy podjadę, szybko wsiadajcie, bo mam na dupie ciężarówkę!*

W tym momencie Schofield ujrzał Knighta — wielki, długonosy mack pędził z dudnieniem pod górę.

Po chwili, głośno piszcząc hamulcami, ciągnik z dygotem zatrzymał się obok subaru.

Knight otworzył drzwi i Schofield szybko wskoczył do kabiny — z Gant na rękach. Knight wrzucił bieg i wcisnął gaz na chwilę przedtem, zanim zza zakrętu wyskoczył ścigający go ciągnik.

Mack, podskakując i szarpiąc na boki, przejechał przez rozrzucone po jezdni resztki mirage'a i błyskawicznie zaczął przyspieszać. Ścigający ich rozpędzony kenworth również przemknął po wraku i z całej siły huknął w tył rozpędzającej się ciężarówki Knighta.

Knightem, Schofieldem i Gant rzuciło do przodu.

Obaj mężczyźni zawołali jednocześnie:

— Jadą na nas dwa samochody!

Popatrzyli na siebie i zamilkli.

— Co jej się stało? — spytał po chwili Knight.

— Trafił ją pocisk z myśliwca.

— Cholera!

Obie ciężarówki pędziły pod górę, wyrzucając w niebo kłęby czarnego dymu.

W tym momencie pojawiły się jadące w ich kierunku żółte peugeoty. Wyjechały zza szerokiego zakrętu i mknęły prosto na nich. Z prawych przednich okien obu pojazdów wychylali się mężczyźni i strzelali z kałasznikowów.

234

Równie dobrze mogli strzelać grochem z proc.

Potężny mack przejechał po peugeocie z lewej, miażdżąc go jak walec drogowy, ale drugi żółty pojazd zdążył przycisnąć się do skalnej ściany i zahamował. Oba ciągniki przemknęły obok niego z hukiem.

Mack dojechał do szczytu wzgórza i wrócił na bardziej płaską główną część drogi.

Druga ciężarówka była tuż za nim, ocalały peugeot jechał ostatni. Samochód wpadł na główną drogę i ułamek sekundy później miejsce, w którym obie drogi się łączyły — eksplodowało, trafione pociskiem z francuskiego niszczyciela, przez cały czas biorącego udział w akcji.

Kiedy obie ciężarówki wyjechały zza kolejnego zakrętu, ukazał się wjazd do następnego tunelu. Skręcał szerokim łukiem w prawo i był znacznie dłuższy od poprzednich.

Mack wpadł do tunelu, ale peugeot natychmiast znalazł się obok kenwortha, a wychylony z prawego okna strzelec wycelował w tylne koła ciężarówki Knighta i puścił długą serię.

Opony macka eksplodowały, rozerwana guma zaczęła kłapać o asfalt, a ciągnikiem dziko zarzuciło.

W tym momencie kenworth również postanowił zaatakować.

— Podjeżdżają do nas! — wrzasnął Schofield.

Ścigająca ich ciężarówka zbliżała się od prawej strony.

— Zajmę się tym — powiedział Knight. — Weź kierownicę.

Kiedy Schofield przejął prowadzenie, Knight wskoczył do kabiny sypialnej i strzelił dwa razy w tylne okienko. Zaraz potem wyślizgnął się przez wybitą dziurę na zewnątrz i zniknął.

Obie ciężarówki pędziły zakręcającym tunelem łeb w łeb. Kolumny po lewej stronie zlewały się w jedno.

Schofield popatrzył na Gant. Była bardzo blada.

Po chwili — gdzieś niedaleko w powietrzu — rozległ się huk i gdy Schofield spojrzał w lewo, ujrzał drugiego mirage'a.

Niedobrze, pomyślał.

W pędzącej po prawej stronie ciężarówce siedziało dwóch najemników ExSol. Kiedy tylko obie kabiny znalazły się obok siebie, pasażer kenwortha przelazł przez kierowcę i otworzył drzwi.

Zamierzał przeskoczyć na macka.

Schofield uniósł pistolet.

Nie miał amunicji.

— Cholera! — zaklął.

Najemnik Executive Solutions przeskoczył niewielką odległość dzielącą oba pojazdy i wylądował na schodku kabiny macka. Kiedy wsunął do środka lufę pistoletu maszynowego...

...Schofield wyciągnął maghooka, wycelował i pociągnął za spust.

Maghook nie wystrzelił. Zabrakło gazu, wystrzeliwującego głowicę.

— Cholera jasna! — wrzasnął Schofield. — To się jeszcze nigdy nie zdarzyło!

Znaleźli się w sytuacji bez wyjścia: zarówno on, jak i Gant stali się kaczkami do odstrzału.

Najemnik ExSol natychmiast uświadomił sobie swoją przewagę, wyszczerzył zęby w złośliwym uśmiechu i zaczął ciągnąć za spust.

Zanim jednak zdążył wystrzelić, został rozpłaszczony na drzwiach kabiny jak naleśnik, kiedy kenworth — „jego" ciężarówka — z ogromną siłą huknął w bok macka. Impet uderzenia był tak wielki, że oba ciągniki na sekundę uniosły się nad jezdnię.

Wyglądało to tak, jakby najemnik wybuchnął — chlusnęła krew, oczy niemal wystrzeliły mu z orbit i spadł na jezdnię.

Kiedy zniknął z pola widzenia, Schofield ujrzał nowego kierowcę kenwortha — Aloysiusa Knighta.

Ciężarówki gnały obok siebie tunelem, ścigane tylko przez ostatniego peugeota.

Z powodu zniszczonych opon mack Schofielda ślizgał się i zarzucał.

Kapitan włączył radio.

— Knight! Nie utrzymam tego wozu! Musimy przejść do ciebie!

— *W porządku. Podjeżdżam. Przyślij damę* — odparł Kenworth i podjechał do macka tak blisko, że ocierał się o jego bok.

Schofield zablokował kierownicę pasem bezpieczeństwa, przesunął się na prawy fotel, kopniakiem otworzył drzwi i zaczął przesuwać Gant.

Knight również otworzył swoje drzwi i wyciągnął rękę.

Nagle zaczęto do nich strzelać.

Oba ciągniki zostały trafione. Na szczęście jednak był to tylko niezbyt groźny ogień z peugeota.

Schofield podał Gant Knightowi, który przeciągnął ją do siebie i położył delikatnie na fotelu pasażera.

Gdy Gant znalazła się w bezpiecznym miejscu, ruszył Schofield. Przygotował się do przeskoczenia, ale nagle...

...powietrze tuż przed nim zaczęły siec serie pocisków dużego kalibru, tworząc śmiercionośną, niemożliwą do pokonania barierę.

Natychmiast zorientował się, skąd pochodzą.

Tuż przed nimi kończył się tunel, droga zakręcała i drugi mirage 2000N-II mógł zawisnąć za jej skrajem w taki sposób, żeby strzelać do wnętrza tunelu. Jego sześciolufowe minidziałko pluło gradem pocisków.

Linia ognia przesunęła się w kierunku macka i po chwili w przód ciężarówki zaczęła walić niewyobrażalna kanonada, wyrywając w grubej stalowej blasze setki dziur.

Silnik macka zapalił się, na szybę zaczął tryskać płyn hamulcowy i Schofield przestał cokolwiek widzieć. Wcisnął pedał hamulca — nie działał. Spróbował pokręcić kierownicą — obróciła się jedynie odrobinę.

— Jeżeli mam zginąć, to tylko z tobą — wycedził, patrząc na samolot.

Obie ciężarówki pędziły bok w bok.

Mirage nie przerywał ognia.

Ciężarówki dojechały do końca tunelu i zaczęły się rozdzielać — Aloysius Knight wszedł w zakręt, podczas gdy mack — wyrzucając spod maski płomienie i dziko zarzucając na boki — mógł jechać tylko prosto.

Schofield dobrze wiedział, co się zaraz stanie.

Nic jednak nie mógł zrobić.

— Dobry Boże... — westchnął.

Sekundę później rozpędzony mack skosem przeciął skręcającą w prawo jezdnię, przebił betonowy murek zabezpieczający i wystrzelił w bezchmurne popołudniowe niebo, prosto w wiszący nieruchomo myśliwiec.

Leciał wielkim łukiem, z wysoko uniesionym nosem, wirującymi kołami, znacząc trasę przelotu buchającym spod maski dymem.

Lot zakończył się jednak gwałtownie, gdy ogromny, ciągle jeszcze mocno rozpędzony ciągnik uderzył w unoszący się tuż obok myśliwiec szturmowy.

Maszyny zderzyły się z tak potężną siłą, że mirage został odrzucony na bok.

Płonący mack wbił się maską w przód francuskiego samolotu i eksplodował. Myśliwiec zadrżał i po chwili również eksplodował w wielkiej kuli oślepiającego ognia.

Sczepione wraki zaczęły spadać — przeleciały czterysta stóp w dół i uderzyły w powierzchnię wody, wzbijając potężny gejzer.

Gdzieś pomiędzy dwoma masami poskręcanego metalu — bez linki ani maghooka — tkwił Shane Schofield.

Knight i Gant widzieli, co się stało z pędzącym wijącą się drogą ciągnikiem.

Nikt nie mógł tego przeżyć.

Oczy Gant rozszerzyły się z przerażenia.

— Boże, nie... Shane... — szepnęła.

— Niech to jasna cholera... — zaklął Knight.

Schofield nie żył... człowiek wart dla niego miliony, gdyby udało się go utrzymać przy życiu... co teraz? Co ma zrobić z tą ranną kobietą, która nie przedstawiała dla niego żadnej wartości?

Po pierwsze, musisz wyjść z tego cało, powiedział sobie.

W tym momencie ostatni peugeot wyprzedził ich i pomknął do przodu.

Zaskoczony Knight spojrzał przed siebie.

Przy następnym zakręcie na drodze stała dziwna budowla — jakby mały zameczek, przez który można było przejechać.

Zbudowana z kamienia i zwieńczona przypominającymi wielkie zęby blankami brama musiała być tak samo stara jak Forteresse de Valois i prawdopodobnie wyznaczała granice należących do zamku posiadłości.

Za bramą znajdował się zwodzony most, zamykający sześciometrowy wykop w drodze.

Peugeot zatrzymał się przy bramie, jego pasażer wysiadł, wbiegł do środka i most zaczął się powoli podnosić.

— O nie! — wrzasnął Knight i wdepnął gaz do dechy.

Kenworth z rykiem przyspieszył.

Most powoli się podnosił.

Było oczywiste, że nie będzie łatwo.

Potężny ciągnik wciąż pędził.

Most nadal powoli się podnosił: jedna stopa... dwie stopy... trzy stopy...

Kiedy Knight znalazł się pięćdziesiąt jardów od bramy, ludzie z peugeota otworzyli ogień.

Knight pochylił się. Przednia szyba kenwortha rozprysnęła się.

Most w dalszym ciągu się podnosił...

Ciągnik przejechał przez bramę, mijając najemników ExSol, po czym wjechał po moście skosem w górę, wystrzelił w powietrze i pomknął nad ogromną wyrwą w drodze.

Potężna masa na wielkich kołach załomotała o twardy grunt, podskoczyła raz, drugi, trzeci, ale po chwili Knight odzyskał panowanie nad ciągnikiem.

— Rany... — westchnął. — Było blis...

Droga przed nimi eksplodowała chmurą pyłu.

Trafił ją pocisk z niszczyciela.

Knight ostro wcisnął hamulec i ciągnikiem zarzuciło, zawyły opony i kenworth stanął — zaledwie parę cali przed nowym kraterem w jezdni.

Droga przed nimi nie istniała — wyparowała na całej szerokości. Do przeciwległego końca dziury było przynajmniej dziesięć jardów.

Zostali uwięzieni między dwoma przepaściami.

Jak na komendę tuż obok pojawił się helikopter z napisami AXON na bokach, który przez cały czas trzymał się w bezpiecznej odległości. Pilot zaczął coś mówić do mikrofonu.

— O kurwa... — warknął Knight.

PIĄTY ATAK

26 PAŹDZIERNIKA, GODZINA 14.00 (ANGLIA)
FRANCJA—ANGLIA—USA
EST (NOWY JORK) GODZINA 09.00

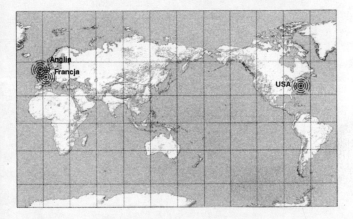

Musimy się chronić przed uzyskaniem nieuzasadnionego wpływu — chcianego przez nas albo i nie — przez kompleks wojskowo-przemysłowy.

Prezydent Dwight D. Eisenhower,
Przemowa do narodu z okazji składania urzędu prezydenckiego, styczeń 1961.

Ambasada Stanów Zjednoczonych
Londyn, godzina 14.00 czasu lokalnego
(09.00 EST USA)

— „Ich zdaniem wojna z terroryzmem nie idzie wystarczająco daleko. Choć członkowie M-dwanaście nie zaplanowali ataków z jedenastego września, nie zapominajmy, że bardzo na nich skorzystali...".

Z ekranu telewizora przemawiał Benjamin Y. Rosenthal, agent Mossadu, który godzinę temu został zabity na dachu King's Tower.

Book II słuchał go uważnie. Za jego plecami stał pracownik Departamentu Stanu — Scott Moseley.

Przed nimi leżały dokumenty — setki dokumentów. Zawierały całą wiedzę Benjamina Rosenthala o M-12 i ogólnoświatowym polowaniu na ludzi.

Book II ponownie popatrzył na stertę dokumentów.

Były tu robione z ukrycia zdjęcia mężczyzn, przybywających limuzynami na ogólnoświatowe szczyty gospodarcze.

Transkrypty podsłuchanych rozmów telefonicznych.

Teczki z tajnymi dokumentami, skradzione z Departamentu Obrony USA.

Były tu nawet dwa dokumenty z francuskiego wywiadu — sławetnego DGSE. Jeden dotyczył najbogatszych biznesmenów świata, którzy zostali pół roku temu zaproszeni na prywatną kolację z prezydentem Francji.

245

Drugi był znacznie bardziej „wybuchowy". Omawiał niedawne pojmanie przez DGSE dwudziestu czterech członków islamskiego dżihadu, planujących staranowanie wieży Eiffla samolotem tankowcem. Sprawa była o tyle godna uwagi, że wśród aresztowanych zamachowców znajdował się jeden z jego przywódców, Shoab Riis. W normalnym przypadku informacja o ujęciu tak groźnego terrorysty zostałaby opublikowana w każdym zakątku świata, Francuzi jednak zachowali to w tajemnicy.

Rosenthal dodał na marginesie komentarz: *Wszyscy zostali zabrani do kwatery głównej DGSE w Breście. Bez procesu, bez doniesień prasowych. Żadnego z nich więcej nie widziano. Możliwy związek z projektem Kormoran/Kameleon. Czy Francja współpracuje z M-12? Sprawdzić później.*

Najbardziej wymownymi dowodami były taśmy Mossadu z przesłuchania Rosenthala.

Mówiąc krótko, Rosenthal siedział na beczce prochu.

Po pierwsze, znał skład M-12.

Przewodniczący: Randolph Loch, lat 70, przemysłowiec z sektora wojskowego, szef Loch-Mann Industries, zleceniobiorcy Ministerstwa Obrony. L-M Industries produkuje części zamienne do takich maszyn bojowych jak helikoptery Huey i Blackhawk. Zbił fortunę na wojnie w Wietnamie i operacji Pustynna Burza.

Wiceprzewodniczący: Cornelius Kopassus, grecki magnat z branży morskiego przewozu kontenerów.

Arthur Quandt: głowa rodzinnego imperium stalowego Quandt.

Warren Barkshire: najbardziej operatywny inwestor świata.

J. D. Cairnton: prezes wielkiego koncernu farmaceutycznego Astronox Pharmaceuticals.

Jonathan Killian: prezes i dyrektor naczelny Axon Corporation, gigantycznego koncernu produkującego rakiety bojowe i okręty wojenne.

I tak dalej.

Jeśli pominąć kilku magnatów sprzedaży detalicznej, takich jak amerykańscy Waltonowie, niemieccy Albrechtowie czy francuscy Mattencourtowie, mogłaby to być lista dziesięciu najbogatszych ludzi świata.

Według majora Benjamina Rosenthala wszystkie te ogromne fortuny miały znacznie wzrosnąć w wyniku jednego wydarzenia. Rosenthal mówił z ekranu:

— „Ich fortuny są wynikiem działań militarnych. Wojen. Druga wojna światowa spowodowała powstanie imperium stalowego Quandtów. W latach sześćdziesiątych Randolph Loch był jednym z najgłośniejszych i najzagorzalszych zwolenników włączenia się USA do wojny w Wietnamie. Wojna powoduje znacznie większe zużycie ropy naftowej. Zwiększa zużycie stali. Zmusza do budowy tysięcy nowych okrętów, helikopterów, produkcji karabinów, bomb, zestawów pierwszej pomocy. W świecie globalnego biznesu największym biznesem jest globalna wojna".

I dalej:

— „Przyjrzyjcie się obecnej wojnie z terrorem: Stany Zjednoczone zrzuciły na afgańskie góry ponad cztery tysiące bomb, z jakim skutkiem? Nie niszczono mostów, dróg transportowych ani ośrodków wojskowych. Jeśli jednak zużyje się cztery tysiące bomb, trzeba uzupełnić ich zapas. A to oznacza, że należy je kupić. Co to za wojna z terrorem? Słyszeliście kiedyś coś bardziej absurdalnego?".

Inny fragment:

— „Nie wolno wam nie doceniać władzy, jaką posiadają ci ludzie. Tworzą prezydentów, ale także ich niszczą. Zarówno przy pozbawianiu Billa Clintona urzędu, jak i wyniesieniu do godności prezydenta Rosji byłego agenta KGB Władimira Putina M-dwanaście miało wiele do powiedzenia. Nawet jeśli bezpośrednio nie finansuje kampanii prezydenckich, może w każdej chwili spowodować ich odsunięcie od władzy. (...) M-dwanaście zawsze miało i ma nadal silne powiązania z najważniejszymi ludźmi największych wywiadów świata. Dyrektor CIA jest byłym partnerem Randolpha Locha w interesach. Szef MI sześć to brat przyrodni Corneliusa Kopassusa. Killian regularnie odwiedzał dyrektora DGSE w jego paryskim domu. (...) W końcu — Rosenthal uśmiechnął się — kto wie więcej o przywódcach kraju niż jego własny wywiad?".

Natychmiast jednak spoważniał i mówił dalej:

— „Wojną, którą członkowie M-dwanaście lubili najbardziej i która przyniosła im więcej bogactw, niż mogliby sobie wyśnić, była wojna, która tak naprawdę nigdy nie wybuchła: zimna wojna amerykańsko-sowiecka. Pustynna Burza, Bośnia, Somalia, Afganistan — wszystko to blednie w porównaniu z kopalnią złota, jaką była zimna wojna. Ponieważ amerykańsko-sowiecki wyścig zbrojeń coraz bardziej się nakręcał, a w Korei i Wietnamie doszło do pośredniej konfrontacji, członkowie M-dwanaście zgromadzili niewyobrażalne fortuny. Ale w tysiąc dziewięćset dziewięćdziesiątym pierwszym roku zdarzyło się coś niemożliwego: Związek Sowiecki się rozpadł i wszystko się skończyło. Runął mur berliński i amerykański konsumizm zalał świat jak wylewająca się z pękniętej tamy woda. Zwycięzcami w zglobalizowanym biznesie przestali być producenci z branży wojskowej, a zostali nimi dystrybutorzy amerykańskich dóbr konsumpcyjnych: Nike, Coca-Cola, Microsoft. A także firmy europejskie, jak BMW czy L'Oreal. Sprzedawcy kosmetyków! Od tego czasu M-dwanaście szukało czegoś, co przywróciłoby im dawną chwałę...".

Z jednej ze swoich teczek Rosenthal zamaszystym ruchem wyciągnął kolejny dokument i dokończył:

— „...szukało nowej zimnej wojny".

Book II trzymał teraz ten dokument w dłoni.

Taśma została zatrzymana, ekran ukazywał znieruchomiałego Rosenthala.

Book popatrzył na dokument: widział nazwiska i liczby, ale z początku nic nie rozumiał.

Źródło	System transp.	Gł.boj.	Pochodzenie	Cel	Czas
Talbot	Shahab-5	TN76	35702.90	00001.65	11.45
			5001.00	5239.10	
	Shahab-5	TN76	35702.90	00420.02	11.45
			5001.00	4900.25	
	Shahab-5	TN76	35702.90	01312.15	11.45
			5001.00	5358.75	
Ambrose	Shahab-5	TN76	28743.05	28743.98	12.00
			4104.55	4104.64	
	Shahab-5	TN76	28743.05	28231.05	12.00
			4104.55	3835.70	
Jewel	Taep'o-Dong-2	N-8	23222.62	23222.70	12.15
			3745.75	3745.80	
	Taep'o-Dong-2	N-8	23222.62	24230.50	12.15
			3745.75	3533.02	
	Taep'o-Dong-2	N-8	23222.62	23157.05	12.15
			3745.75	4930.52	
Hopewell	Taep'o-Dong-2	N-8	11900.00	11622.50	12.30
			2327.00	4000.00	
	Taep'o-Dong-2	N-8	11900.00	11445.80	12.30
			2327.00	2234.25	
Whale	Shahab-5	TN76	07040.45	07725.05	12.45
			2327.00	2958.65	
	Shahab-5	TN76	07040.45	07332.60	12.45
			2327.00	3230.55	

Po chwili wszystko zaczęło nabierać sensu. Szczególnie często powtarzały się dwie nazwy:
Shahab-5 oraz taep'o-dong-2.
Były to nazwy rakiet bojowych.
Międzykontynentalnych rakiet balistycznych.
Shahab-5 to konstrukcja irańska, a taep'o-dong-2 jest produkowana w Korei Północnej.

Jeżeli jakakolwiek międzynarodowa organizacja terrorystyczna, taka jak al Kaida czy islamski dżihad, chciałaby zdobyć rakiety, mogące posłużyć do ataku nuklearnego na Zachód, najprawdopodobniej byłyby to rakiety Shahab-5 i Taep'o-Dong-2.

Każda z nich — wskazywały na to oznaczenia dodatkowe — była uzbrojona w głowicę nuklearną: TN-76 i N-8.

Ale dokument nie należał do żadnej organizacji terrorystycznej.

Był własnością M-12.

W tym momencie dotarła do Booka prawda.

Oznaczało to, że M-12 jest organizacją terrorystyczną!

Odwrócił się szybko i znów puścił taśmę.

Izraelski agent ponownie zaczął mówić:

— „Ta nowa zimna wojna to wojna z terroryzmem o rozszerzonym zakresie: pięćdziesięcioletnia wojna z terroryzmem. Do realizacji swego celu M-dwanaście zamierza wykorzystać dwa amerykańskie projekty: jeden nazywa się Kormoran, drugi Kameleon. Projekt Kormoran dotyczy stanowisk wystrzeliwania rakiet: okrętów wojennych, zakamuflowanych jako kontenerowce albo supertankowce. Kadłuby supertankowców buduje Kopassus Shipping Group, natomiast systemy odpalania rakiet są na nich montowane w zakładach Axon w Norfolku w Wirginii oraz na wyspie Guam. Okręty te — wyglądające jak zwykłe kontenerowce i tankowce — mogą stać w portach całego świata, nie zwracając na siebie uwagi. Tyle o Kormoranie. Projekt Kameleon jest znacznie bardziej niebezpieczny. Prawdopodobnie jest to najgroźniejszy program, jaki kiedykolwiek stworzono w Stanach Zjednoczonych. Dotyczy on samych rakiet. Wymienione w dokumencie rakiety to nie zwykłe shahaby czy taep'o-dongi — ale zbudowane przez Amerykanów klony tych rakiet. Musicie wiedzieć, że każda rakieta ma indywidualną charakterystykę: rodzaj lotu, skład gazów wylotowych i ich kształt, a nawet sposób wybuchu po uderzeniu w cel. Kameleon wykorzystuje właśnie ten fakt. Jest to supertajny amerykański projekt, w ramach którego USA buduje międzykontynentalne rakiety balistyczne, naśladujące cechy rakiet, budowanych przez inne kraje. Rakiety klony. Kameleon nie ogranicza się do irańskich shahabów i koreańskich taep'o-dongów. Sklonowano też hinduską rakietę Agni-dwa, pakistańską Ghauri-dwa, tajwańskiego Niebiańskiego Konia, amerykańską Trident-dwa D-pięć, francuską M-pięć, izraelską Jerycho-dwa B, no i oczywiście rosyjską SS-osiemnaście. Mają one służyć wywoływaniu wojen — i jednocześnie kierowaniu podejrzeń na inny kraj. Jeżeli Stany Zjednoczone kiedykolwiek będą potrzebowały pretekstu do rozpoczęcia wojny, wystrzelą klona rakiety kraju, który zechcą obwinić o agresję. Rzecz w tym, że kadłuby statków Kormoran buduje Kopassus Shipping, a rakiety Kameleon — Axon. Wykonanie obu projektów zlecono firmom, należącym do członków M-dwanaście. Dwudziestego szóstego października o godzinie jedenastej czterdzieści pięć na świat spadnie deszcz rakiet z głowicami atomowymi. W skoordynowany sposób. Rakiety będą spadały co piętnaście minut, by dostosować się do szybkości działania światowych mediów. Ledwie skończy się informować świat o ataku na jedno miasto, bomba spadnie na następne. Nowy Jork, Londyn, Paryż, Berlin. Świat ogarnie chaos, ludzie będą się zastanawiać, które miasto ma być następne. Kiedy to się skończy, rozpocznie się dochodzenie i wszystkie rakiety zostaną przypisane Irańczykom oraz północnym Koreańczykom. Świat dowie się, że został zaatakowany przez terrorystów. Ludzie będą przerażeni, ale wkrótce ich strach zamieni się we wściekłość. Okaże się, że trzeba rozszerzyć wojnę z terroryzmem. Już trwa dwa lata — teraz będzie musiała potrwać pięćdziesiąt. Zacznie się nowa zimna wojna, a ogólnoświatowy przemysł wojskowy zostanie zmobilizowany jak nigdy przedtem. M-dwanaście zarobi miliardy".

Myśli Booka pędziły jak szalone.

Zakamuflowane supertankowce. Sklonowane rakiety. A wszystko to stworzone przez rząd jego kraju. Nie mógł w to uwierzyć. Zdawał sobie sprawę, że rząd USA robi różne paskudne rzeczy, ale żeby zrzucać winę za rozpoczęcie wojny na inne kraje za pomocą fałszywych rakiet?

Na dodatek te sklonowane rakiety miały zostać wystrzelone nie przez rząd USA, ale przez producentów rakiet, ludzi z M-12, na największe miasta świata: Nowy Jork, Londyn, Paryż, Berlin...

Nowy Jork, Londyn, Paryż...

W tym momencie Book zrozumiał, co oznaczają liczby z dokumentu, który trzymał w dłoni.

Były to współrzędne.

Współrzędne GPS — zarówno okrętów, z których będą wystrzeliwane rakiety, jak i celów ataku.

Zobaczył nazwy okrętów projektu Kormoran: „Ambrose", „Talbot", „Jewel". Dobry dowcip... nazywały się tak samo jak statki, na których przypłynęli do Ameryki założyciele Nowego Jorku. Ci z M-12 również zamierzali stworzyć nowy świat.

Ale co to wszystko miało wspólnego z polowaniem na ludzi i Shane'em Schofieldem? Dlaczego miał zginąć do godziny 12.00 dzisiejszego dnia?

Przypomniał sobie, co powiedział Rosenthal na dachu londyńskiej King's Tower, przekrzykując deszcz: „Chodzi o odruchy. Superszybkie odruchy. Ludzie z listy mają najszybsze odruchy na świecie. Zdali testy Kobra, a tylko tacy ludzie są

w stanie rozbroić system zabezpieczenia rakiet CincLock-
-siedem, który jest podstawą planu M-dwanaście".

CincLock-VII...

Book zaczął przerzucać leżące przed nim teczki i szukać tej
nazwy.

Nie musiał długo szukać.

Była to cała teczka opatrzona napisem: AXON CORP —
OPATENTOWANY SYSTEM ZABEZPIECZAJĄCY CINC-
LOCK Wypełniały ją dokumenty należące do Axon Corporation
i amerykańskiego Ministerstwa Obrony. Pierwsza strona leżącego na wierzchu dokumentu wyglądała następująco:

```
                PROJEKT: KAMELEON-042
      (WARIANT OBEJMUJĄCY SYSTEM ZABEZPIECZAJĄCY
                   CINCLOCK-VII)


               MINISTERSTWO OBRONY USA
           POZIOM BEZPIECZEŃSTWA: 009


                    ŚCISLE TAJNE


       Zleceniobiorca: Axon Corporation LLC
       Raport z postępów prac — maj 2000
```

Book przekartkował do rozdziału BEZPIECZEŃSTWO
i przeczytał pierwszy paragraf:

SYSTEM ROZBRAJANIA — CINCLOCK-VII

Aby zachować poziom bezpieczeństwa niezbędny dla tego
rodzaju broni, rakiety Kameleon zostały wyposażone w opatentowany przez Axon system rozbrajający CincLock-VII. Jest
to obecnie najbardziej odporny na manipulacje mechanizm
na świecie i stosuje trzy unikalne defensywne protokoły. Ak-
tywacja (lub dezaktywacja) systemu jest niemożliwa, dopóki
nie zastosuje się wszystkich trzech protokołów w określonej
sekwencji.

Kluczem do systemu jest drugi protokół. Opiera się on na dobrze
zbadanych zasadach rozpoznawania schematów (Haynes i Simp-

son, MIT, 1994, 1997, 2001, 2002): schemat sekwencyjny może wpisać jedynie osoba, znająca sposób tworzenia sekwencji i mająca dużą praktykę w tym zakresie. Osoba nie znająca systemu nie może go złamać — o ile nie ma niezwykle szybko reagujących neuronów ruchowych (por.: Oliphant i Nicholson, USAMRMC, 1996, badanie TPRNR NATO).

Badania wykazały, że system CincLock-VII jest w 99,94 procentach zabezpieczony przed nieautoryzowanym użyciem. Żaden inny wojskowy system rozbrajający nie może wykazać się tak wysokim poziomem bezpieczeństwa.

PROTOKOŁY
Protokoły jednostki CincLock-VII wyglądają następująco:

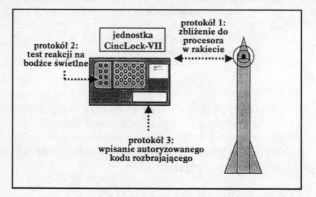

1. Zbliżenie do procesora w rakiecie. Dla zabezpieczenia przed nieautoryzowanym uzbrojeniem/rozbrojeniem, jednostka CincLock nie jest zamocowana do żadnego systemu transportowego. Jest to przenośna jednostka rozbrajająca. Cinc-Lock działa jedynie w promieniu sześćdziesięciu (60) stóp od procesora w rakiecie Kameleon.
2. Test reakcji na bodźce świetlne. Po znalezieniu się w odpowiedniej odległości użytkownik musi nawiązać z systemem rozbrajającym bezprzewodowy kontakt za pomocą modemu. Następuje to po spełnieniu wymagań, stawianych przez opatentowany przez Axon interfejs świetlny. Decydu-

jącą rolę odgrywają tu zasady rozpoznawania schematów.
(patrz: NATO TPRNR, *Wyniki programu badawczego*,
USAMRMC, 1996).
3. Kod bezpieczeństwa. Wpisanie odpowiedniego kodu rozbrajającego lub unieważniającego.

Do ostatniej linijki tekstu Rosenthal dołączył uwagę: **Wpisanie Uniwersalnego Kodu Rozbrajającego było nadzorowane
przez Weitzmana. Ostatnie dane wywiadowcze sugerują
użycie jeszcze nie określonej liczby pierwszej Mersenne'a.**
Podpięto też do tej części dokumentu dodatkową kartkę. Był to
transkrypt rozmowy telefonicznej, podsłuchanej przez Mossad.

```
Trans log: B2-3-001-889
Data: 25 kwietnia, 15.15 EST
Z: Axon Corp, Norfolk, Wirginia, USA
Katsa: ROSENTHAL, Benjamin Y. (452-7621)

GŁOS 1: (DALTON, P.J. NACZELNY INŻYNIER AXON-u):
Proszę pana, nadszedł raport z inspekcji dokonanej
przez MO. Są bardzo zadowoleni z naszych postępów.
Zakochali się w CincLocku, nie mogli się napatrzeć
i ciągle starali się złamać system. Zachowywali się
jak dzieci, które dostały nową zabawkę.

GŁOS 2: (KILLIAN, J.J., PREZES I DYR. NACZ. AXON-u):
Doskonale, Peter, doskonale. Coś jeszcze?

GŁOS 1: (DALTON) Chodzi o następną inspekcję. MO
pyta, czy zależy nam na jakiejś dacie.

GŁOS 2: (KILLIAN) Może 26 października? Myślę, że
niektórym naszym wspólnikom ta data bardzo się
spodoba.
```

A więc data nie jest przypadkowa, pomyślał Book.
26 października.
Killian wyznaczył ten dzień na dokonanie przez Ministerstwo
Obrony inspekcji jego fabryk.

W tym momencie Book spojrzał na następny dokument i nagle zrozumiał cel polowania na ludzi.

Jak na ironię, był to najbardziej niewinny ze wszystkich dokumentów, jakie przejrzał: wewnętrzny e-mail z Axon Corporation.

Od: Peter Dalton
Do: Zespół inżynierów, projekt C-042
Data: 26 kwietnia 2003, godz. 19.58
Temat: NASTĘPNA INSPEKCJA MO

Panie i Panowie, z przyjemnością informuję, że półroczna inspekcja, przeprowadzona w zeszłym tygodniu przez Komitet Nadzorczy Ministerstwa Obrony, wypadła znakomicie. Dziękuję wszystkim za ciężką pracę, zwłaszcza w ostatnich miesiącach.

Inspektorzy byli pod wrażeniem osiągniętych postępów i zachwycili się naszymi innowacjami technicznymi.

Następna półroczna inspekcja została wyznaczona na 26 października w fabryce w Norfolku, na godzinę 12.00, tylko w obecności kierowników działów. Jak zwykle w tygodniu poprzedzającym inspekcję zostanie przeprowadzona ścisła procedura udzielania upoważnień.

Z poważaniem

PD

O to właśnie chodziło.

Dziś był 26 października i o godzinie 12.00 w fabryce rakiet firmy Axon w Norfolku pojawi się inspekcja Ministerstwa Obrony.

Prawdopodobnie inspektorzy od razu odkryją, że w fabryce czegoś brakuje albo że porobiono coś z rakietami, albo że je skradziono — i w tym momencie...

...rząd USA zacznie szukać ludzi, którzy mogą rozbroić system CincLock.

Ludzi z bardzo szybkimi odruchami.

Ludzi z listy.

Z jakiegoś powodu Jonathan Killian i jego M-12 chcieli, aby rząd amerykański właśnie dziś przeprowadził tę inspekcję. Choć Book nie miał pojęcia dlaczego, było oczywiste, że dzisiejsza inspekcja jest niezbędną częścią ich planu.

Pozwalało mu to nieco więcej zrozumieć. Dotychczas wydawało mu się, że odbywające się właśnie międzynarodowe polowanie na ludzi to jedynie ostrzeżenie dla tych, którzy mogliby pokrzyżować plany M-12.

Teraz sprawa była jasna.

O 12.00 rząd amerykański odkryje coś w fabryce w Norfolku, coś związanego z rakietami Kameleon i okrętami Kormoran. Coś, co musi odkryć, aby M-12 mogło zrealizować swoje plany i rozpocząć nową zimną wojnę.

— Musimy zdobyć ten projekt — powiedział do siebie Book i odwrócił się do Scotta Moseley'a. — Panie Moseley, proszę zadzwonić do Ministerstwa Obrony i kazać zacząć inspekcję Kameleon/Kormoran wcześniej. Proszę też porozumieć się z naszymi ludźmi na wyspie Guam i niech ktoś sprawdzi tamtą fabrykę.

— Oczywiście — odparł Moseley.

Book zajął się liczbami na liście — współrzędnymi GPS miejsc odpalania rakiet i celów ataku. Uruchomił program, który miał narysować mapę miejsc, wyznaczanych przez współrzędne, po czym włączył radio satelitarne.

— Strachu na Wróble! Tu Book! Zgłoś się! Mam dla ciebie ważne informacje...

W pobliżu Forteresse de Valois
Bretania
26 października, godzina 15.00 czasu lokalnego
(09.00 EST USA)

Helikopter firmy Axon, który jeszcze minutę temu stał przed Aloysiusem Knightem i ranną Libby Gant, odlatywał wzdłuż wybrzeża, wracając do Forteresse de Valois — z obydwojgiem na pokładzie.

Obserwowała go samotna postać, unosząca się na wodzie u stóp klifu.

Był to Schofield.

Kiedy płonący mack wyprysnął z szosy w powietrze i uderzył w nieruchomo wiszącego mirage'a, Schofielda oczywiście nie było w środku.

Gdy tylko opony ciężarówki oderwały się od jezdni, wyskoczył z kabiny i znalazł się w powietrzu obok ciężarówki.

Po chwili mack uderzył w samolot.

Rozległ się potężny huk i wszędzie zaczęły latać kawałki metalu.

W momencie eksplozji Schofield był pod kulą ognia — i poza polem widzenia Knighta oraz Gant.

Pierwszą rzeczą, o której pomyślał, był maghook.

Nie tym razem. Skończył się gaz.

Cholera!

Leciał — nie pionowo w dół, ale skosem — z niesamowitą prędkością mijając klify. Fale oceanu zbliżały się szybko. Gdyby uderzył w wodę spadając z takiej wysokości, jego ciało rozpadłoby się jak rzucony o beton pomidor.

Zrób coś!

Tylko co?!

W tej sekundzie coś sobie przypomniał...

...i szarpnął linkę na piersi. Miał przecież na plecach — od czasu walki na pokładzie herculesa — spadochron szturmowy. Był tak mały, że zupełnie zapomniał o jego istnieniu.

Spadochron rozwinął się, kiedy Schofield był jakieś osiemdziesiąt stóp nad wodą.

Nie spowolnił całkowicie uderzenia o powierzchnię, ale pomógł.

Schofield przeleciał dwadzieścia stóp poziomo — ze znacznie mniejszą prędkością — po czym wbił się w wodę nogami naprzód, odpiął spadochron i zanurkował, ciągnąc za sobą kolumnę pęcherzyków powietrza.

W samą porę.

Chwilę później ciężarówka i myśliwiec, płonąc, uderzyły w fale tuż obok.

Schofield wynurzył się przy klifach, pomiędzy fragmentami wraków.

Starając się nie zostać zauważonym, płynął między palącymi się kawałami metalu, aż helikopter odbił w bok, odleciał i zniknął za klifami.

Czy Knightowi i Gant udało się uciec, czy też byli w tym helikopterze?

— Lis... Lis... tu Strach na Wróble... — szepnął do laryngofonu. — Jeszcze żyję. Jesteś okej?

Odpowiedziało mu jedno kaszlnięcie. Była to stara metoda — słyszała go, ale nie mogła mówić. A więc złapali ją.

— Jedno na tak, dwa na nie. Jesteś w tym helikopterze, który właśnie odleciał?

Pojedyncze kaszlnięcie.

— Jesteś poważnie ranna?

Jedno kaszlnięcie.

— Naprawdę poważnie?

Znowu jedno kaszlnięcie.

Cholera!

— Knight jest z tobą?

Pojedyncze kaszlnięcie.

— Zabierają was do zamku?

Kaszlnięcie.

— Trzymaj się, Libby. Idę do ciebie — powiedział Schofield.

Rozejrzał się i właśnie zamierzał podpłynąć do brzegu, gdy dwieście metrów od niego zatrzymał się francuski niszczyciel.

Spuszczano z niego motorówkę patrolową — z dwunastoma ludźmi na pokładzie.

Ledwie łódź dotknęła wody, pomknęła w jego kierunku.

Schofield mógł jedynie obserwować płynących w jego stronę Francuzów.

— Mam nadzieję, że zapomnieli o akcji na Antarktydzie... — mruknął pod nosem.

W tym momencie rozkrzyczała się słuchawka w jego uchu.

— *Strachu na Wróble! Tu Book! Zgłoś się! Mam dla ciebie ważne informacje...*

— Cześć, Book. Słucham.

— *Możesz mówić?*

Schofield bujał się na falach.

— Jasne, czemu nie? — Francuski patrol był oddalony o jakieś sto pięćdziesiąt jardów. — Ale muszę cię ostrzec, że chyba zaraz zginę.

— *Już wiem, o co w tym wszystkim chodzi.*

— *Book, dołącz do przekazu Gant i Knighta. Nie mogą mówić, ale chciałbym, żeby też cię słyszeli.*

Book zrobił, co mu kazano.

Opowiedział o supertankowcach Kormoran i rakietach klonach Kameleon oraz o planie M-12 rozpoczęcia nowej zimnej wojny wystrzeleniem tych rakiet na największe miasta świata. Opowiedział o systemie CincLock-VII, który mogą rozbroić jedynie Schofield i ludzie z listy, oraz o wprowadzeniu do tego systemu przez Ronsona Weitzmana amerykańskiego Uniwersalnego Kodu Rozbrajającego — nazwanego przez Rosenthala „jeszcze nie określoną liczbą pierwszą Mersenne'a".

Schofield zmarszczył czoło.

— Liczba pierwsza Mersenne'a... To liczba...

Nagle przypomniał sobie Ronsona Weitzmana, który w herculesie bełkotał bez ładu i składu pod wpływem angielskiego narkotyku: „O nie... nie chodziło tylko o Kormorana... chodziło także o Kameleona. Boże — o Kormorana i Kameleona razem... Statki i rakiety... wszystko zdradzone. Jezu... Uniwersalny Kod Rozbrajający zmienia się co tydzień... w tej chwili to szósta... o mój Boże... szósta li... li... linia...".

Linia?

Liczba!

Nie wiedząc, o co chodzi, słuchając generała po prostu przekręcił ostatnie słowo. Nie chodziło o żadną linię.

Generał nie gadał bez ładu i składu — mimo działania narkotyku mówił prawdę. Wymienił kod.

Uniwersalnym Kodem Rozbrajającym była szósta liczba pierwsza Mersenne'a!

Kiedy Book przekazywał przyjaciołom wieści, Scott Moseley wpisywał współrzędne GPS do programu graficznego.

— Mam trzy pierwsze okręty — powiedział po chwili. — Pierwsza współrzędna musi być lokalizacją okrętu Kormoran, druga celem.

Podał Bookowi kartkę z dodanymi zacienionymi nazwami miast:

źródło	System transp.	Gł.boj.	Pochodzenie	Cel	Czas
Talbot	Shahab-5	TN76	35702.90	00001.65	11.45
			5001.00	5239.10	
			(k.La Manche)	(Londyn)	
	Shahab-5	TN76	35702.90	00420.02	11.45
			5001.00	4900.25	
			(k.La Manche)	(Paryż)	
	Shahab-5	TN76	35702.90	01312.15	11.45
			5001.00	5358.75	
			(k.La Manche)	(Berlin)	
Ambrose	Shahab-5	TN76	28743.05	28743.98	12.00
			4104.55	4104.64	
			(Nowy Jork)	(Nowy Jork)	
	Shahab-5	TN76	28743.05	28231.05	12.00
			4104.55	3835.70	
			(Nowy Jork)	(Waszyngton)	
Jewel	Taep'o-Dong-2	N-8	23222.62	23222.70	12.15
			3745.75	3745.80	
			(San Fran)	(San Fran)	
	Taep'o-Dong-2	N-8	23222.62	24230.50	12.15
			3745.75	3533.02	
			(San Fran)	(Los Angeles)	
	Taep'o-Dong-2	N-8	23222.62	23157.05	12.15
			3745.75	4930.52	
			(San Fran)	(Seattle)	

Moseley wpisał punkty na mapę.

— Pierwszy okręt jest na kanale La Manche, przed Cherbourgiem, niedaleko plaż Normandii — powiedział Book do Schofielda, patrząc na kartkę. — Będzie strzelał na Londyn, Paryż i Berlin. Następne dwa są w Nowym Jorku i San Francisco, oba zaatakują różne miasta.

— Jezu... — jęknął unoszący się na wodzie Schofield.

Łódź patrolowa była oddalona najwyżej o pięćdziesiąt jardów.

— Book, posłuchaj: musisz zorganizować akcję okrętów podwodnych — powiedział Schofield i wypluł słoną wodę, która wpadła mu do ust po uderzeniu w twarz falą. — Okręty z rakietami nie będą mogły ich wystrzelić, leżąc na dnie morza. Zdekoduj wszystkie współrzędne GPS tankowców Kormoran i porozum się z naszymi okrętami podwodnymi, znajdującymi się w pobliżu. Sześćset osiemdziesiąt osiem Is, atomówki — nieważne. Bierz wszystko, co ma na pokładzie torpedy. Niech je porozwalają.

— *To się może udać w przypadku części z nich, ale nie wszystkich.*

— Wiem. Czego nie da się zatopić, tam trzeba będzie wejść na pokład i rozbroić rakiety w silosach. Problem w tym, że rozbrajający — czyli ja — musi reagować na sygnały świetlne na ekranie. W dodatku, aby rozbroić rakietę, trzeba znajdować się w promieniu sześćdziesięciu stóp od niej, a nie mogę w tym samym czasie być w różnych miejscach na świecie. Dlatego na każdym okręcie muszę mieć kogoś, kto skontaktuje mnie z rakietą satelitarnie.

— *Chcesz mieć ludzi na wszystkich okrętach?*

— Tak, Book. Tam, gdzie w okolicy nie ma okrętów podwodnych, ktoś będzie musiał wejść na pokład Kormorana i znaleźć się w promieniu sześćdziesięciu stóp od jednostki sterującej rakiety, aby połączyć się z nią i satelitarnie przesłać mi sygnał. Dopiero wtedy będę mógł użyć CincLocka do rozbrojenia rakiety.

— *Jasna cholera! Co mam robić?*

Kolejna fala plusnęła Schofieldowi w twarz.

— Leć do Nowego Jorku i zadzwoń do Davida Fairfaksa. Poślij go do San Francisco. Potrzebuję ludzi, którym mogę ufać. Aha, i zapytaj Fairfaksa, co to jest szósta liczba pierwsza Mersenne'a. Jeśli nie wie, niech się dowie. I ostatnia rzecz: niech inspekcja z Ministerstwa Obrony, ta, która miała być w Norfolku o dwunastej, zjawi się w fabryce wcześniej. Chcę wiedzieć, co tam się stało.

— *To już załatwione.*

— Dobra robota.

— *A co z tobą?*

W tym momencie francuski patrol dotarł do Schofielda.

Marynarze, wyglądający na bardzo rozzłoszczonych, celowali do niego z karabinków szturmowych FAMAS.

— Jeszcze mnie nie zabili, więc chyba ktoś chce ze mną rozmawiać. To znaczy, że nadal jestem w grze. Strach na Wróble, koniec.

Po chwili wyciągnięto go z wody.

Biały Dom
Waszyngton
26 października, godzina 09.15 czasu lokalnego
(15.15 we Francji)

W Pokoju Sytuacyjnym Białego Domu wrzało.

Wszędzie biegali asystenci. Generałowie i admirałowie rozmawiali przez bezpieczne telefony. Na wszystkich ustach były słowa: „Kormoran", „Kameleon" i „Shane Schofield".

Prezydent wszedł do sali w chwili, gdy jeden z przedstawicieli marynarki wojennej, admirał Gaines, przyciskał do ucha telefon.

— Panie prezydencie, mam na linii Moseleya z Londynu. Mówi, że ten Schofield chce, abym strategicznie rozmieścił okręty podwodne wokół różnych celów na powierzchni, rozrzuconych po całym świecie. Sir, chyba nikt się nie spodziewa, że pozwolę trzydziestoletniemu kapitanowi piechoty morskiej rządzić amerykańską marynarką wojenną?

— Zrobi pan dokładnie to, co mówi kapitan Schofield, admirale — powiedział prezydent. — Dostanie to, czego chce. Jeśli każe panu strategicznie rozmieścić okręty, rozmieści je pan. Jeżeli każe panu zrobić blokadę Korei Północnej, zablokuje ją pan. Co za ludzie! Zdawało mi się, że w tym zakresie panuje jasność! Niech pan nie zawraca mi głowy każdym drobiazgiem, o który poprosi Schofield! Całkiem możliwe, że na jego barkach spoczywa los świata. Znam go i ufam mu. Oddałbym w jego ręce własne życie! Niech pan robi wszystko, co trzeba — oczywiście poza atakiem jądrowym — i informuje mnie dopiero po fakcie. A teraz proszę zacząć rozmieszczać okręty!

Biura Defense Intelligence Agency
Pentagon, poziom minus trzy
26 października, godzina 9.30 czasu lokalnego
(15.30 we Francji)

Poobijany i posiniaczony David Fairfax wrócił do swojego biura na najniższym poziomie Pentagonu w towarzystwie dwóch policjantów.

Wendel Hogg czekał na niego, z Audrey przy boku.

— Fairfax! — ryknął. — Gdzie pan był, do jasnej cholery?!

— Idę do domu.

— Gówno pan idziesz do domu. Napiszesz pan raport, a potem pójdziesz na górę, na rozmowę dyscyplinarną dotyczącą przepisów bezpieczeństwa Pentagonu...

Fairfax, zbyt zmęczony, aby się czymkolwiek przejmować, stał jedynie i słuchał.

— ...a potem... potem znikniesz pan stąd na dobre, zasrany mądralo. Wreszcie się dowiesz, że nie jesteś nikim specjalnym ani nietykalnym i że... — Hogg popatrzył na Audrey — ...bezpieczeństwo tego kraju należy pozostawić takim ludziom jak ja, ludziom, którzy umieją walczyć i są przygotowani do noszenia broni oraz...

Nie dokończył zdania.

Za plecami Fairfaksa pojawił się nagle oddział złożony z dwunastu komandosów piechoty morskiej. Mieli na sobie kombinezony bojowe i pełne uzbrojenie — karabinki szturmowe Colt, MP-7 — i wyglądali naprawdę groźnie.

Oczy Fairfaksa rozszerzyły się z zaskoczenia.

Dowódca oddziału wystąpił naprzód.

— Jestem kapitan Andrew Trent, korpus piechoty morskiej Stanów Zjednoczonych. Szukam pana Davida Fairfaksa.

Fairfax przełknął ślinę.

Audrey westchnęła.

Hogg wywalił gały.

— Co tu się, do jasnej Anielki, dzieje?

Trent podszedł bliżej. Był wielki, potężnie umięśniony i w bojowym stroju naprawdę robił wrażenie.

— Pan Wendel Hogg, prawda? — powiedział. — Panie Hogg, moje rozkazy zostały wydane bezpośrednio przez prezydenta Stanów Zjednoczonych. Grozi nam poważny incydent międzynarodowy i w obecnej chwili pan Fairfax jest prawdopodobnie czwartą co do ważności osobą w kraju. Mam rozkaz towarzyszyć mu i chronić go. Jeśli więc nie ma pan nic przeciwko temu, panie Hogg, proszę zejść nam z drogi.

Hogg nawet nie drgnął.

Audrey z zachwytem wpatrywała się w Fairfaksa.

Komputerowiec wahał się. Po wydarzeniach poranka nie bardzo wiedział, komu może ufać.

— Panie Fairfax, zostałem przysłany przez Shane'a Schofielda — wyjaśnił Trent. — Powiedział, że znów potrzebuje pańskiej pomocy. Jeżeli mi pan w dalszym ciągu nie wierzy, proszę...

Podał mu radio.

Po drugiej stronie był Book II.

Po dwudziestu dwóch minutach David Fairfax siedział na pokładzie wyczarterowanego concorde'a, lecącego z naddźwiękową prędkością na zachód, do San Francisco.

W drodze na lotnisko Trent powiedział mu, czego oczekuje od niego Schofield, a Book zapytał, czym jest szósta liczba pierwsza Mersenne'a.

— Szósta liczba Mersenne'a? Będę potrzebował kawałka papieru i czegoś do pisania — oświadczył Fairfax.

Siedział teraz w kabinie pasażerskiej concorde'a, pochylony nad kartką, i coś pisał, bardzo skoncentrowany. Cały samolot miał tylko dla siebie, oczywiście jeśli nie liczyć dwunastu uzbrojonych po zęby marines.

**Stocznia i montażownia rakiet Axon Corporation
Norfolk, stan Wirginia
26 października, godzina 9.35 czasu lokalnego
(15.35 we Francji)**

Inspektorzy Ministerstwa Obrony, wyznaczeni do nadzorowania połączonego projektu Kormoran/Kameleon zjawili się w fabryce w Norfolku w towarzystwie dwóch oddziałów korpusu piechoty morskiej.

Fabryka była potężna — cały kompleks składał się z kilkunastu połączonych ze sobą budynków, ośmiu gigantycznych suchych doków oraz niezliczonych dźwigów, wznoszących się wysoko w niebo.

To właśnie tu Axon Corporation montowała na amerykańskich okrętach wojennych supernowoczesne systemy rakietowe.

W jednym z suchych doków stał obstawiony dźwigami samotny supertankowiec.

Choć zegar fabryczny wskazywał wpół do dziesiątej rano, nigdzie nie było widać śladu życia.

Marines wzięli fabrykę szturmem.

Bez wymiany ognia.

Bez walki.

W ciągu kilku minut.

Kiedy uznano teren za zabezpieczony, dowódca oddziału oznajmił przez radio:

— Możecie wpuścić chłopaków z MO, ale uprzedzam: nie jest tu najprzyjemniej.

Smród był porażający.

Wokół unosił się odór gnijącego ludzkiego ciała.

Główne biuro było całe skąpane we krwi. Ochlapała ściany, zakrzepła na blatach stołów roboczych i ściekła ze stalowych schodów, tworząc makabryczne bordowe stalaktyty.

Na szczęście dla robotników tydzień przed oficjalną inspekcją fabryka została zamknięta, udało im się więc ujść z życiem.

Inżynierowie wyższego szczebla i kierownicy działów nie mieli jednak szczęścia: leżeli jeden obok drugiego, w równym szeregu, w głównym laboratorium — zabijano ich jednego po drugim. Ściana za ich ciałami była pokryta zachodzącymi na siebie plamami krwi.

Przez tydzień żywiły się nimi szczury.

Pięć ciał wyróżniało się wyraźnie — nie byli to pracownicy firmy Axon.

Najwyraźniej pracownicy fabryki nie poddali się bez walki — ochrona unieszkodliwiła kilku intruzów.

Pięć podejrzanych ciał leżało w różnych miejscach — ludzi tych zabito strzałami w głowy lub w pierś, ich kałasznikowy leżały obok nich.

Wszystkie trupy były ubrane w czarne mundury wojskowe i wszystkie miały twarze przewiązane arabskimi chustami.

Choć za sprawą szczurów ciała były w bardzo złym stanie, na ramionach zabitych widać było wyraźnie charakterystyczny tatuaż, przedstawiający dwie zagięte arabskie szable — znak islamskiego dżihadu.

Zespół inspektorów Ministerstwa Obrony, z pomocą agentów ISS i FBI — szybko oszacował zniszczenia.

Inspektorzy odebrali także telefon od drugiej grupy, kontrolującej fabrykę na wyspie Guam. Miała tam miejsce podobna masakra.

Kiedy nadeszła ta wiadomość, jeden z urzędników Ministerstwa Obrony zadzwonił z bezpiecznego telefonu do Białego Domu.

— Jest źle — powiedział. — W Norfolku mamy piętnastu zabitych: dziewięciu inżynierów i sześciu ludzi ochrony. Straty wroga: pięciu terrorystów, wszyscy martwi. Wstępne badanie wskazuje na to, że ciała rozkładają się od mniej więcej ośmiu dni. Nie da się określić dokładnej chwili śmierci. To samo na Guam, tyle że tam zginął jeden terrorysta. Wszyscy terroryści zostali zidentyfikowani przez FBI jako znani członkowie islamskiego dżihadu. Jest też jedna gruba ryba: Shoah Riis. Musiało w tym brać udział znacznie więcej terrorystów. Z fabryki w Norfolku zniknęły trzy supertankowce Kormoran, z fabryki na Guam dwa... wszystkie uzbrojone w rakiety Kameleon...

Przestrzeń powietrzna nad wybrzeżem Francji
Godzina 15.40 czasu lokalnego
(09.40 EST USA)

Czarny Kruk mknął wzdłuż wybrzeża Francji, kierując się na Forteresse de Valois.

— Rufus, muszę się czegoś dowiedzieć — powiedziała Matka. — Co jest grane z twoim szefem? No wiesz... co taki uczciwy mruk jak ty robi z takim mordercą jak Knight?

Siedzący na przednim fotelu Rufus przekrzywił głowę.

— Kapitan Knight nie jest złym człowiekiem — powiedział powoli. — A już na pewno nie tak złym, jak wszyscy mówią. Oczywiście potrafi na zimno zabić człowieka i widziałem, jak to robi, ale nie urodził się taki. Takim go zrobiono. Nie jest święty, ale nie jest zły. Poza tym zawsze o mnie dbał.

— Jasne... — mruknęła Matka. — Skąd w takim razie te rzeczy w jego aktach? Zdrada własnego oddziału w Sudanie... ostrzegł wtedy ludzi al Kaidy i pozwolił swoim wejść w pułapkę. Trzynastu ludzi. Wszyscy przez niego zginęli.

Rufus ze smutkiem skinął głową.

— Tak, widziałem te akta, ale opowieści o Sudanie to kupa gówna. Wiem, bo tam byłem. Kapitan Knight nigdy nikogo nie zdradził. I na pewno nie wystawił trzynastu ludzi na śmierć.

— Nie wystawił ich na śmierć?

— Nie, proszę pani. Zabił tych drani osobiście.

— Byłem wtedy pilotem helikoptera, w NightStalkerach i woziłem takich jak Knight na „czarne" operacje. Robiliśmy nocne loty na Sudan i likwidowaliśmy obozy treningowe terrorystów po atakach na ambasady w Kenii i Tanzanii w dziewięćdziesiątym ósmym. Startowaliśmy z Jemenu i wpadaliśmy do Sudanu przez Morze Czerwone. Poznałem Knighta w bazie w Adenie. Przez większość czasu siedział sam. Czytał książki, wie pani, takie grube, bez obrazków. I ciągle pisał listy do domu, do żony. Był inny od reszty pilotów z mojej jednostki... Tamci nie byli dla mnie zbyt mili. Jestem dość łebski, matematyka i fizyka to dla mnie pestka i dlatego umiem latać samolotem albo helikopterem lepiej niż ktokolwiek na tym świecie, ale nie czuję się zbyt dobrze między ludźmi. Czasami nie łapię dowcipu w kawałach, zwłaszcza świńskich. Inni piloci lubili robić sobie ze mnie żarty, na przykład przysyłali do mojego stolika w kantynie pielęgniarkę ze szpitala, żeby seksownie ze mną porozmawiała, albo posyłali mnie na odprawy, w których wcale nie miałem brać udziału. Tego typu rzeczy. Zamiast mówić mi Rufus, mówili Głupus. Potem niektórzy z D. też mnie zaczęli tak nazywać. Nienawidziłem tego. Ale kapitan Knight nigdy mnie tak nie nazwał. Ani razu. Zawsze mówił do mnie po imieniu. Pewnego dnia przechodził koło mojej kwatery zaraz po tym, jak kilku koleżków zabrało mi, kiedy spałem, książki, które miałem przy łóżku, i zamieniło je na świńskie czasopisma. Gdy kapitan Knight spytał, co się stało, wszyscy zaczęli się śmiać. Jeden z nich, Harry Hartley, kazał mu się odpierdolić i zająć swoimi sprawami. Knight stał bez ruchu w drzwiach, nic nie mówił. Hartley jeszcze raz kazał mu spadać. Knight nie poruszył się, więc Hartley wściekł się, podszedł do niego i zamachnął się. Knight przewrócił go wyrzutem nóg, a potem przycisnął mu kolano do gardła i powiedział, że moje umiejętności latania to jak najbardziej jego sprawa i mają mnie zostawić w spokoju... albo znów przyjdzie. Nigdy więcej nikt ze mnie nie zażartował.

— A co się stało z trzynastoma żołnierzami, zabitymi w Sudanie? — spytała Matka.

— Kiedyś poleciał na akcję... on często działał sam. Pozwala się na to ludziom z Delty, bo dobry żołnierz w pojedynkę czasem może spowodować więcej zniszczeń niż cały pluton.

W każdym razie był którejś nocy w Port Sudanie i sprawdzał stary magazyn. To miasto jest jak miasto duchów — opuszczone, totalnie zniszczone — dlatego al Kaida zorganizowała tam obóz treningowy w starym magazynie. Knight wchodzi więc do magazynu i czeka. Tamtej nocy odbywało się w nim wielkie spotkanie, nie jakieś byle zebranie kupców z al Kaidy z rosyjskimi handlarzami broni. Zjawił się sam bin Laden i trzech cichociemnych z CIA i zaczęli mówić o atakach bombowych na ambasady. Knight wysłał cichy sygnał, podał swoją pozycję i wezwał wsparcie, dodając, że na spotkanie przybył także Osama bin Laden. Powiedział, że może go zlikwidować, ale dowództwo kazało mu czekać. Wysłali do niego oddział Delty z Adenu — szesnastu ludzi w black hawku, ze mną za sterami. Oczywiście kiedy przylecieliśmy na miejsce, bin Ladena dawno już nie było. Spotkaliśmy się z Knightem w umówionym miejscu na wybrzeżu, w opuszczonej latarni morskiej. Był wkurzony jak cholera. Dowódcą Delty był kapitan Wade Brandeis, który poinformował Knighta, że gra idzie o coś większego, o coś, co znacznie go przerasta. Knight odwrócił się na pięcie i poszedł do helikoptera, a ten jebany Brandeis za jego plecami dał znak swoim dwóm kolesiom i powiedział: „Pilot też. Nie może wrócić po tym, co widział". Kutasy z Delty wycelowali ze swoich MP-5 w plecy Knighta i we mnie. Nie miałem czasu krzyknąć, ale nie musiałem, bo Knight wiedział, co się dzieje. Wyjaśnił mi później, że słyszał, jak ich rękawy ocierają się o opancerzenie, kiedy podnosili broń. Sekundę przedtem, nim zaczął strzelać, skoczył do przodu i wepchnął mnie do helikoptera. Chłopcy z Delty ruszyli na nas i zaczęli strzelać, pociski waliły w helikopter. Ale Knight poruszał się dla nich za szybko. Wypchnął mnie z helikoptera z drugiej strony, przeciągnął przez kawałek wolnej przestrzeni i wepchnął do latarni. Nie uwierzyłabyś, co się tam potem działo. Przyszli po nas ludzie z Delty — cały oddział zabójców. Szesnastu ludzi. Tylko trzem z nich udało się uciec. Knight zabił dziewięciu, zanim Brandeis i jeszcze dwóch zrezygnowało i wybiegło na zewnątrz. Wiedząc, że Knight jest cały czas w środku i walczy z czterema jego ludźmi, Brandeis zamocował na drzwiach granat termitowo-amatolowy. Nie wiem, czy widziałaś, jak to wybucha, ale łomot jest naprawdę spory. W każdym razie granat eksplodował i cała latarnia przewróciła się jak stara sekwoja. Kiedy padała, ziemia się zatrzęsła. Gdy pył osiadł, zobaczyliśmy, że nic z niej nie zostało, tylko sterta gruzu. Nikt nie mógł przeżyć. Ani czwórka ludzi z Delty, których Brandeis zostawił w środku, ani my. Tak przynajmniej myślał Brandeis. Zabrał moją maszynę i razem z pozostałą przy życiu dwójką swoich ludzi odleciał do Adenu. Rozwalająca się latarnia zabiła czterech ludzi z Delty, ale my przeżyliśmy. Kiedy Knight zobaczył, że Brandeis wychodzi z latarni, domyślił się, że ją wysadzi, więc natychmiast zjechaliśmy po linie na dół i schowaliśmy się w piwnicy. Latarnia się przewróciła, ale piwnica wytrzymała. Potrzebowaliśmy całego dnia, żeby się z niej wykopać.

— Rany...

— Potem dowiedzieliśmy się, że Brandeis pracował dla jakiejś grupy, działającej wewnątrz armii amerykańskiej... To Intelligence Convergence Group, w skrócie ICG. Słyszałaś kiedyś o nich?

— Tak. Raz lub dwa — odparła ponuro Matka.

— Wiele o nich nie było wiadomo. Podobno to jakaś agencja rządowa, infiltrująca oddziały wojskowe, wielkie firmy i uniwersytety, i donosząca rządowi o wszystkim, co się tam dzieje. Kilka lat temu zrobiono czystkę i zlikwidowano ich, ale kilku jej członkom udało się przetrwać, w tym także Brandeisowi. To właśnie ICG kryła się za atakami bombowymi na amerykańskie ambasady w Afryce. Chcieli zlikwidować pracujących tam szpiegów i zlecili brudną robotę al Kaidzie. W każdym razie, aby wytłumaczyć jakoś jatkę w latarni morskiej, ICG zrzuciła wszystko na Knighta. Powiedzieli, że wziął od al Kaidy kupę kasy, i przypisali mu wszystkich zabitych, twierdząc, że ostrzegł al Kaidę o ich przybyciu. Umieszczono Knighta na pierwszym miejscu listy najbardziej poszukiwanych osób Ministerstwa Obrony. Jego akta oznakowano kodem Zebra: „zastrzelić natychmiast po zobaczeniu", a rząd USA wyznaczył za jego głowę dwa miliony dolarów nagrody.

— Łowca nagród, za którego głowę wyznaczono nagrodę... ładne — mruknęła Matka.

— Potem jednak ICG zrobiła jeszcze gorszą rzecz. Jak mówiłem, Knight miał żonę. Miał też dziecko. ICG ich zabiło.

Zaaranżowali to tak, jakby dokonali tego włamywacze. Zabili mu i żonę, i dziecko. Teraz ICG już nie istnieje, rodzina Knighta nie żyje, ale nagroda za jego głowę nadal jest aktualna. Rząd USA od czasu do czasu wysyła za nim oddział zabójców, jak parę lat temu w Brazylii. No i Wade Brandeis w dalszym ciągu służy w Delcie. Jest chyba majorem, stacjonuje w Jemenie.

— W ten sposób Knight został łowcą nagród...

— Zgadza się. A ja poszedłem za nim. Uratował mi życie i zawsze był dla mnie dobry, zawsze mnie szanował. Nigdy nie zapomniał Brandeisa. Ma nawet na przedramieniu tatuaż, który ma mu o nim przypominać. Ciągle czeka na okazję spotkania się z nim...

Matka przez chwilę przetrawiała to wszystko.

Przypomniała jej się misja sprzed paru lat, w której uczestniczyła — na Antarktydzie — razem z Schofieldem i Gant. Misja, w której mieli do czynienia z ICG.

Na szczęście wygrali wtedy, ale Aloysius Knight, który mniej więcej w tym samym czasie również walczył z ICG — przegrał. I to z wielkimi stratami.

— Wygląda na to, że Shane Schofield się pomylił... — mruknęła.

— Słucham?

— Nieważne.

Patrzyła na horyzont i w jej głowie pojawiła się dziwna myśl. Co by się stało z Shane'em Schofieldem, gdyby kiedyś przegrał, tak, jak przegrał Knight?

Dziesięć minut później Czarny Kruk dotarł do wybrzeża Bretanii.

Rufus i Matka patrzyli na wijącą się nadbrzeżną drogę, na wybite w jezdni kratery, ślady po uderzeniach pocisków na skałach i porozrzucane wszędzie dymiące wraki ciężarówek, samochodów rajdowych i helikopterów.

— Co tu się działo? — spytał Rufus.

— To ślady działalności Stracha na Wróble — odparła Matka. — Pytanie tylko, gdzie jest teraz.

Francuski lotniskowiec „Richelieu"
Ocean Atlantycki, francuskie wybrzeże atlantyckie
26 października, godzina 15.45 czasu lokalnego
(9.45 EST USA)

Potężny francuski helikopter marynarki wojennej SuperPuma wylądował na pokładzie lotniskowca — z Shane'em Schofieldem w środku, skutym kajdankami i pilnowanym przez sześciu uzbrojonych marynarzy.

Kiedy łódź patrolowa przechwyciła go przy brzegu, zabrano go na francuski niszczyciel i stamtąd przewieziono helikopterem na lotniskowiec, stojący dalej na morzu.

Ledwie koła helikoptera dotknęły pokładu, maszyna zaczęła opadać — i po chwili wylądowała na platformie wielkiej windy, która szybko zjeżdżała.

Winda zatrzymała się przed olbrzymim hangarem, umieszczonym bezpośrednio pod pokładem. Stało w nim mnóstwo myśliwców Mirage, samolotów do zwalczania okrętów podwodnych, cystern i samochodów terenowych.

W środku hangaru, czekając na przybycie windy z helikopterem, stała grupa złożona z czterech osób — czterech wojskowych i jednego cywila.

Admirał marynarki wojennej Francji.

Generał armii francuskiej.

Komandor sił powietrznych Francji.

Mężczyzna w szarym garniturze.

Skutego kajdankami Schofielda wypchnięto z helikoptera i zaprowadzono przed czwórkę oficjeli.

Jeśli nie liczyć strażników kapitana, hangar został całkowicie opróżniony z personelu. Wyglądało to dość osobliwie: grupka ludzi stała między licznymi samolotami, pośrodku wielkiego hangaru, w którym nic się nie poruszało.

— A więc to jest Strach na Wróble... — wycedził generał armii. — Człowiek, który na Antarktydzie zniszczył oddział moich najlepszych spadochroniarzy.

— Ja w czasie tego incydentu straciłem okręt podwodny — dodał admirał. — Jeszcze nie zostało wyjaśnione, co się z nim stało.

To by było na tyle, jeśli chodzi o zapomnienie o Antarktydzie, pomyślał Schofield.

Do przodu wystąpił mężczyzna w garniturze. Wyglądał sympatyczniej od pozostałych i sprawiał wrażenie człowieka, z którym łatwiej można się porozumieć. I prawdopodobnie właśnie dlatego był najbardziej niebezpieczny.

— Kapitanie Schofield, nazywam się Pierre Lefevre, jestem z Direction Générale de la Sécurité Extérieure.

DGSE, czyli francuska wersja CIA — jeśli nie liczyć Mossadu, była to najbardziej bezwzględna agencja wywiadowcza świata.

Pięknie... — pomyślał Schofield.

— O co chodzi, Pierre? — spytał. — Francja działa rękę w rękę z M-dwanaście? Czy tylko z Jonathanem Killianem?

— Nie wiem, o czym pan mówi — odparł Lefevre. — Wiemy tylko to, co *monsieur* Killian nam powiedział, a Republika Francuska widzi w realizacji jego planu taktyczną korzyść.

— Co zamierzacie ze mną zrobić?

— Ja najchętniej wyrwałbym ci serce — syknął generał.

— A ja bym ci je wyrwał i pokazał na mojej dłoni — dodał admirał.

— Mój cel jest bardziej praktyczny — powiedział spokojnie Lefevre. — Panowie będą oczywiście mieli okazję spełnić swoje życzenie, najpierw jednak sprawdzimy, czy plan Killiana jest stuprocentowo pewny.

Położył na stojącej obok ławeczce trzymaną w ręku aktówkę i otworzył ją, ukazując metalowe urządzenie wielkości książki.

Wyglądało to jak mały komputer, ale z dwoma ekranami: w górnej części znajdował się większy ekran dotykowy, na dole — po prawej — mniejszy, podłużny. Na górnym ekranie paliły się czerwone i białe kółka, a obok dolnego znajdowała się klawiatura, bardzo podobna do telefonicznej.

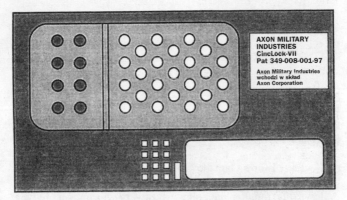

— Kapitanie Schofield — powiedział Lefevre — oto system zabezpieczający CincLock-VII. Chcielibyśmy zobaczyć, jak pan go rozbraja.

Forteresse de Valois
Bretania
26 października, godzina 16.00 czasu lokalnego
(10.00 EST USA)

Zawlekli Libby Gant do wielkiego podziemnego pomieszczenia.

Poważnie ranna i na granicy utraty przytomności, ledwie dostrzegała układające się w krąg kamienne ściany i pokrytą wodą podłogę. Wodą, w której krążyły dwa rekiny.

Górna część drewnianych dybów gilotyny zamknęła się wokół szyi Gant, unieruchamiając jej głowę.

Pilnujący jej uzbrojony mężczyzna zatrzasnął zamek. Gant jeszcze nigdy go nie widziała: miał jasnorude, niemal marchewkowe włosy, pozbawione życia czarne oczy i paskudną szczurzą twarz.

Nad nią wznosiła się imponująca rozmiarami rama gilotyny — jej głowa znajdowała się jakieś dwanaście stóp pod wielkim ostrzem.

Gant skrzywiła się. Z trudem klęczała. Rana od pocisku smugowego w jej klatce piersiowej płonęła.

Obok Szczurzej Gęby stał jeden z łowców nagród — zastępca Cedrica Wexleya, były komandos Royal Marine, Drake. Pilnował Gant, celując do niej z karabinka szturmowego Steyr-AUG.

Gant zauważyła, że Drake ma na sobie czarną kamizelkę sprzętową z dość osobliwymi rzeczami, jak na przykład miniaturowa butla z powietrzem do oddychania czy haki alpinistyczne.

Była to kamizelka Knighta.

Podniosła głowę.

Natychmiast go ujrzała.

Aloysius Knight stał piętnaście stóp przed nią — na zanurzonej dwa cale pod wodą kamiennej platformie — z zaciśniętymi boleśnie powiekami, bo znów zabrano mu okulary, z plecami przyciśniętymi do ściany, skutymi rękami i pustymi kaburami na udach.

W lochu zadudnił głucho głos:

— „Kołując coraz to szerszą spiralą/Sokół przestaje słyszeć sokolnika;/Wszystko w rozpadzie, w odśrodkowym wirze;/Czysta anarchia szaleje nad światem..." *. Yeats, jeśli się nie mylę.

Na balkonie widokowym pojawił się Jonathan Killian — z Cedrikiem Wexleyem u boku.

Stał nad Jamą Rekina jak rzymski cezar w Colosseum — obserwując unieruchomioną piętnaście jardów od niego Gant.

— Anarchia szaleje nad światem, pani porucznik Gant — powiedział z satysfakcją. — Muszę przyznać, że bardzo mi się to podoba. Pani też?

— Nie... — jęknęła Gant.

Nie musieli podnosić głosu, bo każde słowo odbijało się w lochu głośnym echem.

— A pan, kapitanie Knight... — wycedził Killian. — Cóż... pańskie działania były bardzo niemiłe. Łowca nagród o pańskiej renomie, który przeszkadza w polowaniu z nagrodami... nasuwa się tylko jeden wniosek: zapłacono panu.

Knight bez słowa wpatrywał się w młodego miliardera.

— Skłania mnie to do podejrzenia, że komuś zależy na pokrzyżowaniu planów Rady. Kto zapłacił panu za ratowanie Schofielda, kapitanie?

Knight i na to nic nie powiedział.

— Szlachetne milczenie... może kiedy wyrwę panu język, zacznie pan żałować, że nie mówił wcześniej...

---

* *Drugie przyjście*, Walter B. Yeats, przekład Stanisława Barańczaka.

— Znamy pański plan, Killian — syknęła Gant przez zaciśnięte zęby. — Rozpoczęcie nowej zimnej wojny dla pieniędzy. To nie zadziała. Udaremnimy to, zawiadomimy rząd amerykański.

— Droga pani porucznik... naprawdę pani sądzi, że boję się jakiegokolwiek rządu? Współczesne zachodnie rządy to otyli panowie w średnim wieku, próbujący ukryć swoją miernotę za wysokimi urzędami. Samoloty prezydenckie czy gabinety premierów są tylko iluzją władzy. Jeśli zaś chodzi o nową zimną wojnę... no cóż, to nie tyle mój plan, co plan Rady. Mój miałby nieco więcej rozmachu. Weźmy ten wiersz Yeatsa, który zacytowałem... Najbardziej podoba mi się ten fragment o sokole, który przestaje słyszeć sokolnika. Można interpretować to tak, że naród nie jest już w stanie panować nad swoją najbardziej śmiercionośną bronią. Broń się usamodzielniła, przerosła właściciela i uzyskała niebezpieczną samodzielność. Proszę teraz spojrzeć na to w kontekście amerykańskiego przemysłu obronnego. Co się stanie, jeżeli budowniczy rakiet przestaną słuchać tych, którzy im rozkazują? Co się stanie, jeżeli amerykański kompleks militarno-przemysłowy uzna, że nie potrzebuje już rządu?

— Strach na Wróble was powstrzyma — oświadczyła buntowniczo Gant.

— Oczywiście. Strach na Wróble... nasz wspólny przyjaciel. To szczególny człowiek, prawda? Wiedziała pani, że Rada tak bardzo była zaniepokojona jego obecnością na liście, że zadała sobie trud zorganizowania misji na Syberii — tylko po to, aby zwabić go w pułapkę? Nie muszę chyba dodawać, że nic to nie dało.

— Gówno prawda.

— Ale jeśli Schofield jeszcze żyje, rzeczywiście będziemy mieli drobny problem.

Killian spojrzał Gant prosto w oczy...

...i w tym momencie poczuła, że lodowacieje jej kręgosłup. W jego wzroku było coś przerażającego, coś, czego jeszcze nigdy nie widziała.

Aloysius Knight też to zauważył. Zmienił pozycję i napiął skute ręce.

— Taki czarny charakter jak ja — mówił dalej Killian — prawdopodobnie próbowałby wtedy zwabić sprawiającego kłopoty kapitana, porywając jego ukochaną porucznik Gant. Tak też chyba sądził dziś rano Damon Larkham, prawda?

— Owszem — odparła Gant. — Tak sądził.

— Ale to nie zadziałało, prawda?

— Nie.

— Tak więc, aby wykurzyć Shane'a Schofielda z nory, muszę zrobić coś znacznie bardziej drastycznego. Coś, co sprawi, że odnalezienie mnie stanie się dla niego znacznie ważniejsze od udaremnienia planu Rady. Panie Noonan!

W tym momencie Szczurza Gęba — Noonan — chwycił w dłoń dźwignię zwalniającą ostrze gilotyny. Gant nerwowo przełknęła ślinę.

Popatrzyła na Knighta — spojrzeli sobie prosto w oczy.

— Jeżeli się stąd wydostaniesz, powiedz coś Schofieldowi — poprosiła. — Powiedz mu, że zgodziłabym się.

Szczurza Gęba pociągnął za dźwignię i straszliwe ostrze gilotyny pomknęło po szynie w kierunku karku Gant.

Pozbawione głowy ciało Gant spadło na podłogę u podstawy gilotyny.

Z przeciętej szyi brysnęła fontanna krwi, rozlała się po kamieniach i spłynęła do wody.

Krew natychmiast przyciągnęła rekiny. Na skraju podestu z gilotyną pojawiły się dwa spiczaste cienie, szukające źródła zapachu.

— Boże, nie! — wrzasnął Aloysius Knight, szarpiąc się w pętach i wbijając przerażony wzrok w rozgrywającą się przed nim scenę.

Wszystko wydarzyło się tak szybko.

Libby Gant nie żyła.

Knight szeroko otworzył oczy, choć go bardzo bolały. Jego twarz była biała jak płótno.

— O nie... — wydyszał.

Spojrzał na Killiana, ale twarz miliardera była nieruchoma jak maska, a oczy lodowate.

Jeden ze strażników zaczął podchodzić do Knighta.

Był to Drake, najemnik ExSol — ubrany w kamizelkę Knighta i uzbrojony w jeden z jego remingtonów. Drugi z mężczyzn — Szczurza Gęba — skierował się do stalowych drzwi tuż za gilotyną.

— A co z nim? — spytał Drake.

Killian machnął ręką.

— Dla Czarnego Księcia nie będzie gilotyny. Strzel mu po prostu w głowę i rzuć jego ciało rekinom.

— Tak jest!

Najemnik ruszył wąskim mostkiem, łączącym podest z gilotyną i platformę, na której tkwił Knight. Każdemu jego krokowi towarzyszył plusk wody.

Kiedy podchodził, Knight zaczął gorączkowo rozważać możliwości ratunku.

Nie było ich wiele.

Ledwie widział i miał skute ręce.

Drake był coraz bliżej.

Knight zagryzł wargi tak mocno, że zaczęły krwawić. Wypluł czerwoną ślinę.

Najemnik zatrzymał się w odległości mniej więcej dwóch metrów — za daleko, aby dało się go udusić nogami albo kopnąć w krocze.

Uniósł srebrnego remingtona Knighta i wycelował w jego głowę.

— Myślałem, że jesteś lepszy — powiedział.

— Bo jestem — odparł Knight i wskazał głową w kierunku jego stóp.

Drake zmarszczył czoło i spojrzał w dół.

Jeden z rekinów — zwabiony zakrwawioną śliną — był tuż przy jego nogach.

Dokładnie tak, jak spodziewał się Knight.

— Aa... — Drake odruchowo odsunął się od dziesięciostopowego drapieżnika u swoich stóp, wchodząc w zasięg znacznie groźniejszego.

Knight błyskawicznie wyrzucił do przodu obie nogi i złapał nimi Drake'a — od tyłu — wokół talii. Kiedy zacisnął chwyt, rozległ się głośny trzask pękających żeber.

Drake wrzasnął z bólu.

Knight przyciągnął go do siebie, zamierzając sięgnąć do czegoś, co znajdowało się w kamizelce — jego kamizelce.

Wyszarpnął hak alpinistyczny, wsunął jego szpic w zamek kajdan na lewej ręce i wcisnął mechanizm rozpierający.

Sprężyna natychmiast zaczęła działać i po chwili stare żelazne kajdany pękły. Lewa ręka Knighta była wolna.

Kiedy stojący na balkonie widokowym Cedric Wexley zobaczył, co się dzieje — uniósł broń, ale Knight zasłaniał się Drakiem.

I wcale jeszcze z nim nie skończył.

Wolną lewą ręką wyjął z kamizelki następny przedmiot: miniaturową lutlampę.

Właściwie nie wyjął jej, skierował tylko dyszę palnika prosto w plecy Drake'a i wcisnął przycisk uruchamiający.

Lutlampa ożyła, wystrzelił z niej jasnoniebieski żywy płomień.

Drake ryknął.

Przypominający kolec ogień wbił się w jego ciało i wystrzelił z przodu jak ostrze świetlnego miecza.

Głowa Drake'a opadła na pierś Knighta. Umierał.

— Za łatwo ci to idzie — warknął Knight i jeszcze bardziej odkręcił gaz.

Ciało Drake'a zwiotczało. Kiedy upadł na podłogę, Knight ściągnął z niego swoją kamizelkę i użył następnego haka alpinistycznego do otwarcia kajdan na swoim prawym nadgarstku.

W tym momencie stał się celem dla Cedrica Wexleya, który natychmiast zaczął do niego strzelać.

Najważniejsze jednak, że był wolny.

Zanurkował za zwłoki Drake'a, używając ich jako tarczy przed uderzającymi raz za razem pociskami, po czym wtoczył ciało do wody — tuż przed nosem najbliższego rekina — i zaraz potem — ku zaskoczeniu wszystkich obserwatorów — sam wskoczył do wody.

Rekin rzucił się na trupa Drake'a, wgryzł się w niego żarłocznie i zaczął rozrywać na kawałki. Po chwili podpłynął drugi rekin i dołączył do uczty.

Woda spieniła się na czerwono. We wszystkie strony pomknęły rozchlapane fale.

Po kilku minutach wszystko się skończyło i woda się uspokoiła.

Nigdzie nie było widać Knighta.

Aloysius Knight nie wypłynął w podziemnym basenie.

Wypłynął dopiero poza murami Forteresse de Valois — w falach Atlantyku.

Po sześciu minutach od chwili, gdy zanurkował pod rozszarpującym ciało Drake'a rekinem, wynurzył się na powierzchnię wody z przyłożoną do ust miniaturową butlą z tlenem.

Było w niej akurat tyle powietrza, aby mógł pokonać długi tunel, łączący Jamę Rekina z otwartym oceanem.

Nie musiał tkwić w wodzie zbyt długo. Zadbał o to znajdujący się w kamizelce przekaźnik.

Po kilku minutach zawisł nad nim cień suchoja-37, rozbryzgującego wodę skierowanymi w dół dyszami silników.

Z przedziału bombowego natychmiast wyrzucono uprząż, która głośno klasnęła o wodę, i po chwili Aloysius Knight siedział w samolocie razem z Rufusem i Matką.

— Nic ci nie jest, szefie? — spytał Rufus, podając mu nowe okulary.

Knight wziął je i padł ciężko na podłogę. Nie odpowiedział na pytanie, pokręcił jedynie głową. Ciągle jeszcze nie mógł dojść do siebie po strasznliwej egzekucji, której niedawno był świadkiem.

— Co ze Strachem na Wróble? — spytała Matka. — A z moją małą?

Knight spojrzał na nią.

Jego ukryte za żółtymi szkłami oczy wciąż przepełniało przerażenie. Patrzył i nic nie mówił, bo brakowało mu słów.

Po chwili podniósł się.

— Rufus, masz namiary Schofielda? Trochę MicroDots, którymi obsypałem jego palmpilota, powinno przykleić mu się do ręki.

— Mam go, szefie. Wygląda na to, że ktoś zabrał go na ten francuski lotniskowiec, który stoi kawałek od brzegu.

Knight odwrócił się do Matki i wziął głęboki wdech.

— Schofield żyje, ale... — przełknął ślinę — jest problem z jego dziewczyną.

— O Boże... nie... — jęknęła Matka.

— Nie mogę teraz powiedzieć więcej — dodał Knight. — Musimy ratować Schofielda.

Francuski lotniskowiec „Richelieu"
Ocean Atlantycki u wybrzeży Francji

Shane Schofield został wrzucony do maleńkiego pomieszczenia o stalowych ścianach, przylegającego do hangaru. Drzwi zatrzasnęły się za nim z hukiem.

W pomieszczeniu znajdował się tylko stół i krzesło.

Na stole stała jednostka rozbrajająca CincLock-VII. Obok niej — z palącym się na górze jasnoczerwonym światełkiem — leżał granat fosforowy.

W suficie, za płytą z ciemnego szkła, była ukryta kamera.

— *Kapitanie Schofield...* — doleciał z głośników głos agenta DGSE — *to bardzo prosty test. Granat fosforowy, który widzi pan przed sobą, jest połączony z nadajnikiem radiowym na jednostce CincLock. Można go rozbroić jedynie przez CincLock. Kod rozbrajający dla tego ćwiczenia to jeden-dwa-trzy. Granat wybuchnie za minutę. Czas — start!*

— Jasna cholera! — zaklął Schofield i szybko usiadł przy stole.

Przyjrzał się uważnie jednostce CincLock.

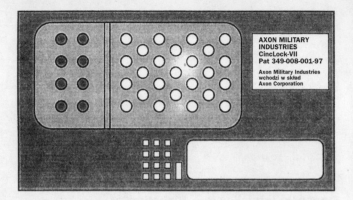

AXON MILITARY
INDUSTRIES
CincLock-VII
Pat 349-008-001-97
Axon Military Industries
wchodzi w skład
Axon Corporation

Główny ekran wypełniały białe i czerwone kółka — z lewej czerwone, z prawej białe.

PING!

Na dolnym ekranie pojawiła się wiadomość:

PIERWSZY PROTOKÓŁ (ZBLIŻENIE): ZREALIZOWANY
START: DRUGI PROTOKÓŁ

Białe kółka na głównym ekranie zaczęły migać — zapalały się po jednym naraz, na krótki moment, ale dość powoli.

Ekran zapiszczał.

DRUGI PROTOKÓŁ (SCHEMAT REAKCJI): STWIERDZONO
NIEUDANĄ PRÓBĘ ROZBROJENIA
TRZY NIEUDANE PRÓBY ROZBROJENIA SPOWODUJĄ DETONACJĘ
DRUGI PROTOKÓŁ (SCHEMAT REAKCJI): REAKTYWOWANY

— Co... — wymamrotał Schofield do ekranu.

— *Pięćdziesiąt sekund, kapitanie* — powiedział głos Lefevre'a. — *Musi pan dotykać kółek w takiej kolejności, w jakiej się zapalają.*

— O! Rozumiem.

Białe kółeczka znów zaczęły się zapalać — jedno po drugim.

Schofield naciskał każde kółeczko zaraz po tym, jak się zapaliło.

— *Czterdzieści sekund...*

Kółeczka zapalały się teraz nieco szybciej i palce Schofielda również zaczęły nabierać tempa.

Nagle zapaliło się czerwone kółeczko po lewej stronie.

Schofield nie był na to przygotowany, ale zdążył je nacisnąć. Znów zaczęły błyskać białe kółeczka — bardzo szybko. Palce Schofield poruszały się tak samo szybko.

— *Trzydzieści sekund... dobrze pan sobie radzi...*

Znów zapaliło się czerwone kółeczko.

Schofield okazał się tym razem zbyt powolny.

Ekran zapiszczał wściekle.

DRUGI PROTOKÓŁ (SCHEMAT REAKCJI): STWIERDZONO NIEUDANĄ PRÓBĘ ROZBROJENIA
TRZY NIEUDANE PRÓBY ROZBROJENIA SPOWODUJĄ DETONACJĘ
DRUGI PROTOKÓŁ (SCHEMAT REAKCJI): REAKTYWOWANY

— Cholera! — wrzasnął Schofield i popatrzył na granat na stole.

Białe kółeczka zaczęły migać po raz trzeci i ostatni.

— *Pozostało dwadzieścia pięć sekund...*

Tym razem jednak Schofield był przygotowany, wiedział, co ma robić. Jego palce tańczyły po ekranie, wciskając kolejne białe kółeczka, i skakały w lewo po każdym zapaleniu się czerwonego.

— *Dziesięć sekund... dziewięć...*

Sekwencja robiła się coraz szybsza. Czerwone kółka zapalały się częściej — Schofield miał wrażenie, że znów jest poddawany badaniu szybkości odruchów.

— *Osiem... siedem...*

Schofield koncentrował wzrok na ekranie. Jego palce tańczyły. Do oczu skapywały mu krople potu.

— *Cztery... trzy...*

PING!

Na ekranie pojawił się komunikat:

DRUGI PROTOKÓŁ (SCHEMAT REAKCJI): ZREALIZOWANY
TRZECI PROTOKÓŁ (WPISANIE KODU): AKTYWNY
PROSZĘ WPISAĆ AUTORYZOWANY KOD ROZBRAJAJĄCY

— *Dwa...*

Schofield wpisał „1-2-3" i wcisnął klawisz ENTER. Na ekranie pojawiły się cyferki.

— *Jeden...*

TRZECI PROTOKÓŁ (WPISANIE KODU): ZREALIZOWANY
URZĄDZENIE ROZBROJONE

Schofield wypuścił powietrze z płuc i opadł na oparcie krzesła.

Otworzyły się drzwi. Wszedł Lefevre, klaszcząc.

— *Oh, très bien! Très bien!* Doskonale, kapitanie!

Dwóch krępych marynarzy chwyciło Schofielda pod pachy. Lefevre uśmiechnął się.

— To było znakomite. Jestem pod wrażeniem, kapitanie. Dziękuję. Właśnie upewnił nas pan o zasadności twierdzeń M--dwanaście... nie wspominając o możliwościach tego systemu rozbrajającego. Jestem pewien, że Republika Francuska znajdzie dla niego wiele zastosowań. Naprawdę szkoda, że będziemy musieli pana zabić. Panowie — zwrócił się do marynarzy, którzy trzymali Schofielda — weźcie kapitana i przywiążcie go razem z tym drugim.

Schofield unosił się w pionie. Jego nogi i ręce były rozciągnięte na boki.

Stał na widelcu wózka widłowego, każdą stopę miał na innym poziomym zębie, a jego nadgarstki przykuto do pionowych prowadnic.

Wózek widłowy stał w kącie opuszczonej głównej ładowni lotniskowca „Richelieu", za kilkoma myśliwcami typu Rafale. Przed nim — w półkolu — siedzieli trzej wysokiej rangi oficerowie francuscy i agent DGSE, Lefevre.

— Dawajcie tu tego angielskiego szpiega — powiedział Lefevre do jednego ze strażników Schofielda.

Strażnik wcisnął klawisz w ścianie i stalowa przegroda obok wózka widłowego zaczęła się podnosić — były to w rzeczywistości drzwi, ale tak wielkie, że mógł się w nich zmieścić samolot myśliwski.

Z ciemności wyjechał drugi wózek widłowy, na którym również stał więzień — przywiązany do niego w tej samej pozycji co Schofield.

Jedno ich jednak różniło.

Mężczyzna na drugim wózku nosił ślady ciężkich tortur. Jego twarz, koszulę i ramiona pokrywała zaschnięta krew, a głowa zwisała bezwładnie na pierś.

— Kapitanie Schofield... nie wiem, czy miał pan okazję poznać agenta Aleca Christie z wywiadu brytyjskiego.

Christie... z MI6 — i z listy celów...

A więc to tu trafił...

— W ciągu minionych dwóch dni kapitan Christie był dla

nas kopalnią wiadomości o M-dwanaście — powiedział Lefevre. — Przez ostatnie półtora roku był zakamuflowany w Loch-Mann Industries jako osobisty ochroniarz pana Randolpha Locha, przewodniczącego M-dwanaście. Ale kiedy pan Christie obserwował pana Locha, myśmy obserwowali jego. Podczas jednego z bardziej przytomnych momentów wczorajszej nocy pan Christie powiedział coś, co nas bardzo zaniepokoiło. Zdradził nam, że pan Loch był ostatnio bardzo niezadowolony z jednego z młodszych członków M-dwanaście — naszego przyjaciela Jonathana Killiana. Podobno Randolph Loch powiedział kilka razy, że Killian „dręczy go swoim pomysłem dalszego działania". Wygląda na to, że dla pana Killiana plan M-dwanaście jest zbyt ograniczony. Kapitanie Schofield — czy wiadomo panu coś o tych „dalszych działaniach"?

— Killian to wasz przyjaciel — odparł Schofield. — Jego o to spytajcie.

— Republika Francuska nie ma przyjaciół.

— Chyba rozumiem dlaczego.

— Mamy użytecznych sprzymierzeńców, ale czasami trzeba obserwować ich nie mniej uważnie niż wrogów.

— Nie ufacie mu?

— Nie bardzo.

— Ale dajecie mu ochronę...

— Dopóki służy naszym interesom. Może to się już skończyło.

— Martwicie się tym, jak z wami pogrywa?

— Zgadza się — przyznał Lefevre.

Schofield przez chwilę się zastanawiał, po czym powiedział:

— Jedna z rakiet Kameleon jest wycelowana w Paryż.

— Wiemy o tym. Jesteśmy na to przygotowani. Na tym właśnie polega układ naszego kraju z M-dwanaście. Dlatego dostarczyliśmy im ciała islamskich terrorystów. Podczas gdy Ameryka, Niemcy i Wielka Brytania doznają katastrofalnych strat, Francji jako jedynemu krajowi Zachodu uda się odeprzeć atak. Nowy Jork, Berlin i Londyn padną, a Paryż ocaleje. Francja jako jedyna zestrzeli te terrorystyczne rakiety. Ameryka potrzebowała trzech miesięcy, żeby wziąć odwet za jedenastego września — niech pan sobie wyobrazi, co się będzie działo, kiedy straci pięć wielkich miast! Francja będzie jedynym krajem

Zachodu, który zadziała wystarczająco szybko. Uczyni to ją — silną i nienaruszoną — przywódcą świata w czasie nowej zimnej wojny. Kapitanie Schofield, nasi przyjaciele z M-dwanaście chcą na tym zarobić, ponieważ pieniądze oznaczają dla nich władzę. Republika Francuska nie chce tego rodzaju władzy — my chcemy czcgoś znacznie ważniejszego. Chcemy globalnej zmiany układu sił. Chcemy zostać przywódcami świata. Dwudziesty wiek był wiekiem Ameryki i smutnym okresem bankructwa tej planety. Dwudziesty pierwszy wiek będzie wiekiem Francji.

Schofield w osłupieniu patrzył na Lcfevre'a i generałów.

— Jesteście naprawdę szaleni — stwierdził w końcu.

Lefevre pokazał Schofieldowi fotografie, które wyjął z kicszeni.

— Wróćmy do Killiana — powiedział. — To są zdjęcia z jego zeszłorocznej podróży po Afryce.

Były to standardowe fotki z gazet: Killian z afrykańskimi przywódcami, Killian otwierający fabryki, Killian machający tłumom.

— Podróż dobrej woli, służąca promocji jego dobroczynnej działalności — dodał po chwili Lefevre. — W czasie tej podróży uczestniczył jednak także w spotkaniach z przywódcami i ministrami obrony kilku państw afrykańskich: Nigerii, Erytrei, Czadu, Angoli i Libii.

— No i? — spytał Schofield.

— W ciągu minionych jedenastu godzin na lotniskach na wschodzie Libii zaczęły zbierać się siły powietrzne Nigerii, Erytrei, Czadu i Angoli — w sumie dwieście samolotów — powiedział Lefevre. — Osobno siły powietrzne każdego z tych krajów są słabe, alc zebrane razem tworzą sporą flotę. Mam pytanie do pana: o co tu chodzi?

Myśli Schofielda gnały jak szalone.

— Kapitanie...?

Schofield jednak nie słyszał go. W jego głowie rozbrzmiewał głos Jonathana Killiana, który mówił: „Choć niewiele osób o tym wie, przyszłość świata to Afryka".

Afryka...

— Kapitanie...? — powtórzył Lefevre.

Schofield zamrugał i powrócił do rzeczywistości.

— Nie wiem — odparł zgodnie z prawdą. — Chciałbym, ale naprawdę nie wiem.

— Hm... dokładnie to samo mówił pan Christie. Może to oznaczać, że obaj mówicie prawdę, ale także to, że potrzebuje pan odrobiny perswazji...

Lefevre skinął głową operatorowi drugiego wózka widłowego, który uruchomił silnik i podjechał parę jardów w lewo — tak, że Christie znalazł się tuż przed wylotem silnika myśliwca odrzutowego. Operator szybko zeskoczył z wózka i uciekł.

Po chwili Schofield zrozumiał dlaczego.

Silniki samolotu ożyły, uruchomione przez siedzącego w kabinie francuskiego pilota.

Poobijany i zakrwawiony Christie podniósł głowę i ujrzał przed sobą ziejący czernią wylot silnika odrzutowego. Sprawiał wrażenie, jakby było mu to obojętne. Był zbyt skatowany i za słaby, aby szarpać pęta.

Lefevre dał znak człowiekowi w kabinie.

Pilot pchnął przepustnice.

Z tyłu silnika wystrzelił biały płomień, ogarniając Anglika.

Rozpalone powietrze natychmiast zdmuchnęło włosy Christiego do tyłu, w ułamku sekundy zerwało mu z twarzy skórę i spaliło ubranie. Po chwili całe ciało zostało rozerwane na strzępy.

Silnik samolotu zamilkł i znów zapadła cisza.

Z Christiego pozostały tylko zwęglone stopy i dłonie, przywiązane do metalowych elementów.

— Bardzo nieprzyjemne... — mruknął Schofield.

Lefevre popatrzył na niego.

— Odświeżyło to panu pamięć?

— Powiedziałem już, że nic nie wiem. Nic nie wiem o Killianie, o afrykańskich państwach ani o tym, co mogą mieć ze sobą wspólnego. Po raz pierwszy usłyszałem o tym tutaj.

— Wobec tego obawiam się, że na nic już się pan nam nie przyda — oświadczył Lefevre. — Czas, aby admirał i generał mogli spełnić swoje życzenie i popatrzeć, jak pan umiera.

Skinął głową operatorowi wózka z Schofieldem i po chwili kapitan znalazł się przed wylotem drugiego silnika myśliwca.

Zobaczył przed sobą czarną otchłań.

— Generale — powiedział Lefevre do mężczyzny w mundurze, który z powodu Schofielda stracił na Antarktydzie cały oddział spadochroniarzy — czy zechciałby pan się tym zająć?

— Z przyjemnością.

Generał wstał z krzesła i — przez cały czas wbijając wzrok w Schofielda — wszedł do kokpitu myśliwca.

Usiadł na fotelu, złapał drążek i ustawił kciuk nad przyciskiem z napisem DOPALACZ.

— Żegnaj, kapitanie... — powiedział obojętnie Lefevre. — Historia świata będzie się musiała toczyć dalej bez pana. *Au revoir.*

Kciuk generała dotknął przycisku.

W tym momencie nad hangarem rozległa się potężna eksplozja.

Zawyła syrena, zamigotały światła ostrzegawcze.

Cały lotniskowiec skąpała czerwona poświata świateł awaryjnych.

Palec generała znieruchomiał.

Do admirała podbiegł adiutant.

— Zostaliśmy zaatakowani!

— Co?! Przez kogo?

— Chyba to rosyjski myśliwiec.

— Rosyjski myśliwiec? Jeden myśliwiec?! Na Boga, to przecież jest lotniskowiec! Kto przy zdrowych zmysłach odważyłby się zaatakować lotniskowiec jednym samolotem?!

Czarny Kruk unosił się na poziomie pokładu „Richelieu" i zasypywał stojące na nim samoloty ogniem z działek pokładowych i rakiet.

Spod skrzydeł suchoja wystrzeliły cztery snopy dymu i pomknęły w czterech kierunkach.

Jeden myśliwiec Rafale natychmiast eksplodował, a dwa stanowiska obrony przeciwlotniczej zamieniły się w sterty poplątanego złomu. Czwarta rakieta wpadła do głównej ładowni i w kuli ognia zniszczyła samolot radionamiaru.

Rufus pilotował genialnie.

W fotelu strzelca za jego plecami siedział Knight. Okręcając się w obrotowym fotelu, wybierał cele i likwidował je.

— Matka! Gotowa?! — krzyknął.

Matka stała w przedziale bombowym za kokpitem, uzbrojona po zęby — w MP-7, M-16 i dwa pistolety Desert Eagle. Na plecach miała zamocowaną jedną z wyrzutni rakiet Knighta.

— Jak skurwysyn! — odkrzyknęła.

— No to ruszaj! — zawołał Knight i wcisnął guzik.

Podłoga przedziału bombowego otworzyła się i Matka wypadła na zewnątrz. Zjeżdżała na lince maghooka.

W wieżyczce francuskiego lotniskowca zapanował chaos.

Operatorzy darli się do mikrofonów, przekazując kapitanowi okrętu informacje.

— ...to cholerstwo dostało się tutaj mimo zewnętrznych radarów! Musi mieć jakieś urządzenia kamuflujące!

— ...zniszczyli stanowiska przeciwlotnicze na głównym pokładzie!

— Katapultujcie myśliwce!

— Kapitanie! „Triomphe" mówi, że ma czysty strzał!

— Ognia!

Z jednego z niszczycieli stojących w grupie wystrzeliła rakieta przeciwlotnicza i poleciała prosto na Czarnego Kruka.

— Rufus! Mam nadzieję, że w Archangielsku ponaprawiałeś wszystkie urządzenia obronne.

— Nie ma obawy, szefie.

Rakieta leciała prosto na nich.

Gdy jednak uderzyła w elektroniczną tarczę obronną Kruka, gwałtownie skręciła w bok i...

...huknęła w kadłub lotniskowca.

— Eskorta! Wstrzymać ogień! Wstrzymać ogień! — wrzasnął kapitan lotniskowca. — Samolot jest za blisko! Trafiacie w nas, zamiast w niego! Dział elektroniki — ustalcie ich częstotliwość obronną i zneutralizujcie ją! Trzeba ich zaatakować z powietrza!

W głównej ładowni lotniskowca Schofield wciąż tkwił przed wylotem silnika.

Nagle świat wokół niego gwałtownie się pochylił — potężny lotniskowiec, zaatakowany przez Kruka, zaczął robić nawrót.

Lefevre i francuscy generałowie stali przy radiach, chcąc się dowiedzieć, co się dzieje.

Jedynie generał armii nadal siedział w kokpicie rafale'a.

Po chwili dezorientacji znów wbił wzrok w Schofielda. Nie zamierzał stracić okazji do zemsty.

Ponownie wyciągnął rękę w kierunku przycisku uruchamiającego dopalacz, złapał drążek i... dostał postrzał prosto w ucho, a cała owiewka została zbryzgana jego mózgiem.

W zamieszaniu nikt nie zauważył ukrytej w cieniu postaci, która wylądowała na platformie windy, umieszczonej na zewnątrz kadłuba — postaci, która zsunęła się na cienkiej lince jak pająk. Uzbrojony po zęby pająk.

Matka.

Trzymając w jednej ręce MP-7, a w drugiej M-16, Matka biegła przez ładownię w stronę Schofielda.

Była jak rozszalały żywioł.

Francuscy spadochroniarze, którzy schwytali Schofielda, wychodzili na nią ze wszystkich stron — zza pojazdów i samolotów — ona jednak niepowstrzymanie sunęła naprzód, przygważdżając ich po kolei. Nawet na chwilę nie zwolniła.

Strzeliła dwa razy w lewo i po trafieniach prosto w twarz padło dwóch spadochroniarzy. Obróciła się w prawo, strzelając z M-16 jak z pistoletu, i przewróciło się trzech następnych.

Na skrzydle myśliwca pojawił się kolejny spadochroniarz, ale Matka przetoczyła się po podłodze, strzelając równocześnie i robiąc z niego sito.

Rzuciła dwa granaty dymne i wskoczyła w wytworzoną przez nie chmurę, poruszając się jak mściwy duch.

Po chwili padło następnych czterech spadochroniarzy, potem admirał. Nawet Lefevre'owi nie udało się jej umknąć. Z kłębów dymu tuż obok niego wyprysnął *shuriken* — gwiazdka z czterema ostrzami — i wbił mu się w jabłko Adama. Oznaczało to powolną śmierć w męczarniach.

Matka wyszła z chmury dymu tuż obok wózka widłowego z Schofieldem.

— Cześć, Strachu na Wróble! Jak ci się wisi?

— Kiedy cię widzę, znacznie przyjemniej.

Dwa haki alpinistyczne Knighta szybko rozerwały jego pęta. W kilka sekund był wolny i znów stał na nogach.

Zanim matka zdążyła mu dać broń, podbiegł do leżącego na stalowej podłodze Lefevre'a i coś podniósł. Kiedy wrócił do Matki, podała mu MP-7 i desert eagle'a.

— Jesteś gotów na małą rozróbę? — spytała.

Popatrzył na zamocowaną na jej plecach wyrzutnię.

— Chętnie poszaleję.

Pobiegli do zaparkowanego nieopodal samochodu terenowego.

Pasem startowym „Richelieu" pomknęły dwie pary myśliwców szturmowych Rafale.

Zatoczyły w powietrzu półkole wokół lotniskowca i wróciły — ustawione w bojowej formacji — kierując się prosto na Czarnego Kruka.

— Nadlatują! — krzyknął Rufus.

— Widzę! — odkrzyknął Knight.

Obrócił się wraz z fotelem i zaczął naciskać spusty działek jak grający w grę komputerową dzieciak.

Dwa myśliwce pędziły na nich, waląc z wszystkich luf.

Wokół Kruka zaroiło się od pomarańczowych linii, kreślonych w powietrzu przez pociski smugowe. Kruk kładł się na skrzydła i zmieniał wysokość, aby uniknąć trafienia, i równocześnie odpowiadał ogniem z zamocowanych pod kadłubem działek.

Pierwsze dwa samoloty przeleciały nad nim, był to jednak dopiero akt pierwszy — manewr poprzedzający główne przedstawienie.

Następna para francuskich myśliwców nadleciała z drugiej strony, tuż nad wodą — atakując suchoja od dołu i z tyłu.

Rosyjski myśliwiec, w dalszym ciągu unoszący się nad platformą windy, obrócił się w powietrzu i skierował dziobem w stronę napastników.

— Cholera... — zaklął Rufus. — Dranie kombinują z naszą częstotliwością obronną... co chwila się wyłącza. Tracimy ochronę przeciwrakietową.

Każdy z nowo przybyłych rafale wystrzelił po dwie rakiety.

Knight zaczął strzelać do rakiet z działek — trafił dwie — ale pozostałe poruszały się zbyt szybko.

— Rufus! — krzyknął.

Rakiety pędziły na nich.

Rufus widział, jak się zbliżają, i w ostatnim momencie znalazł rozwiązanie.

Gdy rakiety już miały ich dosięgnąć...

...wleciał Krukiem do środka lotniskowca, do jego głównej ładowni.

Ponieważ ścigające ich rakiety — w odróżnieniu od tych, które wystrzelono z niszczyciela „Triomphe" — były wyposażone w system uniemożliwiający zaatakowanie własnej jednostki, skierowały się ku powierzchni wody i eksplodowały, tworząc dwa bliźniacze stustopowe gejzery.

Siedzący w wieży lotniskowca operatorzy radarów wbijali wzrok w ekrany, wrzeszcząc bez ładu i składu:

— Gdzie on się, kurwa, podział?!

— Co? Powtórz, proszę...

— Co się stało? — spytał kapitan. — Gdzie oni są?

— W środku naszego okrętu!

Czarny Kruk unosił się w potężnej ładowni francuskiego lotniskowca.

— Podoba mi się twój styl, Rufus — stwierdził Knight i zaczął ostrzeliwać ustawione długim szeregiem samoloty, helikoptery i ciężarówki.

Czarny Kruk latał po hangarze jak uwięziony w zamkniętym pomieszczeniu gigantyczny ptak, siłą gazów wylotowych swoich silników wywracając samoloty i rzucając pełne paliwa cysterny na stalowe ściany.

Szalał po ładowni, powodując niewyobrażalne zniszczenia, zadrapał nawet statecznikiem pionowym sufit.

— Matka, gdzie jesteś?! — wrzasnął Knight do mikrofonu.

W kierunku przeciwległego końca ładowni pędził samotny dżip. Przemykał pod przechylającymi się samolotami i obijającymi o ściany cysternami. Prowadziła go Matka, a Schofield kulił się z tyłu.

— W drugim końcu ładowni — odparła. — Staram się uciec przed tobą, wariacie!

— *Masz Schofielda?*

— Mam.

— *Przejąć was, dopóki tu jesteśmy?*

Matka odwróciła się do Schofielda, który robił coś z wyrzutnią rakiet Knighta.

— Chcesz, żeby nas przejęli?

— Nie! Jeszcze nie! Niech się stąd wynosi! Lepiej, żeby go tu nie było za dwie minuty. Ani tu, ani w pobliżu tego okrętu. Powiedz mu, że spotkamy się na zewnątrz!

— Zrozumiałem — odparł Knight. — Rufus! Czas spadać!

— Załatwione, szefie! Tylko gdzie jest ta druga... o! — pilot urwał, bo w tym momencie ujrzał drugie otwarte wrota po przeciwnej stronie ładowni.

Zawrócił samolot, zwiększył ciąg silników i po chwili suchoj z ogłuszającym rykiem wyprysnął w oślepiające słońce.

Schofield wciąż majstrował przy wyrzutni rakiet.

Był to zestaw rosyjskiej konstrukcji — składał się z przenośnej wyrzutni i kilku rakiet o różnych głowicach.

Po chwili znalazł tę, której szukał.

Sowiecką palladową rakietę P-61.

Pocisk palladowy — skorupa z palladu, wypełniona wzbogacanym kwasem wodorofluorowym — służy tylko do jednego celu: niszczenia elektrowni atomowych.

Rdzeń broni atomowej musi zawierać w sobie 90 procent wzbogacanego uranu, reaktory jądrowe w elektrowniach atomowych mają mniej więcej 5 procent uranu, a reaktory w napędzanych energią atomową lotniskowcach około 50 procent uranu. Tak więc żaden z obu typów reaktorów nie może spowodować wybuchu jądrowego. Może w nich dojść do wycieku promieniowania — jak miało to miejsce w Czernobylu — ale nigdy nie spowodują powstania grzyba atomowego.

Wydzielają one jednak stale duże ilości łatwo palnego i silnie wybuchowego wodoru, który neutralizuje się poprzez zastosowanie odpowiednich instalacji, zamieniających wodór w bezpieczną wodę.

Zetknięcie się palladu z wodorem zwiększa kilkakrotnie wydzielanie się gazu, który może ulec zapłonowi z powodu obecności katalizatora, jakim jest kwas fluorowodorowy.

Tak więc granat P-61 funkcjonuje jako dwustopniowy detonator.

W fazie pierwszej — podczas wstępnego wybuchu — następuje gwałtowne zwiększenie się ilości gazu. W fazie drugiej wodór jest zapalany przez kwas.

Efektem tego jest potężna eksplozja — wprawdzie nie tak potężna jak wybuch jądrowy, ale wystarczająco silna, by rozsadzić wzmacniany kadłub lotniskowca.

— Tam! — wrzasnął Schofield i wskazał na dwa olbrzymie szyby wentylacyjne w głębi ładowni, którymi usuwano z wnętrza lotniskowca nadmiar wodoru. — Wentylacja reaktora!

Dżip pędził przez wielkie pomieszczenie, mijając płonące myśliwce szturmowe.

Schofield stał z tyłu samochodu, z wyrzutnią rakiet przystawioną do barku, i celował w zamontowany przed prawym szybem wentylator.

— Kiedy strzelę, gnaj do rampy wyjazdowej! Między pierwszą i drugą fazą będziemy mieli tylko pół minuty! Musimy zdążyć zwiać z tej łajby!

— Tak jest!

Schofield patrzył przez celownik.

— *Au revoir*, frajerzy... — mruknął.

Potem pociągnął za spust.

Wyrzutnia odpaliła, posyłając rakietę w górę ładowni.

Palladowy ładunek wpadł do szybu przez prawy wentylator i pomknął w dół, szukając źródła ciepła.

Matka wcisnęła pedał gazu do podłogi, gwałtownie zawróciła i samochód zniknął w przypominającym wyjście z tunelu wjeździe na górę, na pokład.

Dżip wznosił się coraz wyżej ciasną spiralą.

Po chwili z głębi kadłuba doleciał basowy, stłumiony odgłos eksplozji.

Palladowy granat trafił w cel.

Schofield wcisnął stoper:

00:01...

00:02...

Nad lotniskowcem w dalszym ciągu trwała walka na śmierć i życie między Czarnym Krukiem i czterema francuskimi rafale.

Rufus nawrócił tak ostro, że aż jęknęły płaty, i Knight ostatnią rakietą zniszczył jeden z czterech myśliwców wroga.

Na konsolecie w kokpicie rozległo się głośne piszczenie.

— Zablokowali naszą kontrczęstotliwość! — krzyknął Rufus. — Straciliśmy tarczę ochronną!

W tym momencie jeden z francuskich myśliwców usiadł im na ogonie i oba samoloty pomknęły przed siebie. Rafale wściekle ostrzeliwał suchoja.

Kiedy Kruk wyprysnął naprzód, Knight obrócił się z fotelem i otworzył ogień do goniącej ich maszyny. Trafił prosto w kokpit Francuza, rozbijając owiewkę i zabijając pilota. Zaraz potem rafale załomotał o powierzchnię oceanu.

— Szefie! — krzyknął Rufus. — Potrzebuję ognia z przodu!

Knight obejrzał się. Walcząc, nie zauważył, że samolot, który przed chwilą wyeliminował, zepchnął go na dwa inne francuskie myśliwce.

Obydwa wystrzeliły rakiety...

...powietrze przecięły dwie poziome, skierowane prosto na Kruka smugi dymu...

Rufus przechylił samolot o dziewięćdziesiąt stopni — tak, że skrzydła znalazły się w pionie — i włączył bardzo rzadko stosowany środek obronny: krótki, intensywny impuls energii.

Obie rakiety straciły orientację i poleciały na boki. Kruk przemknął między nimi i pociski wpadły do morza.

Ale suchoj w dalszym ciągu znajdował się na kursie kolizyjnym z obydwoma francuskimi myśliwcami.

Knight obrócił się do przodu, otworzył ogień i odstrzelił jednemu z rafale skrzydło — i po chwili Kruk przeleciał między Francuzami.

Pozostał im już tylko jeden przeciwnik, zanim jednak Rufus i Knight zdążyli nawrócić, doleciał do nich nowy dźwięk: niesamowite, basowe BUMMM, dochodzące z wnętrza lotniskowca.

— Szybciej, Matka... szybciej...

Schofield popatrzył na stoper.

00:09...

00:10...

Dżip pędził w górę. Ocierając się o stalowe ściany, wystrzeliwał do tyłu snopy iskier.

Nagle lotniskowiec pochylił się na bok i świat przekrzywił się o trzydzieści stopni.

— Jedź dalej! — wrzasnął Schofield.

Pierwszy wybuch palladowego ładunku wyeliminował neutralizatory, zamieniające wodór w wodę — właśnie to spowodowało basowy łomot, który usłyszeli.

Oznaczał on, że w wieżach chłodniczych reaktora lotniskowca w błyskawicznym tempie zbierają się ogromne ilości wodoru. Kiedy za trzydzieści sekund palladowy ładunek znów eksploduje, będzie to koniec lotniskowca.

00:11...

00:12...

Dżip wystrzelił na światło dzienne i gwałtownie zahamował. Na pokładzie panowało szaleństwo.

Płonęły samoloty, zniszczone działka przeciwlotnicze niemo patrzyły w niebo, wokół leżeli zabici. Rafale z oderwanymi przednimi kołami blokował pas startowy numer 2. Musiał właśnie startować, kiedy został trafiony rakietą z Kruka.

Schofield natychmiast dostrzegł okazję.

— Matka! Do tego myśliwca! — krzyknął.

— Nie poleci! Nawet dla ciebie!

00:15...

00:16...

Dżip zatrzymał się obok zniszczonego myśliwca. Matka miała rację — nie miał szans wystartować.

00:17...

00:18...

— Nie chcę samolotu — oświadczył Schofield. — Chcę to.

Wyskoczył z dżipa i złapał końcówkę urządzenia, za pomocą którego katapultuje się samoloty z pokładów lotniskowców. Jest to uchwyt, trzymający przednie koło samolotu i poruszający się wzdłuż pokładu w wąskiej prowadnicy, dzięki czemu startująca maszyna otrzymuje dodatkowy napęd i może się rozpędzić na dziewięćdziesięciu jardach na tyle, aby udało jej się oderwać od pokładu i wznieść w powietrze.

Schofield zamocował urządzenie z przodu dżipa.

00:19...

00:20...

— Chyba żartujesz... — Matka popatrzyła na pas startowy. Prowadnice katapulty biegły przez całą długość pokładu i urywały się jak kończące się na skraju klifu szyny.

00:21...

00:22...

Schofield wskoczył z powrotem do dżipa.

— Wrzuć na luz i zapnij się!

00:23...

00:24...

Matka zapięła pas. Schofield zrobił to samo.

00:25...

Podniósł karabinek i wycelował w panel sterowania katapultą...

00:26...

Strzelił.

00:27...

PING!

Pocisk trafił prosto w dźwignię.

Dżip wyprysnął do przodu z prędkością, z jaką jeszcze nie poruszał się żaden tego rodzaju pojazd.

Dziewięćdziesiąt jardów w 2,2 sekundy.

Schofield i Matka zostali wciśnięci w fotelc. Mieli wrażenie, że ich oczy dotknęły potylicy.

Dżip pędził z niewyobrażalną prędkością.

Pokład rozmazywał się przed ich oczami.

Przednie opony pękły po pięćdziesięciu jardach.

Samochód mknął jednak dalej — jak wystrzelona z armaty kula — coraz bardziej przyspieszając.

Nie dorównywali szybkością startującemu myśliwcowi, bo startujący myśliwiec jest napędzany także własnymi silnikami, ale Schofield nie zamierzał latać.

Chciał tylko uciec z lotniskowca, zanim eksploduje.

Dżip dotarł do krawędzi pokładu...

...oderwał się od niego...

...i wystrzelił w niebo — z wirującymi kołami — dokładnie w chwili, gdy lotniskowcem wstrząsnęła eksplozja.

Nie było ognia.

Nie było chmur dymu.

Rozległ się jedynie potężny huk, gdy wszystkie zewnętrzne stalowe ściany — pchane potworną siłą eksplodującego wodoru — w jednej chwili rozerwały się, popękały w spawach jak ubranie komiksowego siłacza, który za mocno napiął mięśnie.

W niebo wyprysnęły miliony uwolnionych nitów.

Wystrzeliły na milę w górę i spadały przez całą następną

minutę. Helikopter, który dopiero co wystartował z lotniskowca, został rozszarpany w powietrzu.

Oderwane kawały konstrukcji lotniskowca poleciały na boki i zbombardowały stojące wokół niszczyciele, wgniatając ich kadłuby i rozbijając okna mostków.

Największych zniszczeń doznał „Richelieu" od strony rufy — wokół epicentrum wybuchu, czyli szybów wentylacyjnych.

Kadłub lotniskowca został tam rozerwany wzdłuż pionowych spojeń blach i po obu bokach powstały wielkie wyrwy, w które natychmiast zaczęła wpływać woda.

„Richelieu" — największy i najwspanialszy lotniskowiec, jaki kiedykolwiek został zbudowany przez Francuzów — zaczął tonąć.

Dżip Matki i Schofielda wyprysnął w niebo od strony dziobu okrętu.

Kiedy znaleźli się w powietrzu, odpięli pasy i wypchnęli się na zewnątrz.

Lecieli w dół jakieś osiemdziesiąt stóp.

Dżip huknął w wodę pierwszy, wznosząc w górę potężną fontannę.

Schofield i Matka znaleźli się w oceanie zaraz po nim.

Uderzyli o wodę nogami, po czym zanurzyli się pod powierzchnię — ułamek sekundy przed wybuchem lotniskowca i rozpryśnięciem się we wszystkie strony śmiercionośnego gradu nitów.

Potężny lotniskowiec tonął bardzo szybko — rufą do dołu.

Był to niezwykły widok.

Część załogi ruszyła do łodzi ratunkowych, a reszta zaczęła skakać do oceanu.

Okręt stanął pionowo — dziób zniknął pod wodą, rufa wzniosła się w niebo.

Pozostali na pokładzie marynarze zamarli w przerażeniu.

Od końca II wojny światowej żaden kraj nie stracił lotniskowca.

Prawdopodobnie właśnie dlatego zareagowano zbyt wolno,

gdy minutę po eksplozji Czarny Kruk zawisł dziesięć stóp nad powierzchnią wody i wyłowił ze spienionych fal dwie osoby, wciągając je na zwisającej na lince uprzęży do przedziału bombowego.

Kiedy znalazły się bezpiecznie w samolocie, smukły suchoj wzniósł się wyżej i wyprysnął przed siebie, szybko oddalając się od tonącego lotniskowca „Richelieu" i jego nieszczęsnej załogi.

Aloysius Knight przeszedł na tył samolotu i popatrzył na Schofielda i Matkę, którzy wyglądali jak dwa zmokłe szczury.

— Ustaw kurs na kanał La Manche i Cherbourg — powiedział Schofield. — Tam jest pierwszy okręt Kormoran. Musimy go znaleźć, zanim wystrzeli rakiety na Europę.

Knight skinął głową.

— Już powiedziałem to Rufusowi.

Schofield przyjrzał mu się uważnie.

Łowca nagród sprawiał wrażenie bardzo przygnębionego. Co się dzieje?

Zaniepokojony Schofield rozejrzał się po ciasnej kabinie.

— Gdzie jest Gant?

Oczy Knighta za żółtymi okularami drgnęły. Choć był to ledwie zauważalny ruch, Schofield go dostrzegł. Poczuł coś, czego nie doznał jeszcze nigdy w życiu.

Straszliwe, obezwładniające przerażenie.

Aloysius Knight przełknął ślinę.

— Kapitanie... musimy porozmawiać.

SZÓSTY ATAK

KANAŁ LA MANCHE—USA
26 PAŹDZIERNIKA, GODZINA 17.00
(KANAŁ LA MANCHE)
EST (NOWY JORK) GODZINA 11.00

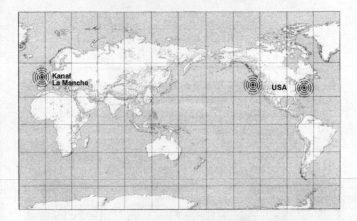

W przypadku konfliktu z udziałem głównych mocarstw jest bardzo prawdopodobne, że dotknięte biedą narody wielu krajów Afryki, Bliskiego Wschodu i Ameryki Środkowej — a niektóre z nich mają ludność tysiąckrotnie liczniejszą od zachodnich państw — przeleją się przez granice i opanują zachodnie miasta.

Dokument Prognostyczny Rady Bezpieczeństwa
Organizacji Narodów Zjednoczonych Q-309, 28 października 2000.

„Kto ma robić niemiłe rzeczy? Ten, kto może".

(cytat przypisywany Konfucjuszowi)

OKRĘT WOJENNY/SUPERTANKOWIEC
KLASY KORMORAN

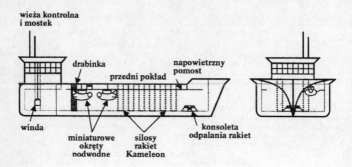

wieża kontrolna
i mostek

drabinka

przedni pokład

napowietrzny
pomost

winda

miniaturowe
okręty
podwodne

silosy
rakiet
Kameleon

konsoleta
odpalania rakiet

Wybrzeże kanału La Manche, północna Francja
26 października, godzina 17.00 czasu lokalnego
(11.00 EST USA)

Czarny Kruk wylądował na szczycie klifu, górującego nad kanałem La Manche. Deszcz lał strumieniami.

Z kokpitu wyszedł Shane Schofield. Zeskoczył na błotnisty grunt i chwiejnym krokiem oddalił się od samolotu — obojętny na szalejącą wokół burzę.

Kiedy Knight skończył opowiadać mu o tym, co się stało w Jamie Rekina z Gant, powiedział tylko dwa słowa:

— Rufus... ląduj.

Podszedł do skraju klifu i zamknął oczy.

Łzy mieszały się ze smagającym mu twarz deszczem.

Gant nie żyła.

Nie żyła.

A jego tam nie było. Nie było go tam, by ją obronić. W przeszłości zawsze — bez względu na to, co się działo — był przy niej i ją osłaniał.

Nie teraz jednak.

Otworzył oczy i zapatrzył się w przestrzeń.

Osunął się w błoto, a jego plecy zaczęły drgać od rozpaczliwego płaczu.

Matka, Knight i Rufus obserwowali go z otwartego kokpitu.

— Ja pierdolę... — mruknęła Matka. — Chciałabym wiedzieć, co on teraz zrobi?

Przez głowę Schofielda w błyskawicznym tempie przesuwały się obrazy z jego minionego życia.

Widział Gant, jak uśmiechała się do niego, śmiała się, trzymała go za rękę, kiedy szli po plaży w Pearl, jak przytulała się do niego w łóżku. Niemal czuł jej ciepło.

Widział, jak walczyła na Antarktydzie i w Utah. Uratowała mu życie mistrzowskim strzałem z maghooka.

Nagle ujrzał Killiana w zamku, mówiącego: „Muszę przyznać, że uwielbiam widok przerażenia, pojawiający się na twarzy człowieka, który uświadamia sobie, że musi zginąć".

Od tej chwili świat stał się pusty i pozbawiony sensu.

Popatrzył na pistolet w kaburze...

...i wyciągnął go.

— Hej, mistrzu... — odezwał się czyjś głos za jego plecami. — Co zamierzasz z tą spluwą?

Matka.

Stała tuż za nim.

Schofield nie odwrócił się.

— Nikogo to nie obchodzi, Matka. Moglibyśmy uratować świat, ale ludzie mieliby to w dupie. Żyliby dalej, nieświadomi istnienia takich żołnierzy jak my. Jak Gant.

Matka popatrzyła na broń w jego dłoni. Kapał z niej deszcz.

— Strachu na Wróble... odłóż to.

Schofield popatrzył na pistolet, jakby dopiero teraz go zauważył.

— Słuchaj... — Matka chciała zadać mu to pytanie tylko po to, aby odwrócić jego uwagę od broni, bo znała odpowiedź. — Co ona miała na myśli, mówiąc: „Powiedz Schofieldowi, że zgodziłabym się"?

Kiedy Schofield odpowiedział, jego głos zabrzmiał jak głos automatu:

— W ostatnich miesiącach często rozmawialiśmy o małżeństwie, a dwa tygodnie temu zarezerwowałem dla nas stolik w restauracji na plaży w Pearl Harbor. Tam spotkaliśmy się po raz pierwszy, kiedy dołączyła do naszego oddziału rozpoznania. Gdy dowiedziała się o rezerwacji, domyśliła się, że chcę się jej oświadczyć.

— Zrobiłbyś to?

— Mam w domu pierścionek.

Zmienił chwyt na broni i zagryzł wargę. Kolejna łza spłynęła mu po policzku.

— Jezu, Matka... ona nie żyje. Nie ma jej. Nic dla mnie nie zostało. Pieprzyć to! Niech świat sam się o siebie martwi!

Szybkim ruchem przystawił sobie lufę do podbródka i pociągnął za spust...

...ale Matka była szybsza.

Pchnęła go ramieniem ułamek sekundy przedtem, zanim broń wypaliła, i zaczęli się tarzać w błocie na krawędzi klifu.

Walczyli ze sobą — Matka próbowała unieruchomić jego dłoń z pistoletem, a Schofield próbował się jej pozbyć.

Wyższa, silniejsza i znacznie masywniejsza Matka od początku miała przewagę. Przydusiła Schofielda swoim wielkim ciałem i walnęła go w nadgarstek trzymającej pistolet dłoni. Desert eagle upadł na rozmokłą ziemię. Matka uderzyła Schofielda w twarz.

Ten cios wywarł przedziwny efekt.

Schofield skoncentrował się nagle, z dziecinną łatwością złapał nadgarstek Matki i przekręcił go gwałtownie. Matka wrzasnęła z bólu i w tym momencie kapitan zrzucił ją z siebie.

Oboje wstali.

Patrzyli sobie prosto w oczy.

— Nie pozwolę ci na to, Strachu na Wróble!

— Przykro mi, Matka...

Znowu ruszyła na niego.

Zaatakowała błyskawicznie i zadała potężny cios, ale Schofield uchylił się i oddał jej — prosto w nos. Matka znów się zamachnęła, kapitan jednak, ślizgając się w błocie, uniknął także i tego ciosu, po czym znów ją uderzył.

Matka zachwiała się i zrobiła dwa kroki w tył.

— Będziesz musiał wymyślić coś lepszego, żeby się mnie pozbyć! — krzyknęła.

Skoczyła, wpadła na niego barkiem — jak napastnik drużyny futbolowej — i oboje z łomotem polecieli na ziemię.

Aloysius Knight i Rufus stali przy Czarnym Kruku, obserwując walkę jak zahipnotyzowani kibice.

Rufus zrobił krok do przodu, zamierzając interweniować, ale Knight — nie odrywając wzroku od tego, co się działo — zatrzymał go ruchem ręki.

— Nie. Muszą załatwić to między sobą — powiedział.

Schofield i Matka tarzali się w błocie.

Kiedy wydawało się, że Matce uda się go w końcu przyszpilić do ziemi, zadał jej szybki cios łokciem w szczękę i znów — zadziwiająco ławo — zrzucił ją z siebie.

Wstał.

Matka również wstała.

Oboje ociekali błotem.

Matka lekko chwiała się na nogach, najwyraźniej była już zmęczona, ale natychmiast zaczęła zadawać kolejne ciosy.

Schofield bez trudu parował każde uderzenie, a Matka wrzeszczała jak wściekła. Schofield obrócił się nagle i podciął ją ciosem nogą z półobrotu. Matka nieelegancko pacnęła na tyłek.

Osiągnąwszy, co chciał, wrócił do swego pistoletu i podniósł go z ziemi.

— Strachu na Wróble, nie! — krzyknęła Matka z oczami pełnymi łez. — Proszę, Shane, nie rób...

Z jakiegoś powodu te ostatnie słowa go powstrzymały.
Zamarł w bezruchu.
Po chwili zrozumiał, o co chodzi.
Matka jeszcze nigdy nie zwróciła się do niego po imieniu.
Opuścił broń i popatrzył na nią.
Wyglądała żałośnie: klęczała na ziemi, umazana błotem, oczy miała pełne łez.
— Shane, świata może to i nie obchodzi! Świat może i nie wie, że potrzebuje takich ludzi jak ty i Gant, ale mnie to obchodzi! Potrzebuję cię! Shane — mam męża i śliczne bratanice, które mają po trzynaście lat i ubierają się jak pieprzona Britney Spears, i teściową, która mnie nienawidzi, ale kocham ich wszystkich i nie chcę, aby żyli w świecie pełnym śmierci i cierpienia, rządzonym przez bandę pojebanych miliarderów! Ale sama tych skurwysynów nie powstrzymam! Nieważne, jak bardzo bym się starała, nieważne, co bym zrobiła, nie jestem wystarczająco inteligentna, wystarczająco szybka, wystarczająco dobra. A ty jesteś. Ty możesz ich pokonać. Wiesz dlaczego? Ja wiem. Zawsze to wiedziałam, wiedziała to też moja mała dziewczynka i dlatego cię pokochała. Dlatego, że potrafisz robić rzeczy, których nie umieją inni ludzie! — Matka klęczała w błocie, łzy spływały jej po policzkach. — Nie jestem najmądrzejszą dziewczynką w klasie, ale jedno wiem: ludzie to ludzie. Są egoistami i samolubami, popełniają głupstwa i nie mają zielonego pojęcia o istnieniu takich bohaterów jak ty, którzy narażają dla nich życie.
Schofield nie odzywał się.

Deszcz smagał go po policzkach.

Ale Matka złamała zaklęcie.

Do jego oczu powoli wracało życie.

— Nigdy przedtem nie zwróciłam się do ciebie po imieniu... pewnie to zauważyłeś, ale wiesz dlaczego?

— Nie. Dlaczego?

— Bo nie jesteś zwykłym pieprzonym kolesiem. Nie jesteś żaden „Brad", „Chad" czy „Warren". Jesteś Strach na Wróble. Pierdolony Strach na Wróble! Jesteś kimś więcej niż ktoś z ulicy, dlatego nigdy cię tak nie traktowałam. Jesteś lepszy od nich wszystkich, ale jeżeli teraz się wypiszesz, to pójdziesz taką samą drogą, jaką poszliby Brad, Chad albo Warren. To nie twoja droga. Strach na Wróble tak nie robi. Strach na Wróble jest ulepiony z innej gliny. Nie chcę cię przekonywać, że twoje życie będzie łatwe. Nie wiem, czy jakikolwiek człowiek byłby w stanie wyprostować się po usłyszeniu czegoś takiego, co ty usłyszałeś... ale gdyby ktokolwiek był w stanie, to tylko ty.

Schofield długo się nie odzywał.

Potem oświadczył spokojnie:

— Pozabijam ich wszystkich, Matka. Łowców nagród, którzy ją złapali, wszystkich uczestniczących w tym polowaniu najemników... i wszystkich z M-dwanaście, którzy to polowanie zorganizowali. A potem, kiedy już będzie po wszystkim, niezależnie od tego, czy świat wróci do normy, czy się rozpadnie, odnajdę Jonathana Killiana i rozwalę mu jego pieprzony łeb.

— Podoba mi się — powiedziała Matka przez łzy.

— Ale.. nie gwarantuję, co zrobię potem...

— No to znowu będę musiała się z tobą bić.

Schofield zamrugał.

— Strachu na Wróble... może nikt więcej ci tego nie powie, więc posłuchaj... mówię to również w imieniu Ralpha, sześciu klonów Britney Spears i mojej teściowej z piekła rodem: dziękujemy.

Schofield podszedł do niej i wyciągnął rękę. Matka złapała ją i dała się podnieść z ziemi.

Kiedy stanęła, objęła go, otoczyła całego swoim potężnym ciałem. Potem pocałowała go w czoło i poszli z powrotem do Kruka.

— Już za nią tęsknię — dodała po chwili.

— Ja też. Ja też.

Po kilku krokach Schofield przystanął.

— Matka... przepraszam, że cię uderzyłem.

— Nie ma sprawy. Ja walnęłam pierwsza.

— Dzięki, że walczyłaś ze mną. Że mi nie pozwoliłaś odejść.

Północna część Zatoki Nowojorskiej
26 października, godzina 11.25 czasu lokalnego

Dokładnie dwanaście minut po tym, jak jego concorde dotknął pasa na lotnisku JFK, Book II siedział już w przedziale super stalliona CH-53E korpusu piechoty morskiej i przelatywał nad Statuą Wolności, mając przed sobą stalowo-szklaną panoramę Nowego Jorku.

Razem z nim w helikopterze siedziało dwunastu uzbrojonych marines z oddziałów rozpoznania.

— Znaleźliście w fabryce terrorystów?! — krzyknął do mikrofonu zdziwiony Book. Rozmawiał z szefem komisji Ministerstwa Obrony, która przybyła do fabryki Axon Corporation, niejakim Doddsem.

— *Tak. Wszyscy są z islamskiego dżihadu, włącznie z... chwileczkę... Shoabem Riisem. Wygląda na to, że odbyła się tu poważna walka.*

— Islamski dżihad... ale to przecież nie ma... — Book nie dokończył zdania.

Nagle zrozumiał.

M-12 musiało zrzucić na kogoś winę, a kto lepiej się do tego nadawał od terrorystów?

Co Axon Corporation mogła poradzić, że islamski dżihad ukradł rakiety i statki? Tylko skąd M-12 wzięło prawdziwych terrorystów?

— Francja! — zawołał po chwili. — Zawsze ta pieprzona Francja!

— *Book, co się tu właściwie dzieje?* — spytał Dodds. — *Wszyscy srają po gaciach. To może okazać się największym atakiem terrorystycznym w historii... i w dodatku wygląda na to, że użyją przeciwko nam naszych własnych rakiet!*

— To nie jest atak terrorystyczny — odparł Book. — To biznes. Niech mi pan wierzy: terroryści dotarli do fabryki już martwi. Zaczynam sądzić, że francuski wywiad nieco pomógł M-dwanaście... Muszę kończyć. Bez odbioru.

Popatrzył w stronę cumujących przed Staten Island kontenerowców i tankowców — sfory lewiatanów, czekających na pozwolenie wejścia do rzek Hudson i East.

Każdy z tych statków mógł być wyrzutnią rakiet.

— Który to? — spytał pilot.

— Leć na współrzędne GPS 28743.05 — 4104.55. Tam będzie stał.

Pilot ustawił namiernik GPS.

Book po raz setny sprawdzał na ręcznym komputerze listę odpaleń. Po rozmowie z Schofieldem razem ze Scottem Moseleyem obliczyli współrzędne GPS dwóch ostatnich tankowców wyrzutni:

Hopewell	Taep'o-Dong-2	N-8	11900.00	11622.50	12.30
			2327.00	4000.00	
			(Cieśn.Tajw.)	(Pekin)	
	Taep'o-Dong-2	N-8	11900.00	11445.80	12.30
			2327.00	2243.25	
			(Cieśn.Tajw.)	(Hongkong)	
whale	Shahab-5	TN76	07040.45	07725.05	12.45
			2327.00	2958.65	
			(M.Arabskie)	(New Delhi)	
	Shahab-5	TN76	07040.45	07332.60	12.45
			2327.00	3230.55	
			(M.Arabskie)	(Islamabad)	

Potem wrysowali wszystkie statki na mapę świata.

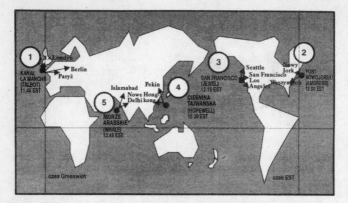

Wyglądało to dość przerażająco.

Poza trzema tankowcami, mającymi odpalić rakiety na Amerykę, Anglię, Francję i Niemcy, były jeszcze dwa okręty Kormoran: jeden na Morzu Arabskim — gotów do wystrzelenia rakiet na Indie i Pakistan, a drugi w Cieśninie Tajwańskiej — zamierzający wystrzelić sklonowane rakiety Taep'o-Dong-2 w Pekin i Hongkong.

— Jezus Maria... — szepnął Book, zaraz jednak otrząsnął się i włączył mikrofon satelitarny. — Fairfax? Jesteś tam? Co na Zachodzie?

Pacyfik
Dwie mile morskie od wybrzeża zatoki San Francisco
Godzina 8.25 czasu lokalnego
(11.25 EST USA)

Dave Fairfax siedział w super stallionie, otoczony oddziałem marines, i podrygiwał prawą stopą. Ten nerwowy ruch zdradzał, w jak wielkim jest strachu.

Miał na głowie zbyt duży hełm i ubrany był w jeszcze bardziej za dużą na niego kamizelkę kuloodporną, a w dłoniach trzymał jednostkę komunikacji satelitarnej czasu realnego. W porównaniu z otaczającymi go komandosami czuł się malutki.

324

Super stallion leciał tuż nad falami Pacyfiku, kierując się ku...

...ogromnemu samotnemu tankowcowi, stojącemu na kotwicy u wybrzeży San Francisco.

— Cześć, Book! —wrzasnął Fairfax do niedawno otrzymanego laryngofonu. — Mamy wasz tankowiec. Jest naprawdę wielki. Stoi dokładnie tam, gdzie powinien — współrzędne GPS pasują idealnie. Zidentyfikowany jako „Jewel", zarejestrowany w Norfolk w stanie Wirginia przez Atlantic Shipping Company — zakamuflowaną filię Axon Corporation. — Stopa Fairfaksa przez cały czas podrygiwała, nie potrafił tego powstrzymać. — Aha, mam też dla ciebie tę liczbę Mersenne'a. To niezwykła matematyka. Znanych jest tylko trzydzieści dziewięć liczb Mersenne'a, ale niektóre mają po dwa miliony cyfr. Są to dość specyficzne liczby pierwsze. Otrzymuje się je, stosując prosty wzór: liczba pierwsza Mersenne'a równa się dwa do potęgi „p" minus jeden, gdzie „p" jest liczbą pierwszą, podobnie jak uzyskany wynik. Pierwszą liczbą Mersenne'a jest trzy, ponieważ dwa do kwadratu minus jeden równa się trzy, a zarówno dwa, jak i trzy to liczby pierwsze. Tak więc zaczynają się od małych, ale kończą na dużych. Szósta liczba pierwsza Mersenne'a opiera się na liczbie pierwszej, wynoszącej siedemnaście. Dwa do potęgi siedemnastej minus jeden równa się sto trzydzieści jeden tysięcy siedemdziesiąt jeden, co też jest liczbą pierwszą...

— *A więc odpowiedź brzmi: sto trzydzieści jeden tysięcy siedemdziesiąt jeden?*

— Tak.

— *Przekażę to Strachowi na Wróble. Dzięki, David. Bez odbioru.*

Sygnał zamilkł.

Fairfax rzucił gniewne spojrzenie na swoją nieszczęsną stopę.

— Tak już jest w tej robocie, panie Fairfax — mruknął dowódca oddziału, Trent. — Ale jeżeli Strach na Wróble wierzy, że pan sobie poradzi, na pewno tak będzie.

— Cieszę się, że przynajmniej on tak uważa.

Kanał La Manche, na północ od Cherbourga
26 października, godzina 17.25 czasu lokalnego
(11.25 EST USA)

Czarny Kruk mknął jak pocisk przez szarpane deszczem niebo z włączonymi szperaczami. Przelatywał nad kolejnymi jasno oświetlonymi tankowcami, skoncentrowanymi w kanale La Manche.

Rufus, Matka i Knight przeszukiwali morze, próbując zlokalizować cel, a Schofield rozmawiał z Bookiem.

— *Zaraz wszystko prześlę* — powiedział Book.

Palmpilot Schofielda zadźwięczał i wyświetlił zgromadzone przez Booka informacje o okrętach Kormoran. Schofield aż wytrzeszczył oczy: Morze Arabskie, Cieśnina Tajwańska...

— *Fairfax obliczył ci też szóstą liczbę Mersenne'a. To sto trzydzieści jeden tysięcy siedemdziesiąt jeden* — dodał Book.

— Sto trzydzieści jeden tysięcy siedemdziesiąt jeden... — Schofield zapisał to na dłoni. — Dzięki, Book. Powiedz Davidowi, że niedługo się z nim skontaktuję. Strach na Wróble, bez odpowiedzi. — Zaczął przełączać kanały i po chwili wszedł na linię Ambasady Stanów Zjednoczonych w Londynie. — Panie Moseley, co słychać w sprawie naszych okrętów podwodnych? — zapytał.

— *Mam dobre i złe wieści.*

— Zacznijmy od dobrych.

— *Na Morzu Arabskim i w Cieśninie Tajwańskiej stoją okręty klasy Los Angeles — wystarczająco blisko, aby zlikwidować okręty wyrzutnie.*

— A złe wieści?

— *Trzy okręty wyrzutnie w Nowym Jorku, San Francisco i w kanale La Manche. Nie mamy dostatecznie blisko żadnych sześćset osiemdziesiąt osiem. Trzeba je będzie rozbroić na miejscu, na pokładzie.*

— Wspaniale...

— Mam go! — krzyknął nagle Rufus, wskazując na podskakujący na wysokiej fali, jaskrawo oświetlony supertankowiec — jeden z wielu stojących u wybrzeży Francji. — Sygnał transpondera identyfikuje go jako „Talbota", a lokalizacja idealnie pasuje do współrzędnych GPS.

— Dobra robota, Rufus — powiedział Schofield. — *Panie Moseley, dziękuję za pomoc. Muszę się zabierać do roboty.* — Odwrócił się do Knighta i Matki. — Robimy tankowce w takiej kolejności, w jakiej miały strzelać. Ten idzie pierwszy. Potem odlecimy i rozbroimy pozostałe za pomocą zdalnego sterowania. Może być?

— Dla mnie tak — odparł Knight.

— Jak cholera — dodała Matka.

— No to się trzymajcie — powiedział Schofield z kamienną twarzą. — Zaczynamy.

Kanał La Manche
Godzina 17.30
(11.30 w Nowym Jorku)

Czarny Kruk opuścił się nisko nad pokład tankowca i zawisł w powietrzu, oświetlany potężnymi reflektorami.

Ciągle lało i z powodu silnego wiatru kłujące płachty wody leciały skośnie.

Niebo przeszywały błyskawice.

Luk bombowy Kruka otworzył się i na zewnątrz wyskoczyły trzy postacie: Schofield, Matka i Knight.

Dzięki dobrze zaopatrzonemu arsenałowi Kruka byli uzbrojeni po zęby: w MP-7, pistolety Glock, strzelby Remington. Schofield i Matka mieli na sobie zapasowe kamizelki sprzętowe, które Knight trzymał na pokładzie myśliwca.

Cała trójka wylądowała na ogromnym przednim pokładzie „Talbota" — przed wieżą kontrolną — po czym Kruk położył się na skrzydło i odleciał.

Ledwie trójka intruzów dotknęła stopami pokładu, zaczęto ich ostrzeliwać z wieży kontrolnej.

Zatoka Nowojorska
Wschodnie Wybrzeże USA

W tym samym momencie po drugiej stronie Atlantyku Book II i jego oddział marines zaatakowali „Ambrose'a" — tankowiec stojący w Zatoce Nowojorskiej.

Tak samo jak grupa Schofielda, spuścili się na przedni pokład na linkach.

I tak samo jak grupę Schofielda — natychmiast zaczęto ich ostrzeliwać.

Ale w odróżnieniu od grupy Schofielda nie mogli skorzystać z osłony ciemności i deszczu. W tej części świata była właśnie godzina 11.30. Jasny dzień.

Czekający na nich w wieży kontrolnej dwaj strzelcy otworzyli ogień, zanim ludzie Booka dotknęli pokładu.

Dwóch komandosów padło na miejscu.

Book rzucił się na pokład i natychmiast odpowiedział ogniem.

San Francisco
Zachodnie Wybrzeże USA

To samo działo się na Zachodnim Wybrzeżu.

Kiedy Fairfax i towarzyszący mu oddział marines zaatakowali „Jewel", znaleźli się pod ciężkim ogniem z wieży kontrolnej.

Ludzie Trenta byli jednak na to przygotowani.

Ich snajper wyeliminował obu strzelców na tankowcu dwoma strzałami z unoszącego się nad pokładem helikoptera.

Marines zeskoczyli na dach wieży kontrolnej, a razem z nimi Dave Fairfax.

Błyskawicznie znaleźli stanowisko strzeleckie na mostku, z którego dwóch ludzi strzelało przez panoramiczne okna.

Obaj strzelcy byli ciemnoskórzy i mieli na sobie afrykańskie mundury bojowe.

— Co to ma znaczyć? — spytał Andrew Trent na widok naszywek na ich rękawach.

Obaj strzelcy byli członkami armii Erytrei.

Kanał La Manche

Niebo rozświetliła błyskawica, o kadłub tankowca chlusnęła fala, zadudnił grzmot, o przedni pokład załomotały pociski.

Knight i Matka przygwoździli obu strzelców w wieży kontrolnej zmasowanym ogniem.

— Powinienem się tego spodziewać! — krzyknął Schofield, kiedy biegli w kierunku drzwi wieży kontrolnej. — Killian nigdy by nie zostawił tych jednostek bez straży!

— Ale kto to jest? Kogo namówił do pilnowania okrętów?! — odkrzyknęła Matka.

W połowie drogi natknęli się na wpuszczoną w pokład wielką klapę. Otworzyli ją i z dołu runął na nich grad pocisków z broni maszynowej.

Do krawędzi otworu zamocowana była drabina, schodząca w głąb ładowni, w której znajdowały się rakiety — główny cel całej operacji.

Znacznie bardziej jednak zainteresowało ich to, co ujrzeli na dole ładowni.

Oddział uzbrojonych w uzi i M-16, ubranych na czarno komandosów strzelał do kogoś, kogo nie było widać.

Schofield zatrzasnął luk.

— Chyba przeszkodziliśmy komuś — stwierdził.

— Co tam było? — spytała Matka.

— Nie jesteśmy pierwszymi przybyszami na tankowcu.

— Co?! Kto jest na dole?

Schofield popatrzył na Knighta.

— W dzisiejszych czasach niewiele jednostek używa uzi... — powiedział Knight. — Myślę, że to Zemir i Sayaret Tzanhim.

— Też tak uważam — zgodził się z nim Schofield.

— Czy ktoś mógłby mi wyjaśnić, o co chodzi?! — wrzasnęła Matka.

— Wygląda na to, że zjawił się tu przed nami jedyny człowiek na świecie, który poza mną może rozbroić system Cinc-Lock-siedem. To Izraelczyk z sił powietrznych, Zemir — ochraniany przez Sayaret Tzanhim, elitarną izraelską jednostkę.

— Ten dzień jest tak popieprzony, że uwierzę we wszystko — mruknęła Matka. — I co teraz?

Schofield popatrzył na zegarek.

17.35.

11.35 w Nowym Jorku.

Dziesięć minut do odpalenia pierwszych rakiet.

— Cóż... niech Izraelczycy dokończą brudną robotę na dole.

Niech Zemir rozbroi rakiety i zostanie bohaterem. My idziemy do wieży. Chcę przyjrzeć się tamtym dwóm strzelcom. Dobrze będzie wiedzieć, z kim mamy do czynienia, zanim pójdziemy pomóc Zemirowi.

Podeszli do drzwi u podstawy wieży, otworzyli je i w tym momencie oświetlił ich szperacz helikoptera.

Schofield odwrócił się do światła.

— To chyba jakiś żart...

Nad przednim pokładem tankowca — sto jardów od nich — unosił się helikopter Alouette.

Po chwili jego koła dotknęły pokładu.

Z kabiny wysiadło trzech ludzi w rosyjskich kombinezonach bojowych, z karabinkami Skorpion w dłoniach.

Dmitrij Zamanow i jego dwóch ostatnich ludzi.

— Cholera, zapomniałem o nich... — jęknął Knight. — Polowanie na ciebie nie zostało odwołane, Schofield. To Zamanow. Biegnijmy!

Wpadli do wieży kontrolnej, pokonali kilkanaście stalowych stopni i znaleźli się na mostku.

17.36.

W słuchawce Schofielda rozległ się głos Fairfaksa:

— *Strachu na Wróble, weszliśmy na mostek tankowca w San Francisco. Strzelcy przeciwnika mieli mundury armii Erytrei...*

Schofield podszedł do ciał strzelców.

Afrykańczycy.

Komandosi. Mundury khaki. Czarne hełmy.

Na ramionach plakietki z godłem — ale nie Erytrei.

Było to godło elitarnego oddziału komandosów armii nigeryjskiej — gwardii prezydenckiej.

Weterani licznych afrykańskich wojen domowych, żołnierze nigeryjskiej gwardii prezydenckiej, byli wyszkolonymi przez CIA zabójcami, wykorzystywanymi w przeszłości zarówno do walki z obywatelami własnego kraju, jak i wrogami zewnętrznymi. Na ulicach Lagos i Abui nigeryjska gwardia prezydencka znana jest pod inną nazwą — szwadrony śmierci.

Oddział Killiana.

Dwóch strzelców na górze i kolejni na dole, do ochrony silosów, z którymi właśnie walczyli Izraelczycy.

— Fairfax... powiedziałeś, że to byli Erytrejczycy?

— *Zgadza się.*

— Nie Nigeryjczycy?

— *Nie. Moi marines to potwierdzają. Mieli erytrejskie odznaki.*

Erytrejskie?

332

— Strachu na Wróble, zobacz — odezwała się Matka, która w tym momencie otworzyła drzwi do magazynku. Na podłodze leżały cztery worki z ciałami. Rozpięła pierwszy z brzegu — w środku znajdowały się śmierdzące zwłoki terrorysty z islamskiego dżihadu.

— Teraz wszystko rozumiem! — zawołał Schofield. — Chłopcy z biczami. — Włączył mikrofon satelitarny. — Fairfax, powiedz swoim marines, aby zachowali czujność. W głównej ładowni będzie więcej Afrykańczyków, pilnują silosów. Wybacz, Davidzie, ale to dla ciebie jeszcze nie koniec. Będziesz musiał przebić się przez ten oddział i zrobić łącze satelitarne w promieniu maksimum sześćdziesięciu stóp od konsolety kontrolnej, bo tylko wtedy mogę rozbroić rakiety.

— Już się za to zabraliśmy.

Matka dołączyła do Knighta, który stał przy oknie i wypatrywał Zamanowa oraz jego ludzi.

— Widzisz go?

— Nie, ten ruski szczur gdzieś zniknął — odparł Knight. — Prawdopodobnie poszedł szukać Zemira.

Nagle w ich słuchawkach eksplodował głos Rufusa:

— Szefie! Strachu na Wróble! Nowy kontakt zbliża się do tankowca! Duży kuter. Wygląda jak jednostka francuskiej straży przybrzeżnej.

— Jezu... — jęknął Schofield.

Podszedł do okna i zobaczył duży biały kuter, podpływający z prawej strony.

Nie mógł uwierzyć własnym oczom.

Oprócz nigeryjskiego szwadronu śmierci, izraelskiego oddziału specjalnego i rosyjskich łowców nagród mieli jeszcze do kompletu francuską policję morską!

— To nie jest straż przybrzeżna — powiedział Knight, który obserwował nadpływającą jednostkę przez lornetkę noktowizyjną.

Widział przez nią kuter, przebijający się przez fale ostrym jak nóż dziobem, widział karabin maszynowy na przednim pokładzie, oszkloną sterówkę i rozbryzganą na szybach krew.

Za sterem stali uzbrojeni mężczyźni.

— To Damon Larkham i jego IG-osiemdziesiąt osiem — oświadczył Knight.

17.38.

Siedem minut do odpalenia rakiet.

— Cholera, następni łowcy nagród... — syknął Schofield. — Rufus! Możesz ich wyeliminować?

— *Przepraszam, kapitanie, ale nie mam już rakiet. Wszystkie poszły na francuski lotniskowiec.*

— Rozumiem... — Schofield przez chwilę nad czymś się zastanawiał. — Dobra, Rufus, trzymaj się instrukcji. Jeśli nie rozbroimy tych rakiet, będziemy potrzebowali twojej pomocy.

— Zrozumiałem.

Schofield myślał gorączkowo.

Wszystko działo się zbyt szybko. Sytuacja wymykała się spod kontroli. Rozbroić rakiety... Izraelczycy na pokładzie... nigeryjski oddział... kolejni łowcy nagród...

Skup się! — krzyknął sam na siebie. Zastanów się. Co jest najważniejszym celem?

Rozbroić rakiety. Musi rozbroić rakiety do 17.45. Wszystko inne jest mniej ważne.

Jego wzrok zatrzymał się na znajdującej się z tyłu mostka windzie.

— Zjeżdżamy do ładowni — oświadczył.

Była 17.39.

Zatoka Nowojorska
Godzina 11.39

Book i oddział marines, oświetlani jaskrawym słońcem, szukali schronienia na przednim pokładzie supertankowca.

Book otworzył klapę w pokładzie i zaczął się ześlizgiwać w dół po bardzo długiej drabinie. Marines zjeżdżali tuż za nim.

Kiedy Book zjechał na dół, rozejrzał się.

Stali w wielkiej ładowni, mającej przynajmniej trzysta jardów długości. Przed nim ciągnęło się, znikając w ciemności, kilkanaście silosów rakietowych, wyglądających jak podpierające sufit kolosalne kolumny.

Przy najdalszym silosie, ukrywając się za masywną barykadą ze stalowych skrzyń i wózków widłowych, czekał na nich oddział ciężko uzbrojonych afrykańskich komandosów.

Drzwi windy otworzyły się, ukazując rufową część głównej ładowni supertankowca.

Schofield, Knight i Matka, obładowani bronią, weszli do środka.

Ładownia z silosami rakietowymi była ogromna — bez trudu zmieściłyby się w niej trzy boiska piłkarskie. W przedniej części ładowni stały silosy rakiet Kameleon: wysokie, zbrojone tytanem cylindry, sięgające spodu pokładu. W każdym znajdowała się jedna z najstraszniejszych znanych ludzkości broni. Właśnie w tej części ładowni trwała brutalna potyczka.

Pod najdalszym silosem rakietowym przyczaił się oddział złożony z dwunastu nigeryjskich komandosów, trzymający pod ostrzałem konsoletę kontroli rakiet, umieszczoną dziesięć stóp nad podłogą platformę na stalowych nogach, do której Schofield musiał zbliżyć się na sześćdziesiąt stóp, aby spróbować rozbroić rakiety.

Nigeryjczycy ukrywali się za solidną barykadą, zza której strzelali do Izraelczyków i obrzucali ich granatami.

Pociski i granaty trafiały w silosy, ale ich ściany były zbyt grube, by mogły je uszkodzić.

Między Schofieldem i walczącymi znajdowało się mnóstwo najróżniejszych przedmiotów — kontenery, części zamienne do rakiet — a z sufitu zwisały na łańcuchach dwie jaskrawożółte miniaturowe łodzie podwodne z kulistymi szklanymi kokpitami.

Schofield natychmiast rozpoznał w nich przerobione DSRV, pojazdy ratunkowe głębokiego zanurzenia. Były one często używane przez marynarkę wojenną USA do wzrokowego sprawdzania, czy na kadłubie lotniskowca albo okrętu z rakietami balistycznymi nie umieszczono urządzeń sabotażowych. Oczywiście tak ważny projekt jak Kormoran/Kameleon również musiał dysponować tymi jednostkami.

17.40.

Schofield, Knight i Matka, nisko przykucnięci, pomknęli naprzód i lawirując między leżącymi wokół przedmiotami, obserwowali przebieg potyczki.

Izraelczycy posłali kilku ludzi na prawo, aby odciągnąć

uwagę Nigeryjczyków, po czym zaatakowali ich barykadę od lewej trzema rakietami.

Pociski pomknęły przez ładownię, ciągnąc za sobą trzy smugi dymu, i równocześnie trafiły w barykadę.

Efekt był taki, jakby pękła tama wodna.

Nigeryjczycy ze straszliwym wrzaskiem wylecieli w powietrze. Wielu z nich płonęło.

Izraelczycy rzucili się do przodu, zabijając tych, którzy jeszcze żyli.

Nagle wpuszczone w prawą burtę stalowe wrota zaczęły się unosić.

Ledwie się otworzyły, o krawędź ładowni załomotała szeroka stalowa płyta i do ładowni wbiegli — niczym szesnastowieczni piraci, dokonujący abordażu — najemnicy z oddziału IG-88, którzy przybyli ze skradzionego kutra straży przybrzeżnej. Ich karabinki MetalStorm pluły morderczym ogniem.

Schofield patrzył, jak mimo naporu ognia przynajmniej dwudziestu intruzów izraelscy komandosi zajmują teren wokół konsolety kontroli rakiet.

Utworzyli wokół wysokiej platformy półkole i zaczęli strzelać do ludzi z IG-88.

Tymczasem izraelski dowódca — mógł to być Simon Zemir — wspiął się na platformę, podszedł do konsolety, otworzył aktówkę i wyjął z niej CincLock-VII.

— Cwani ci Izraelczycy... — mruknęła Matka. — Czy jest jakaś amerykańska technologia, której nie ukradli?

— Prawdopodobnie nie — odparł Schofield. — Ale dziś są naszymi najlepszymi kumplami. Popatrzmy, czy dobrze pilnują Zemira.

17.41.

Obserwował zza silosu rakietowego, jak izraelski dowódca zaczyna naciskać zapalające się kółeczka, zamierzając rozbroić system.

Doskonale, pomyślał. Może uda nam się stąd wymknąć bez większej rozróby.

Nagle ujrzał trzy ciemne postacie, opuszczające się na linach za plecami Zemira.

Nikt z Izraelczyków ich nie widział. Byli zbyt zajęci walką z Damonem Larhkamem i jego ludźmi.

— Nie... — jęknął Schofield. — O nie...

Był to Zamanow i jego Skorpiony.

Zjeżdżali na linkach, zawieszonych na krawędzi luku w dziobowej części przedniego pokładu.

Schofield ujawnił się, krzycząc do Zemira:

— Za tobą!

Oczywiście Izraelczycy nie zrozumieli go i natychmiast skierowali na niego ogień.

Skoczył za silos, przetoczył się po podłodze i wyjrzał zza osłony — dokładnie w chwili, gdy trójka Skorpionów wylądowała kilka metrów za Zemirem.

Schofield mógł jedynie przyglądać się bezradnie, jak Zamanow skrada się powoli, wyciąga swój kozacki miecz, bierze zamach i zadaje Zemirowi potężny cios w kark.

W tym momencie Shane Schofield stał się ostatnią żywą osobą z listy celów do zabicia.

I jedynym człowiekiem na Ziemi, zdolnym rozbroić system zabezpieczający CincLock-VII.

Głowa Zemira spadła z karku.

— To nie może się dziać naprawdę... — jęknął Schofield.

Jeden z Izraelczyków spojrzał przez ramię — dokładnie w chwili, gdy bezgłowe ciało Zemira spadło z platformy i huknęło o dno ładowni, rozbryzgując wokół mnóstwo krwi — i zobaczył Zamanowa, który wsadził głowę Izraelczyka do plecaka, i natychmiast zaczął mknąć w górę na zwijającej się lince.

Osłaniając uciekającego Zamanowa, jego dwaj towarzysze strzelili patrzącemu na nich przeciwnikowi prosto w głowę. Kolejni dwaj Izraelczycy zginęli od ognia z drugiej strony — z rąk ludzi z IG-88.

Izraelscy komandosi znaleźli się pod ostrzałem dwóch grup zawodowych łowców nagród.

Kiedy pozostali żołnierze Sayaret Tzanhim zobaczyli, co się stało, i ujrzeli nad sobą uciekających, stracili całą wolę walki.

Byli zdziesiątkowani.

Komandosi IG-88 natychmiast wykorzystali sytuację. W ciągu kilku minut wszyscy Izraelczycy zostali zabici.

17.42.

IG-88 przejęło barykadę. Damon Larkham wkroczył do niej jak zwycięski generał. Wskazał głową w kierunku sufitu — na Zamanowa i jego ludzi, uciekających z głową Zemira.

Rosjanie dotarli do klapy luku, którym przybyli.

Pierwsi wyszli na zewnątrz dwaj żołnierze, stanęli na smaganym deszczem pokładzie i sięgnęli w dół, by odebrać od swego dowódcy obciętą głowę.

W tym momencie ich ciała przeszył ogień z broni maszynowej.

Obaj Rosjanie padli w konwulsjach na pokład, ich klatki piersiowe chlusnęły krwią.

W deszczu czekało na nich sześciu ludzi z IG-88. Damon Larkham przewidział ich ruch i posłał na górę kilku ludzi.

Plecak z głową Zemira spadł na pokład — jeden z najemników IG-88 podbiegł do niego i podniósł go.

Samotny Zamanow, który jeszcze znajdował się pod pokładem, bujnął się na lince i wylądował na biegnącym wysoko pod sufitem ładowni pomoście. Po chwili zniknął w ciemności.

Schofield stał jak sparaliżowany.

To było nie do wiary...

Za trzy minuty miały zostać odpalone rakiety z głowicami atomowymi, Zemir nie żył, a IG-88 opanowało konsoletę. Dwudziestu ludzi z karabinami MetalStorm!

Potrzebował czegoś, co mogłoby odwrócić ich uwagę. Musiałoby to być coś bardzo odwracającego uwagę.

— Wezwij Rufusa — powiedział do Knighta.

— Jesteś pewien?

— To jedyna możliwość.

— Jak chcesz. Jesteś szalony, kapitanie Schofield... — Knight włączył mikrofon i powiedział do niego: — Rufus, jak plan B?

Pilot natychmiast odpowiedział:

— *Mam dla was najbliższego. Wielki jak cholera! Jestem jeszcze sto jardów od was, ale maszyny ostro się kręcą i idę prosto na was!*

Sto jardów od „Talbota" przez burzę pędził — z Rufusem przy sterach — drugi supertankowiec.

Kiedy Rufus wylądował na jego przednim pokładzie, silniki pracowały na małej mocy. Był to „Eindhoven", czekający na rozładunek w Cherbourgu statek o wyporności 110 000 ton.

Teraz znajdował się na nim jedynie Rufus, bo gdy ostrzelał mostek z dwóch karabinów maszynowych M-16, sześcioosobowa załoga zdecydowała się opuścić jednostkę.

— Co mam robić?! — zawołał Rufus do mikrofonu.

Schofield próbował szybko ocenić sytuację.

Włączenie do akcji wielkiego pilota miało być ostatecznością — gdyby nie udało się rozbroić rakiet, Schofield zamierzał zatopić „Talbota".

Spojrzał na konsoletę i barykadę i krew zastygła mu w żyłach.

Damon Larkham patrzył prosto na niego i uśmiechał się.

— Staranuj nas — powiedział Schofield do Rufusa.

17.42:10

Ludzie Damona Larkhama wybiegli zza barykady i klucząc między przeszkodami, strzelali jak wściekli.

Ścigali Schofielda.

Schofield zaprowadził Matkę i Knighta do szalupy ratunkowej, zamocowanej przy otwartych wrotach do załadunku przewożonych towarów, mieszczących się w prawej burcie.

— Szybko! Wchodźcie!

Wskoczyli do szalupy, po czym zaczęli się ostrzeliwać. Musieli dotrwać do nadpłynięcia Rufusa.

Komandosi IG-88 zbliżali się jednak zbyt szybko.

— Rufus, pospiesz się... co z tobą? — powiedział głośno Schofield.

Rufus przybył w ostatniej chwili, za to w pełnej glorii.

Można było pomyśleć, że nastąpił koniec świata.

Wył rwany metal, stal drapała stal.

Zderzenie się na kanale La Manche dwóch supertankowców — dwóch spośród największych poruszających się po planecie obiektów, każdy niemal tysiącstopowej długości i ważący ponad 100 000 ton, do tego w gęstej ulewie, było czymś niesamowitym.

Skradziony przez Rufusa tankowiec wbił się prawie prostopadle w lewą burtę „Talbota".

Wzmacniany dziób „Eindhovena" wjechał w „Talbota" jak w masło.

Lewa burta zaatakowanej jednostki wgięła się do środka i przez ogromną dziurę natychmiast zaczęła się wlewać woda.

Uderzenie było tak potężne, że „Talbotem" rzuciło kilka jardów w prawo, zaraz jednak — kiedy zaczęła go zalewać woda — zaczął się przewracać na lewą burtę i tonąć.

W ogromnej ładowni „Talbota" rozpętało się piekło.

Nawet Schofield nie był przygotowany na tak nagłe pojawienie się w lewej burcie spiczastego dziobu „Eindhovena" — ani na taką siłę uderzenia.

Kiedy ładownia się zatrzęsła, wszyscy poprzewracali się na podłogę.

Z dziury w boku chlusnął gigantyczny wodospad.

Potężna jak tsunami fala wody — o wysokości dziesięciu stóp i niezwykle gwałtowna — w ułamku sekundy połknęła paru ludzi z IG-88 i z łatwością uniosła wysoko w górę wózki widłowe, kontenery oraz elementy rakiet.

Kiedy wpłynęła pod szalupę ratunkową i wypchnęła ją ponad mocowania, Schofield natychmiast zwolnił linki i zapalił silnik.

W kilka sekund cała podłoga ładowni znalazła się pod wodą.

„Talbot" jeszcze bardziej przechylił się na lewo — przynajmniej o trzydzieści stopni — i ledwie Schofield zdążył pchnąć szalupę naprzód, ładownia zaczęła się obracać.

17.42:30

Z zewnątrz wyglądało to naprawdę niezwykle.

„Eindhoven" w dalszym ciągu tkwił w kadłubie „Talbota", który gwałtownie się zanurzał i tonął, przechylony na lewo.

Z każdą toną wpływającej do ładowni wody coraz bardziej ściągał dziób „Eindhovena" w dół. Długi przedni pokład „Talbota" i rufa z wieżą kontrolną wystawały ponad powierzchnię, pochylone pod kątem przynajmniej trzydziestu stopni, a środkowa część lewej burty szła pod wodę, pchając dziób „Eindhovena" coraz niżej i niżej.

Rufusowi nie trzeba było mówić, co ma robić.

Wypadł z mostka, pognał do stojącego na pokładzie Kruka, wspiął się do kabiny i wystartował w smagane ulewą niebo.

17.43:30

Schofield szybko manewrował łodzią w wypełniającym się wodą „Talbocie".

Bardzo szybko.

Zaopatrzona w silnik szalupa mknęła po powierzchni wody, przemykając między pochylonymi teraz silosami rakiet. Matka i Knight siedzieli po bokach Schofielda i strzelali do pływających wokół wrogów. Przypominało to wyścig z czasem w przewracającym się lesie.

Damon Larkham i większość jego ludzi uciekli na prawą stronę tankowca, utrzymującą się jeszcze nad wodą.

Schofield kierował się jednak gdzie indziej — ku konsolecie w przedniej części ładowni.

17.43:48
17.43:49
17.43:50
Szalupa cięła spienioną ton, a Matka i Knight likwidowali kolejnych najemników IG-88.

Po chwili dotarli do podestu z konsoletą. Urządzenie do odpalania rakiet również się pochyliło — wciąż podnosząca się woda była już tylko kilkanaście cali niżej.

— Osłaniajcie mnie! — zawołał Schofield. Widział z szalupy oświetlony ekran i migające czerwone liczby, odliczające czas do odpalenia rakiet w setnych sekundy.

00.01:10,88
00.01:09,88
00.01:08,88

Setne sekundy migały tak szybko, że wszystkie cyfry wyglądały jak ósemki.

Schofield wyjął z wodoszczelnej kieszeni jednostkę Cinc-Lock-VII, którą zabrał Francuzowi, i popatrzył na nią.

Na ekranie znajdowały się białe i czerwone kółeczka.

Pojawił się napis:

PIERWSZY PROTOKÓŁ (ZBLIŻENIE): ZREALIZOWANY
START: DRUGI PROTOKÓŁ

Tak jak przedtem, białe kółka zaczęły się powoli zapalać i gasnąć.

Schofield wciskał je po kolei.

Odliczanie trwało.

00.01:01
00.01:00
00.00:59

Nagle „Talbotem" gwałtownie szarpnęło. Tankowiec zsuwał się z dziobu „Eindhovena".

Schofield nie trafił palcem w jedno z białych kółek.

Ekran pisnął:

DRUGI PROTOKÓŁ (SCHEMAT REAKCJI): STWIERDZONO
NIEUDANĄ PRÓBĘ ROZBROJENIA
TRZY NIEUDANE PRÓBY ROZBROJENIA SPOWODUJĄ DETONACJĘ
DRUGI PROTOKÓŁ (SCHEMAT REAKCJI): REAKTYWOWANY

— Cholera... — zaklął Schofield.
Zaczął od początku.
Tankowiec dalej tonął.
Woda zaczęła ochlapywać buty Schofielda.
Matka i Knight wciąż strzelali do ludzi Larkhama.

Kiedy Knight puścił kolejną serię, dostrzegł zbliżające się
nieszczęście.
— O nie... — jęknął.
— Co jest? — spytała Matka.
— Drzwi załadunkowe na sterburcie... zaraz będą pod po-
wierzchnią.
Z powodu przechyłu statku na lewo wielkie otwarte wrota do
tej pory nie były zalane, ale podnosząca się woda prawie sięgała
już ich krawędzi — za chwilę zacznie wlewać się do „Talbota"
z obu stron i wielki tankowiec pójdzie na dno w ciągu kilku
sekund.
— Knight! — krzyknęła nagle Matka. — Z prawej!
— O cholera...
Sześciu ludzi Larkhama wygramoliło się z wody i wsiadało
do dwóch motorówek.
Zaraz na nich ruszą.
— Kapitanie Schofield! — krzyknął Knight. — Gotowe?
— Prawie!

00.00:51
00.00:50
00.00:49

Dwie szalupy z komandosami IG-88 podpłynęły do prawego
boku ładowni i wyłowiły Damona Larkhama oraz resztę najemników. Teraz oddział liczył szesnastu ludzi.

Pomknęli w kierunku Schofielda.

Knight i Matka znowu otworzyli ogień.

Szalupy lawirowały między pochylonymi silosami, a siedzący na nich komandosi strzelali z wszystkich luf.

Schofield nadal tkwił w świecie białych i czerwonych kółek.

00.00:41
00.00:40
00.00:39

Wcisnął ostatnie kółko i napis na ekranie się zmienił:

DRUGI PROTOKÓŁ (SCHEMAT REAKCJI): ZREALIZOWANY
TRZECI PROTOKÓŁ (WPISANIE KODU): AKTYWNY
PROSZĘ WPISAĆ AUTORYZOWANY KOD ROZBRAJAJĄCY

— No dobrze... Uniwersalny Kod Rozbrajający... — mamrotał do siebie Schofield. Szósta liczba pierwsza Mersenne'a była zapisana na jego dłoni: sto trzydzieści jeden tysięcy siedemdziesiąt jeden.

Zaczął wciskać klawisze na klawiaturze numerycznej, ale nagle szalupa, w której siedział, zachybotała się gwałtownie i...

Ekran zapiszczał po raz drugi i pojawił się napis:

PIERWSZY PROTOKÓŁ (ZBLIŻENIE): PRZERWANY
WSZYSTKIE PROTOKOŁY REAKTYWOWANE

— Co jest?! — Schofield podniósł wzrok i zobaczył, że Knight odpływa od konsolety, a Matka strzela do dwóch goniących ich szalup.

Wpłynęli między silosy.

— Przepraszam, kapitanie, ale musieliśmy! — krzyknął Knight. — Inaczej już byśmy nie żyli!

— Musimy wrócić do konsolety w ciągu dziesięciu sekund! Potrzebuję do przejścia całej sekwencji minimum dwadzieścia pięć!

Wodę wokół rozrywały pociski.

00.00:35
00.00:34
00.00:33

Knight zawrócił łódź.
— Jak blisko musisz być?
— Sześćdziesiąt stóp!
— W porządku.
Kule śmigały nad ich głowami, odbijały się rykoszetami od silosów.
Knight zawrócił i zaczął zataczać szeroki krąg wokół konsolety, tak, aby mogli w każdej chwili schować się między silosami.

00.00:27
00.00:26
00.00:25

Ekran jednostki rozbrajającej Schofielda pisnął.

PIERWSZY PROTOKÓŁ (ZBLIŻENIE): ZREALIZOWANY
START: DRUGI PROTOKÓŁ

Znowu zaczęły się zapalać światełka i Schofield zaczął naciskać na ekran.
Matka strzelała do goniących ich szalup.
Knight jedną ręką sterował, a drugą strzelał, przez cały czas utrzymując szalupę w odległości nie większej niż sześćdziesiąt stóp od konsolety.

00.00:16
00.00:15
00.00:14

Motorówki IG-88 rozdzieliły się.
Po chwili jedna z nich zakręciła i zaczęła płynąć z powrotem, spychając szalupę Schofielda na swoich kolegów.
Nieświadom tego, co się wokół dzieje, Schofield coraz szybciej naciskał światełka.
Czerwone... białe... białe...

346

00.00:11
00.00:10
00.00:09

Knight zaczął strzelać do płynącej na nich szalupy.
Pudło... pudło... pudło...

00.00:08
00.00:07
00.00:06

Palce Schofielda poruszały się tak szybko, że aż rozmazywały
mu się przed oczami.
Matka trafiła jednego z goniących i jednocześnie sama krzyknęła z bólu — dostała w ramię.

00.00:05
00.00:04
00.00:03

Szli na zderzenie z szalupą IG-88. Knight cały czas strzelał
do sterującego nią najemnika.
Pudło... pudło...
...trafiony.

00.00:02

Najemnik fiknął do tyłu i padł martwy. Szalupa IG-88 odbiła
w bok i Knight mógł utrzymać ich w strefie sześćdziesięciu stóp.

00.00:01

Palce Schofielda poruszały się teraz nieco inaczej. Nie naciskał kółek, coś wpisywał...

00.00:00

Za późno.

Ale żadna z rakiet Kameleon nie odpaliła.

Odliczanie zakończone zostało na 00.00:00,05.

Sekundy doszły do zera, lecz gdy Schofield wpisał kod rozbrajający i wcisnął ENTER, jeszcze nie skończyła się ostatnia sekunda.

Napis na ekranie brzmiał:

TRZECI PROTOKÓŁ (WPISANIE KODU): ZREALIZOWANY
AUTORYZOWANY KOD ROZBRAJAJĄCY: WPISANY
ODPALENIE RAKIET PRZERWANE

Schofield odetchnął głęboko.

Rakiety nie pomknęły w niebo.

Londyn, Paryż i Berlin zostały uratowane.

W tym momencie krawędź otwartych wrót ładunkowych po prawej stronie znalazła się pod wodą.

Ryk wody był ogłuszający.

Jakby otwarto zaporę.

Przez szeroko otwarte wielkie wrota runęła do wnętrza statku niewyobrażalna masa wody.

Ściana wody — ogromna fala niemożliwego do powstrzymania, szalejącego żywiołu.

Efekt był natychmiastowy.

Tankowiec gwałtownie się przekręcił i wypoziomował, ponieważ wpadająca z prawej strony masa zrównoważyła to, co wpływało z lewej.

Miało to jednak efekt uboczny: „Talbot" oderwał się od „Eindhovena" i pozbawiony podparcia, nie mógł już dłużej utrzymywać się na wodzie.

Zaczął się zanurzać — bardzo szybko — w głębiny kanału La Manche.

W ładowni panował straszliwy hałas.

Ryk wpadającej do środka wody odbijał się głośnym echem. Fale waliły w stalowe ściany. Tworzyły się wiry.

Poziom wody rósł zatrważająco szybko.

Schofield miał wrażenie, że sufit opada na nich w ekspresowym tempie.

W kilka sekund znaleźli się w połowie wysokości silosów — sześć metrów pod zwisającymi z sufitu pomostami.

Damon Larkham i jego ludzie przerwali pościg i zaczęli wspinać się na drabinki, prowadzące do podsufitowych pomostów.

— Dobrze kombinuje... — mruknął Knight. — Kieruje się do przedniego pokładu. Obstawi wszystkie luki. Wystarczy, że trochę na nas zaczeka... kiedyś przecież będziemy musieli wyjść.

— Więc poszukajmy innej drogi — powiedział Schofield. — Muszę uciec z tego okrętu i znaleźć bezpieczne miejsce, z którego będę mógł rozbroić rakiety skierowane na Amerykę.

Wyjął z kieszeni palmpilota, by sprawdzić, gdzie stoi statek Kormoran, mający strzelać jako następny.

Otworzył jeden z dokumentów, które oglądał poprzednio.

Źródło	System transp.	Gł.boj.	Pochodzenie	Cel	Czas
Talbot	Shahab-5	TN76	35702.90	00001.65	11.45
			5001.00	5239.10	
	Shahab-5	TN76	35702.90	00420.02	11.45
			5001.00	4900.25	
	Shahab-5	TN76	35702.90	01312.15	11.45
			5001.00	5358.75	
Ambrose	Shahab-5	TN76	28743.05	28743.98	12.00
			4104.55	4104.64	

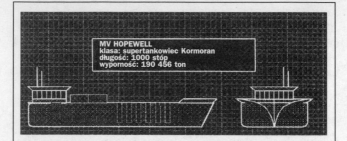

MV HOPEWELL
klasa: supertankowiec Kormoran
długość: 1000 stóp
wyporność: 190 456 ton

TEMAT: PŁATNOŚĆ PROWIZJI WERYFIKATORA

PŁATNOŚĆ ZOSTANIE DOKONANA ZA POMOCĄ
WEWNĘTRZNEGO ELEKTRONICZNEGO TRANSFERU W AGM-SUISSE
Z PRYWATNEGO KONTA ASTRAL-66 PTY LTD

Plan podróży zarządu

Proponowana trasa podróży: Asmara (01/08), Luanda (01/08),
Abuja (05/08), N'djamena (07/08) i Tobruk (09/08)

01/08 — Asmara (ambasada)
03/08 — Luanda (spotkanie z M.Lochem, bratankiem R.)

Nazwisko	Kraj	Org.
1. ASHCROFT, William H.	GB	SAS
2. CHRISTIE, Alec P.	GB	MI 6
3. FARRELL, Gregory C.	USA	DELTA
4. KHALIF, Iman	AFG	AL KAIDA
5. KINGSGATE, Nigel E.	GB	SAS
6. McCABE, Dean P.	USA	DELTA

Kliknął na listę skrótów i rozwinęła się pełna lista.

Źródło	System transp.	Gł.boj.	Pochodzenie	Cel	Czas
Talbot	Shahab-5	TN76	35702.90	00001.65	11.45
			5001.00	5239.10	
	Shahab-5	TN76	35702.90	00420.02	11.45
			5001.00	4900.25	
	Shahab-5	TN76	35702.90	01312.15	11.45
			5001.00	5358.75	
Ambrose	Shahab-5	TN76	28743.05	28743.98	12.00
			4104.55	4104.64	
	Shahab-5	TN76	28743.05	28231.05	12.00
			4104.55	3835.70	
Jewel	Taep'o-Dong-2	N-8	23222.62	23222.70	12.15
			3745.75	3745.80	
	Taep'o-Dong-2	N-8	23222.62	24230.50	12.15
			3745.75	3533.02	
	Taep'o-Dong-2	N-8	23222.62	23157.05	12.15
			3745.75	4930.52	
Hopewell	Niebiański Koń-3	W-88	11900.00	11622.50	12.30
			2327.00	4000.00	
	Niebiański Koń-3	W-88	11900.00	11445.80	12.30
			2327.00	2243.25	
Whale	Ghauri-II	R-5	07040.45	07725.05	12.45
			2327.00	2958.65	
	Agni-II	I-22	07040.45	07332.60	12.45
			2327.00	3230.55	
Arbella	Jerycho-2B	W-88	04402.25	04145.10	14.00
			1650.50	2130.00	

Taka sama lista jak ta, którą rozkodował Book. Schofield spojrzał na współrzędne GPS pierwszych trzech okrętów — „Talbota", Ambrose'a" i „Jewel".

„Ambrose" miał strzelać następny — dokładnie w południe, ze współrzędnych 28743.05, 4104.55.

Był to Nowy Jork.

Zaraz, zaraz...

Ta lista różniła się jednak od listy Booka.

Schofield jeszcze raz się jej przyjrzał.

Zmieniono niektóre rakiety w dolnej części listy.

Na liście Booka były tylko dwa typy rakiet: Shahab-5 i Taep'o-Dong-2.

Teraz ich miejsce zajęły inne: tajwańskie Niebiańskie Konie, pakistańskie Ghauri-II, hinduskie Agni-II oraz izraelskie Jerycho-2B.

Dodany został także jeszcze jeden okręt wyrzutnia — „Arbella", która miała odpalić rakiety dwie godziny po innych.

Nie wspominając już o tym, że tajwańskie i izraelskie rakiety na tej liście wyposażono w amerykańskie głowice bojowe, potężne W-88...

W wodę tuż obok nich klasnęła salwa. Schofield ledwie to zauważył.

Kiedy podniósł głowę, zobaczył, że dopłynęli do drabinki, prowadzącej na pomost pod sufitem. Przedtem pomost ten znajdował się osiemdziesiąt stóp nad podłogą ładowni, ale teraz przestrzeń nad szybko podnoszącą się wodą zmniejszyła się do osiemnastu.

Z obu stron pomostu nadbiegali ludzie z IG-88, po czterech z każdej. Przed chwilą zeszli z pokładu przez luki i zbliżali się do grupki Schofielda, strzelając ze wszystkich luf. Pociski rykoszetowały z wizgiem wokół szalupy.

— A to drań! — krzyknął Knight. — Wcale nie zamierza czekać! Zmusza nas do wejścia na górę!

Matka podniosła Schofielda za kołnierz.

— Chodź, przystojniaku, później wrócisz do swojego komputera. — Wyciągnęła go z szalupy i pociągnęła drabinkę w górę, osłaniając Schofielda własnym ciałem.

Wspinali się szybko, przez cały czas się ostrzeliwując. Wkrótce znaleźli się na pomoście, gdzie powitały ich setki iskier rykoszetujących pocisków.

Matka zajęła pozycję osłonową, a Knight poprowadził Schofielda w kierunku rufy.

Wszędzie latały pociski.

Biegnąc, wciąż się ostrzeliwali. W pewnym momencie Schofieldowi skończyła się amunicja.

— Idziemy w jakieś konkretne miejsce?! — krzyknął.

— Tak! — odkrzyknął Knight, nie przerywając ognia. — Będziesz mógł rozbroić rakiety, a my wszyscy uciec. Tutaj!

Skręcił ostro w prawo, minął skrzyżowanie dwóch pomostów, wybiegł zza skonstruowanej z blachy budki, służącej najwyraźniej jako pomieszczenie serwisowc, i ujrzeli przed sobą...

... dwie miniaturowe, zawieszone na łańcuchach żółte łodzie podwodne. Były to DSRV.

Łodzie wisiały jakieś pięć metrów nad powierzchnią wody. Przykrywał je biegnący od pomostów daszek, dzięki czemu obaj uciekinierzy byli częściowo osłonięci przed najemnikami IG-88.

Matka biegła kilka jardów za nimi i ostrzeliwała się. Przeciwnicy byli najwyżej dwadzieścia jardów za nią.

Musiała się zatrzymać na skrzyżowaniu pomostów, tuż obok blaszanej budki. Nie mogła dołączyć do Schofielda i Knighta, bo drogę odcinali jej ścianą ognia ludzie z IG-88.

Wbiegła do budki.

— Matka! — wrzasnął Schofield.

— *Spadaj stąd, Strachu na Wróble* — odpowiedziała przez radio.

W tym momencie najemnicy zaatakowali budkę.

Blaszane ściany zaczęły się rozpadać na kawałki.

Matka skuliła się — Schofield przestraszył się, że została trafiona — zaraz jednak wyprostowała się i z bojowym okrzykiem na ustach wyeliminowała dwóch ludzi IG-88.

— *Strachu na Wróble, powiedziałam: spadaj stąd!*

— Nie odejdę bez ciebie!

— *Wynoś się!*

— Nie mogę stracić jednego dnia i Gant, i ciebie!

Głos Matki spoważniał.

— *Strachu na Wróble, uciekaj!* — powtórzyła. — *Jesteś ważniejszy od takiej starej pierdoły jak ja. Zawsze tak było. Będę ważna, jeśli dzięki mnie przeżyjesz. Pozwól mi na to! No już, seksowna bestio: w nogi!*

Powiedziawszy to, wstała i z dzikim wrzaskiem zaczęła strzelać do obu zbliżających się do niej oddziałów wroga.

Jej nagła akcja zatrzymała ludzi z IG-88 — dwaj biegnący z przodu ludzie zginęli w fontannach krwi — i dała Schofieldowi i Knightowi czas na działanie.

— Wsiadaj! — krzyknął Knight do Schofielda, wciskając klawisz z napisem WŁAZ na jednej z łodzi. Okrągła pokrywa kabiny natychmiast się otworzyła. — Nie pozwól jej się poświęcić na darmo!

Schofield zrobił pół kroku i popatrzył na Matkę.

— Cholera, nie...

Salwa z karabinków MetalStorm załomotała w opancerzenie na piersi Matki... potem druga... trzecia...

Matka wyprostowała się gwałtownie i przestała strzelać. Miała szeroko otwarte usta, a jej oczy nagle zmieniły wyraz.

Po chwili zniknęła w chmurze dymu i odłamków szkła.

Ludzie z IG-88 dokończyli sprawę, z każdej strony posyłając w blaszaną budkę rakietę.

Dwa pociski uderzyły w nią równocześnie. Blaszane ścianki rozprysnęły się na boki, a podłoga oderwała z mocowań i poleciała w dół, do zbierającej się szesnaście stóp niżej wody.

Schofield zrobił ruch, jakby chciał wyskoczyć z łodzi, ale Knight go powstrzymał.

— Nie! Spadamy stąd! Już! — wrzasnął i wepchnął kapitana do łodzi podwodnej.

Był na niej ktoś jeszcze.

Gdy stopy Schofielda dotknęły podłogi łodzi, kątem oka dostrzegł błysk zbliżającej się stali.

Zareagował odruchowo.

Podniósł pusty pistolet i... klinga trafiła w osłonę spustu. Zatrzymała się dwa centymetry od jego gardła.

Przed nim stał Dmitrij Zamanow.

Trzymał w rękach krótki kozacki miecz, a jego oczy przepełniała nienawiść.

— Wybrałeś sobie złą kryjówkę... — warknął.

Zanim Schofield zdążył się poruszyć, wcisnął dwa klawisze. Pierwszy był oznaczony napisem WŁAZ.

Kabina zamknęła się.

Zaraz potem Zamanow nacisnął przycisk ZWALNIANIE DSRV — i Schofield poczuł, że żołądek podchodzi mu do gardła. Miniaturowa łódź podwodna gwałtownie oderwała się od łańcuchów i z wielkim pluskiem wylądowała na wciąż podnoszącej się wodzie.

— Jasna cholera! — krzyknął Aloysius Knight. — Co się dzieje?!

Kiedy wepchnął Schofielda do żółtej łodzi podwodnej i zamierzał wejść za nim do środka, pokrywa kabiny zamknęła mu się przed nosem i mała jednostka plasnęła o wodę w dole.

Najemnicy IG-88 minęli zniszczoną budkę z blachy i ruszyli na niego. O metalowe elementy załomotały superszybkie pociski.

Knight zrobił jedyną rzecz, jaka mu pozostała: skoczył do drugiej łodzi podwodnej.

Schofield i Zamanow zaczęli walczyć ze sobą.

Nie była to stylowa walka.

Walczyli jak na ulicy.

Kotłowali się w ciasnej przestrzeni i zadawali sobie nawzajem ciosy.

W pistolecie Schofielda zabrakło naboi, ale mieczyk Zamanowa był nadal groźny.

Kiedy łódź po opadnięciu na wodę podskoczyła, pierwszą rzeczą, jaką zrobił Schofield, było wybicie Zamanowowi miecza z ręki.

Zaczęli się wściekle siłować — Schofield, ponieważ napędzała go złość z powodu utraty Matki, Zamanow, ponieważ był psychopatą.

Rzucali sobą o ściany i walczyli zajadle, każdy cios pozostawiał nową krwawiącą ranę.

Schofield złamał Zamanowowi kość policzkową.

Zamanow złamał Schofieldowi nos i następnym ciosem wyrzucił mu z ucha słuchawkę.

Kiedy pchnął go barkiem na tablicę rozdzielczą łodzi, nagle żółta jednostka...

...zaczęła się zanurzać.

Schofield odskoczył od tablicy rozdzielczej i zobaczył, że uderzył w przycisk z napisem BALAST. DSRV szła ostro w dół.

Znaleźli się pod wodą. Za półkulistą osłoną kabiny widać było zatopioną ładownię.

Panowała całkowita cisza, wszystko nabrało błękitnawego odcienia — podłoga, silosy, zwłoki. Był to niesamowity podwodny krajobraz.

Ponieważ „Talbot" pochylał się lekko na prawy bok, podłoga była przekrzywiona pod kątem mniej więcej dwudziestu stopni.

Zamanow podniósł z podłogi miecz.

Miniaturowa łódź podwodna wciąż opadała powoli na dno ładowni.

Gdy Zamanow machnął mieczem, Schofield złapał nadgarstek opadającej na niego ręki.

DSRV ze stłumionym tąpnięciem uderzył w podłogę ładowni...

...i zaczął się zsuwać w kierunku otwartych wrót załadunkowych w prawej burcie.

Świat przechylił się wariacko.

Obaj walczący zostali rzuceni w bok.

Łódź sunęła po pochyłej podłodze na krawędź wrót ładowni i po chwili wypadła na zewnątrz, w głąb kanału La Manche.

Maleńka jednostka błyskawicznie zanurzała się pod gigantycznym kadłubem „Talbota".

Rozmiary tankowca sprawiały, że wydawała się mikroskopijna. Wyglądała jak unoszący się w wodzie pod wielorybem robak.

Tankowiec tonął powoli, a DSRV — z pełnymi zbiornikami balastowymi — zanurzał się bardzo szybko.

Niewiarygodnie szybko.

Pędził pionowo w dół z prędkością windy pospiesznej.

Przeciętna głębokość kanału La Manche wynosi czterysta stóp. Tutaj wynosiła trzysta i łódź podwodna pokonywała ten dystans w rekordowym tempie.

Zamanow i Schofield walczyli w niemal całkowitej ciemności, rozświetlanej jedynie niebieskawą poświatą instrumentów.

— Kiedy cię zabiję, wytnę ci to twoje cholerne amerykańskie serce! — ryknął Zamanow, próbując wyrwać rękę z mieczem z uchwytu Schofielda.

Do tej pory używali standardowych technik, teraz jednak Zamanow postanowił zastosować „ruch Lectera".

Wyszczerzył zęby, zamierzając ugryźć przeciwnika.

Schofield natychmiast odsunął głowę i Zamanow dostał to, o co mu chodziło: swój miecz.

Zamachnął się nim, ale w tym momencie łódź uderzyła w dno i obaj walczący przewrócili się.

Błyskawicznie poderwali się na nogi.

Zamanow znów wziął zamach, Schofield jednak skoczył naprzód, schował się pod ramieniem przeciwnika i wsadził mu prosto w usta coś, co wyciągnął z kamizelki.

Rosjanin nawet nie zdążył się przestraszyć, bo Schofield nie czekał — natychmiast uruchomił wetknięty w usta przeciwnika hak alpinistyczny i odwrócił się, by nie widzieć tego, co się wydarzy.

Ostre jak chirurgiczne szczypce ramiona haka rozłożyły się na boki, szukając czegoś, o co mogłyby się oprzeć.

Natknęły się na szczęki Zamanowa.

Schofield nie widział, co się dzieje, ale słyszał.

Dolna szczęka Rosjanina została pchnięta w dół dalej, niż pozwalała na to anatomia.

Kiedy Schofield się odwrócił, dół twarzy Zamanowa zwisał groteskowo — szczęka została wyrwana ze stawu i połamana. Ale górna część haka dokonała znacznie więcej zniszczeń — wbiła się w mózg. Zamanow znieruchomiał, a potem padł na kolana.

Schofield wziął miecz i stanął nad nim.

Oczy Rosjanina latały bezładnie, sterowane odruchami. Oznaczało to, że jeszcze jest przytomny.

Schofield najchętniej przebiłby go mieczem i odciął mu głowę — by odpłacić tym samym, co Zamanow robił innym ludziom — nie był jednak do czegoś takiego zdolny.

Zostawił Rosjanina w spokoju i tylko patrzył, jak pada na twarz i wali ciężko o podłogę.

Włożył słuchawkę z powrotem do ucha.

— *Schofield! Schofield! Zgłoś się!* — ryczał głos Knighta. — *Żyjesz jeszcze?!*

— Jestem na dnie. Co z tobą?

— *Siedzę w drugiej łodzi. Włącz zewnętrzne reflektory, żebym cię zobaczył.*

Schofield zrobił, o co go poproszono.

— *Ożeż w mordę...* — usłyszał po chwili głos Knighta.

— Co jest?

— *Masz moc?*

Schofield postukał w kilka klawiszy. Nie było reakcji.

— Mam powietrze, ale nie mam napędu. O co chodzi? Nie możesz podpłynąć i mnie stąd zabrać?

— *Nie zdążę na czas.*

— Na czas? Jaki czas? Masz jakiś problem?

— *Eee... bardzo duży.*
— Co to takiego?
— *Spójrz w górę, kapitanie.*
Schofield podniósł głowę.
Kadłub supertankowca — wisząca nad DSRV potężna masa — opadał powoli, sunąc prosto na niego.

Schofield nerwowo przełknął ślinę. Na jego maleńką łódź podwodną miało zaraz opaść 100 000 ton metalu.

Opadaniu wielkiego statku na dno towarzyszyło basowy, wibrujący dźwięk.

— Nie widuje się czegoś takiego co dzień — mruknął pod nosem Schofield. — Knight!

— *Nie zdążę!* — wrzasnął zrozpaczony Knight.

— Cholera! — zaklął Schofield.

Zaczął rozglądać się gorączkowo, zastanawiając się nad możliwościami ratunku.

Nic z tego. Nie zdąży wypłynąć spod tankowca. Statek był zbyt duży. Nie uda mu się uciec na czas.

Mógł jedynie czekać na śmierć.

Niezły wybór: pewna śmierć albo pewna śmierć.

Ale skoro musiał umrzeć, mógł przynajmniej zrobić przed śmiercią jeszcze jedną dobrą rzecz.

Włączył mikrofon satelitarny.

— Book! Co słychać w Nowym Jorku?

— *Przejęliśmy* Ambrose'a. *Przeciwnicy zlikwidowani. Jesteśmy przy konsolecie kontrolnej i zrobiłem połączenie satelitarne. Mój czas: jedenasta pięćdziesiąt dwie. Masz osiem minut na rozbrojenie tego świństwa.*

Schofield widział opadającego nad nim milczącego giganta. Przy obecnej prędkości tankowiec uderzy w dno za jakąś minutę.

— Nie mam tyle czasu — oświadczył. — Muszę rozbroić te rakiety natychmiast.

Wyjął z wodoszczelnej kieszeni CincLocka i aktywował łącze satelitarne.

Jednostka ożyła.

PIERWSZY PROTOKÓŁ (ZBLIŻENIE): ZREALIZOWANY
START: DRUGI PROTOKÓŁ

Na ekranie zaczęły pojawiać się czerwone i białe kółeczka, wysyłane przez konsoletę na okręcie wyrzutni w Nowym Jorku.
Schofield rozpoczął sekwencję rozbrajającą.
Opadający supertankowiec nabierał prędkości.
Palce Schofielda również przyspieszyły.
Tankowiec był osiemdziesiąt stóp nad nim.
Mignęło czerwone kółko i Schofield dotknął go.
Sześćdziesiąt stóp...
Pięćdziesiąt stóp...
Basowy dźwięk stawał się coraz głośniejszy.
Czterdzieści stóp...
Trzydzieści stóp...
Schofield wcisnął ostatnie kółko. Ekran zamigotał.

DRUGI PROTOKÓŁ (SCHEMAT REAKCJI): ZREALIZOWANY
TRZECI PROTOKÓŁ (WPISANIE KODU): AKTYWNY
PROSZĘ WPISAĆ AUTORYZOWANY KOD ROZBRAJAJĄCY

Dwadzieścia stóp...
Woda nagle pociemniała — tankowiec wisiał tuż mad małą łodzią podwodną, wszystko sobą zasłaniając.
Schofield wpisał Uniwersalny Kod Rozbrajający: 131 071.
piętnaście stóp...
Ekran pisnął.

TRZECI PROTOKÓŁ (WPISANIE KODU): ZREALIZOWANY
AUTORYZOWANY KOD ROZBRAJAJĄCY: WPISANY
ODPALANIE RAKIET PRZERWANE

Czekając na koniec — ostateczny, prawdziwy koniec, przed którym nie było ucieczki, Schofield zamknął oczy i zaczął przypominać sobie ludzi, których kochał.

Widział uśmiechniętą Libby Gant, czuł niemal, jak go całuje... widział, jak „Matka" Newman wrzuca piłkę do kosza nad drzwiami garażu za swoim domem... ujrzał szeroki uśmiech na jej wielkiej twarzy i w jego oczach pojawiły się łzy.

Nie myślał już o tym, że gdzieś jeszcze są rakiety, które trzeba rozbroić. Będzie się nimi musiał zająć ktoś inny.

Koniec nadchodził łagodnie.

Dziesięć sekund później supertankowiec „Talbot" uderzył w dno kanału La Manche.

Wylądował dokładnie na miniaturowej łodzi podwodnej i w ułamku sekundy ją unicestwił.

Ale kiedy to nastąpiło, Schofielda nie było w łodzi.

Kilka sekund przed uderzeniem „Talbota" w dno, gdy tankowiec był oddalony od niego niecałe dwanaścue stóp, o kadłub DSRV coś uderzyło z metalicznym brzękiem.

Schofield podniósł głowę i ujrzał przyklejoną do poszycia łodzi magnetyczną głowicę maghooka. Linka odchodziła w bok po morskim dnie i ginęła w mrocznej wodzie.

W słuchawce Schofielda eksplodował głos Knighta:

— *Schofield! Rusz się! Tempo! Tempo!*

Schofield natychmiast odzyskał całą energię.

Wziął głęboki wdech i wcisnął przycisk z napisem WŁAZ.

Kiedy pokrywa się uniosła, do środka natychmiast zaczęła wlewać się woda. Wystarczyły dwie sekundy, aby wypełnić całe wnętrze malutkiej łodzi podwodnej. Schofield był już jednak na zewnątrz i trzymał linkę maghooka.

Gdy tyko ją złapał, Knight zdemagnetyzował głowicę, by odczepiła się od kadłuba łodzi, i zaczął zwijać linkę.

Schofield z ogromną prędkością pomknął nad dnem kanału, mając tuż nad sobą kadłub tankowca, który z tej perspektywy wyglądał jak spód planety.

Wyprysnął spod tankowca, w ostatniej chwili wyciągając stopę spod kadłuba statku, który zaraz potem z potężnym, stłumionym tąpnięciem dotknął dna, wznosząc chmurę piachu i mułu, połykającą wszystko wokół.

W tej chmurze, siedząc na drugim DSRV i oddychając z małej butli z powietrzem, czekał na niego Aloysius Knight. W ręku trzymał maghooka Gant.

Podał Schofieldowi butlę i kapitan wziął głęboki haust.

Po minucie siedzieli obaj w środku łodzi podwodnej. Knight wypompował z niej wodę i wytworzył pozwalające oddychać ciśnienie powietrza.

Zaczęli wypływać z głębin kanału La Manche. Po krótkiej, milczącej podróży żółta łódź podwodna przebiła spienione fale. Natychmiast oświetliły ich reflektory Czarnego Kruka, który unosił się nisko nad wodą i cierpliwie na nich czekał.

Przestrzeń powietrzna nad kanałem La Manche
Godzina 18.05 czasu lokalnego
(12.05 EST USA)

Czarny Kruk mknął na południe kanału La Manche.

Ociekający wodą Aloysius Knight opadł na fotel strzelca pokładowego. Ale Schofield — choć tak samo przemoczony — nie mógł sobie pozwolić na odpoczynek. Wyjął z kieszeni zmodyfikowanego palmpilota. Miał jeszcze sprawy do załatwienia.

Wziął do ręki listę z programem odpalania rakiet — tę, która różniła się od wcześniejszej listy Booka. Porównał obie.

Pierwsze trzy zapisy były takie same jak na liście Booka.

Różniły się tylko trzy ostatnie: trzy rakiety były inne. Do tego dochodził jeszcze dodatkowy zapis na końcu.

Dodał do trzech ostatnich zapisów otrzymane od Booka współrzędne GPS. Pierwsze dwa wyglądały teraz następująco:

Hopewell	Niebiański Koń-3	W-88	11900.00	11622.50	12.30
			2327.00	4000.00	
			(Cieśn.Tajw.)	(Pekin)	
	Niebiański Koń-3	W-88	11900.00	11445.80	12.30
			2327.00	2243.25	
			(Cieśn.Tajw.)	(Hongkong)	
whale	Ghauri-II	R-5	07040.45	07725.05	12.45.
			2327.00	2958.65	
			(M.Arabskie)	(New Delhi)	
	Agni-II	I-22	07040.45	07332.60	12.45
			2327.00	3230.55	
			(M.Arabskie)	(Islamabad)	

Nagle cała lista zaczęła wyglądać inaczej.

Rakiety, które miały zaatakować Pekin i Hongkong z okrętu „Hopewell", były klonami tajwańskiej interkontynentalnej rakiety balistycznej o nazwie Niebiański Koń. Były uzbrojone w amerykańskie głowice bojowe.

Rakiety przeznaczone do odpalenia z „Whale" na New Delhi były klonami pakistańskiego Ghauri-II, a na Islamabad — klonami hinduskiego Agni-II.

— Jasna cholera... — zaklął Schofield.

Jak Chiny zareagują na tajwański atak nuklearny?

Niemiło.

A jak na wzajemne zbombardowanie swoich krajów zareagowałyby Indie i Pakistan?

Bardzo niemiło.

Schofield zmarszczył czoło.

Nie rozumiał, dlaczego „jego" lista różni się od listy Booka. Zastanów się. Skąd Book wziął swoją listę?

Od agenta Mossadu Rosenthala, który ją zdobył, przez wiele miesięcy inwigilując M-12.

A skąd ja mam moją?

Przez chwilę myślał gorączkowo.

— O Boże.. — jęknął, kiedy sobie przypomniał.

Dostał tę listę na palmpilota, kiedy siedział z Gant w kamiennym przedsionku w Forteresse de Valois, a Aloysius Knight był z *monsieur* Delacroix w gabinecie i włamał się bezprzewodowo do jego komputera.

— Czy kiedy byliśmy w zamku, Delacroix mówił, w czyim jesteście gabinecie? — spytał Knighta.

Knight wzruszył ramionami.

— Tak, coś wspomniał o tym, że to nie jego gabinet. Mówił, że należy do właściciela zamku.

— Killiana, tak?

— Dlaczego o to pytasz?

— W gabinecie musiał być jeszcze jeden komputer. W szufladzie albo na stoliku obok. Mówiłeś, że palmpilot wyciągnie informacje z każdego znajdującego się w pobliżu komputera. Kiedy uruchomiłeś ten hakerski program, musiałeś włamać się do komputera Killiana.

— I co?

Schofield podniósł w górę listę.

— To nie jest plan M-dwanaście. Ich plan dotyczy rozpoczęcia globalnej zimnej wojny z terroryzmem. Chcą stworzyć pozory, że terroryści zaatakowali największe miasta świata za pomocą shahabów i taep'o-dongów. Zostawili w fabryce Axona i na tankowcach ciała fanatyków islamskiego dżihadu, aby cały świat myślał, że to oni ukradli statki Kormoran. A z tej listy wynika coś zupełnie innego. Dowodzi ona, że firma Killiana zamontowała na statkach Kormoran inne rakiety Kameleon, niż początkowo planowano. Killian dąży do czegoś innego niż globalna wojna z terroryzmem. Zorganizował to tak, żeby każde mocarstwo doszło do wniosku, że zostało zaatakowane przez swojego najzagorzalszego przeciwnika. Zachód zaatakują terroryści. Indie i Pakistan ostrzelają się nawzajem. A w Chiny trafi coś, co będzie wyglądać na rakiety tajwańskie... To nie jest plan M-dwanaście, to plan Killiana! Nie spowoduje żadnej zimnej wojny, ale ogólnoświatową anarchistyczną wojnę!

— Twierdzisz, że Killian oszukiwał swoich bogatych przyjaciół z M-dwanaście? — spytał Rufus.

— Właśnie. — Schofield przypomniał sobie w tym momencie słowa multimilionera: „Choć niewiele osób o tym wie, przyszłość świata to Afryka". — Choć niewiele osób o tym wie, przyszłość świata to Afryka... — powiedział. — Na każdym statku byli afrykańscy żołnierze. Erytrejczycy, Nigeryjczycy... Cholera! Dlaczego przedtem tego nie zauważyłem?

Otworzył na palmpilocie kolejny dokument:

Plan podróży zarządu

Proponowana trasa podróży: Asmara (01/08), Luanda (01/08), Abuja (05/08), N'djamena (07/08) i Tobruk (09/08)

01/08 — Asmara (ambasada)
03/08 — Luanda (spotkanie z M. Lochem, bratankiem R.)

Była to trasa podróży, jaką Killian odbył w minionym roku. Asmara: stolica Erytrei.

Luanda: stolica Nigerii.

Abuja: Nigeria.

N'djamena: Czad.

Tobruk: największa baza lotnictwa wojskowego w Libii.

Killian nie otwierał nowych fabryk, ale zawierał sojusze z pięcioma najważniejszymi państwami w Afryce.

Dlaczego?

— Co by się stało, gdyby największe mocarstwa świata rozpoczęły anarchistyczną wojnę? Co stałoby się wtedy z resztą świata? — spytał Schofield.

— Wyrównano by kilka starych rachunków, to na pewno — odparł Knight. — Odżyłyby wojny etniczne. Serbowie ruszyliby na Chorwatów, Rosjanie wymordowaliby Czeczenów, nie wspominając o tych wszystkich, którzy chcieliby załatwić Kurdów. Pojawiliby się też różni oportuniści, tacy jak Japonia w czasie drugiej wojny światowej. I kraje, które wyczułyby okazję zdobycia surowców naturalnych albo terytorium: Irak zająłby Kuwejt, a Indonezja — Timor Wschodni.

— A co z Afryką? Mam na myśli dokument prognostyczny Rady Bezpieczeństwa Organizacji Narodów Zjednoczonych Q-trzysta dziewięć.

— O rany! — jęknął Knight.

Schofield dokładnie pamiętał brzmienie fragmentu, dotyczącego krajów Trzeciego Świata: „W przypadku konfliktu z udziałem głównych mocarstw jest bardzo prawdopodobne, że dotknięte biedą narody krajów Afryki, Bliskiego Wschodu i Ameryki Środkowej — niektóre z nich mają ludność tysiąckrotnie liczniejszą od zachodnich państw — przeleją się przez granice i opanują zachodnie miasta".

Jezus Maria...

Globalna anarchistyczna wojna i dotknięte biedą narody Trzeciego Świata...

A jeżeli w dodatku Killian dał cynk przywódcom kilku afrykańskich krajów...

Niemożliwe, zaprotestował natychmiast umysł Schofielda.

Plan Killiana nie ma wystarczającego rozmachu.

Nie gwarantuje totalnej, ogólnoświatowej anarchii.

Ale po chwili Schofield przypomniał sobie ostatni wpis na liście rakiet do odpalenia — ten, którego nie było na liście

Booka, dotyczący rakiety, która miała zostać wystrzelona dwie godziny po pozostałych.

Rozwinął ten wpis na ekranie:

```
Arbella  Jerycho-2B      W-88      04402.25      04145.10   14.00
                                    1650.50       2130.00
```

Klon Jerycho-2B... Pod tą nazwą kryła się dalekosiężna rakieta balistyczna z Izraela, a ten egzemplarz uzbrojono w amerykańską głowicę bojową W-88.

Jaki był jej cel?

Schofield wpisał współrzędne ostatniej rakiety w mapę Booka, przyłożył do niej palec i poczuł na kręgosłupie lodowate zimno.

— Boże, chroń nas wszystkich... — jęknął, gdy ujrzał cel.

Ostatnia sklonowana rakieta — udająca izraelską, z amerykańską głowicą bojową — skierowana była na cel w Arabii Saudyjskiej.

Miała być wystrzelona na Mekkę.

W kokpicie zapadła cisza.

Już sam pomysł był szokujący: izraelska rakieta, uzbrojona w amerykańską głowicę atomową, uderzająca w najświętsze miasto muzułmanów, do tego w pierwszy dzień ich największego święta.

Po 11 września nie mogło być bardziej prowokacyjnego aktu.

Miałoby to straszliwe konsekwencje — żaden amerykański obywatel, żadna amerykańska ambasada, żadna amerykańska firma nie byłyby bezpieczne. W każdym mieście każdego kraju wściekli muzułmanie szukaliby zemsty.

Wywołałoby to ogólnoświatową amerykańsko-muzułmańską wojnę. Pierwszy w historii konflikt między religią i narodem.

— Boże, dwudziesty szósty października... cały czas miałem to przed nosem — mruknął Schofield. — Pierwszy dzień ramadanu. Nawet nie pomyślałem o znaczeniu tej daty.

— Skąd ta rakieta ma być wystrzelona? — spytał Knight.

Schofield szybko wyrysował współrzędne odpalenia ostatniej rakiety Kameleon i zmarszczył czoło.

— Nie z okrętu. Miejsce strzału jest na lądzie... gdzieś w Jemenie.

— W Jemenie? — zdziwił się Rufus.

— Graniczy z Arabią Saudyjską. Jest bardzo blisko Mekki — wyjaśnił mu Knight.

— Jemen... — Schofield zastanawiał się nad czymś intensywnie. — Jemen...

W którymś momencie w ciągu dnia ktoś coś mu mówił o Jemenie, o czymś w Jemenie...

Nagle przypomniał sobie.

— W Jemenie jest klon Kraska-osiem.

Słyszał o tym na samym początku całego zamieszania, podczas odprawy przed akcją w Krasku-8. W czasie zimnej wojny Sowieci budowali w sprzymierzonych z nimi państwach — takich jak Syria, Sudan czy Jemen — naziemne bazy z rakietami balistycznymi, identyczne jak Krask-8.

Myśli Schofielda pędziły z zawrotną szybkością.

Krask-8 był własnością Atlantic Shipping Company. Odkrył to rano David Fairfax.

Atlantic Shipping Company było filią Axon Corporation.

— Jasna cholera... Rufus, weź kurs na południowy wschód i uruchom pełną moc. Cały czas dopalacze.

Rufus popatrzył na niego z powątpiewaniem.

— Kapitanie, nie chcę być niegrzeczny, ale nawet jeśli będziemy lecieli z maksymalną prędkością, nie ma szans, abyśmy w dwie godziny dotarli do Jemenu. To trzy tysiące mil, czyli przynajmniej cztery godziny drogi. Poza tym przy pełnej prędkości paliwo skończy się nam jeszcze przed Alpami Francuskimi.

— Tym się nie martw. Załatwię tankowanie w powietrzu. Poza tym wcale nie będziemy lecieć tą maszyną do samego Jemenu.

— Jak każesz, kapitanie — mruknął Rufus, położył samolot na skrzydło, przyjął zadany kurs i uruchomił dopalacze.

Schofield włączył mikrofon satelitarny.

— Panie Moseley... jest pan jeszcze z nami?

— *Oczywiście* — usłyszał odpowiedź z Londynu.

— Chcę, aby znalazł mi pan aktywa pewnej firmy. Nazywa się Atlantic Shipping Company. Proszę poszukać należących do niej terenów w Jemenie, zwłaszcza dawnych własności sowieckich. Potrzebuję jeszcze dwóch rzeczy. Pierwsza z nich to ekspresowa droga przelotu przez Europę z kilkoma tankowaniami w powietrzu. Zaraz prześlę wam sygnał naszego transpondera.

— A druga?

— Musi pan zatankować dla mnie dwa specjalne amerykańskie samoloty. Stoją w tej chwili w Mediolanie, na wystawie lotniczej Aerostadia Italia.

Następne pół godziny miało okazać się decydujące.
W wielu miejscach świata zaczęły działać różne siły.

Morze Arabskie
U wybrzeży Indii
Godzina 21.05 czasu lokalnego
(12.05 EST USA)

Śupertankowiec „Whale" kołysał się u wybrzeży Indii na leniwie przetaczających się falach. Rakiety znajdujące się na jego pokładzie były przygotowane do strzału.

Nikt nie zauważył amerykańskiego okrętu podwodnego, który podpłynął do tankowca od strony rufy na odległość dwóch mil morskich.

Kiedy afrykańscy komandosi siedzący na wieży kontrolnej zobaczyli torpedy, było już za późno.

Obie torpedy Mark 48 uderzyły jednocześnie, rozerwały boki statku i zatopiły go.

Cieśnina Tajwańska
Wody międzynarodowe między Chinami a Tajwanem
Godzina 01.10 czasu lokalnego
(12.10 EST USA)

„Hopewella" spotkał podobny los.
Zacumowany pośrodku Cieśniny Tajwańskiej, niedaleko dłu-

giej linii supertankowców i frachtowców, również został trafiony przez dwie amerykańskie torpedy Mark 48.

Kilku marynarzy z innych statków, odbywających nocną wachtę, twierdziło, że widzieli na horyzoncie wybuch.

„Hopewell" nie odpowiadał na wezwania radiowe, a kiedy ktoś dotarł na miejsce ostatniej znanej pozycji statku, nic już tam nie znalazł.

„Hopewell" zniknął.

Nikt nie zauważył też okrętu, który go zatopił. Rząd amerykański twierdził później, że w okolicy nie było ani jednej jednostki typu 688I.

Zachodnie Wybrzeże USA
Niedaleko San Francisco
Godzina 9.12 czasu lokalnego
(12.12 w Nowym Jorku)

W ogromnej ładowni supertankowca klasy Kormoran „Jewel", zajętego przez dwunastu marines korpusu piechoty morskiej, stojący nad ciałami kilkunastu martwych afrykańskich komandosów David Fairfax wpiął do panelu sterowania rakietami łącze satelitarne.

Sygnał pomknął w niebo i dotarł do Czarnego Kruka, lecącego nad Francją w kierunku Włoch.

Podczas gdy Schofield zajmował się CincLockiem, Fairfax ochraniał konsoletę — chwilami zasłaniając modem własnym ciałem — przed dwoma erytrejskimi komandosami, którzy przeżyli wejście marines.

Bardzo się bał, ale choć wokół strzelano i wybuchały granaty — utrzymał połączenie.

Zanim upłynęły dwie minuty, obaj Afrykańczycy zginęli — wyeliminowani przez marines — a system odpalania rakiet z „Jewel" został zneutralizowany przez lecącego Krukiem Schofielda i David Fairfax mógł opaść na podłogę z głębokim westchnieniem ulgi.

Lotnisko Aerostadia
Mediolan
Godzina 19.00 czasu lokalnego
(13.00 w Nowym Jorku)

Czarny Kruk wylądował pionowo na pasie lotniska Aerostadia w Mediolanie.

Na północy Włoch był już wieczór, ale przez ostatnie trzy kwadranse amerykański kontyngent na lotnisku pracował po godzinach, tankując na rozkaz Ministerstwa Obrony dwa specjalne samoloty.

Kruk wylądował sto jardów od ogromnego bombowca B-52.

Pod skrzydłami bombowca wisiały dwie przypominające pociski maszyny. Wyglądały jak bardzo duże rakiety.

Nie były to jednak rakiety, ale samoloty X-15.

Wielu ludzi uważa, że najszybszym samolotem świata jest latający z potrójną prędkością dźwięku SR-71 Blackbird.

Nie jest to do końca prawda. SR-71 jest najszybszym samolotem operacyjnym. Szybciej od niego lata jeden samolot — znacznie szybciej — osiągając prędkość ponad 4000 mil na godzinę, czyli ponad sześciokrotną prędkość dźwięku. Ale maszyna ta nigdy nie uzyskała statusu samolotu operacyjnego.

Jest to zbudowany przez NASA X-15.

Większość samolotów jest napędzana silnikami odrzutowymi, napęd odrzutowy ma jednak ograniczenia — dlatego SR-71 lata „tylko" z prędkością mach 3.

374

X-15 ma napęd rakietowy i niewiele ruchomych elementów. Nie wystrzeliwuje z dyszy silnika zapalonego sprężonego powietrza, lecz używa płynnego wodoru. Dzięki temu nie jest odrzutowcem, ale rakietą. Niektórzy nazywają go „rakietą z przypasanym pilotem".

Zbudowano jedynie pięć takich maszyn, a dwie z nich miały być pokazane na mediolańskiej wystawie.

Schofield wyskoczył z Kruka i ruszył przez pas z Knightem i Rufusem.

Przyglądał się podpiętym pod skrzydłami B-52 maszynom.

Nie były to duże samoloty, nie były także piękne, ale za to bardzo funkcjonalne — ich zadaniem było jak najszybsze pokonywanie przestrzeni powietrznej.

Skośne litery na jego statecznikach układały się w napis NASA, a na bokach namalowano drugi: US AIR FORCE.

Na spotkanie Schofielda wyszło dwóch pułkowników, Amerykanin i Włoch.

— Kapitanie Schofield... — zaczął Amerykanin. — Obydwa X-piętnaście są zatankowane i gotowe do lotu. Mamy jednak problem. Jeden z moich pilotów złamał sobie wczoraj podczas pokazu żebro. Nie może w tym stanie być poddawany przeciążeniom podczas lotu tą maszyną.

— Miałem nadzieję, że będę mógł skorzystać z usług własnego pilota — odparł Schofield i odwrócił się do Rufusa. — Myślisz, że poradzisz sobie z mach sześć, wielkoludzie?

Zarośniętą gębę Rufusa przeciął uśmiech.

— Jasne, kapitanie.

Pułkownik sił powietrznych zaprowadził ich do samolotów.

— Dostaliśmy z Narodowego Biura Zwiadu kilka zdjęć satelitarnych. Mogą być problemy.

Uniósł wyżej przenośny ekran wielkości kartki.

Były na nim dwa zrobione w podczerwieni ujęcia południowo-wschodniego regionu Morza Śródziemnego, Kanału Sueskiego i Morza Czerwonego. Jedno zdjęcie było panoramiczne, drugie — zbliżenie — ukazywało szczegóły.

Na pierwszym widać było chmurę czerwonych kropek, uno-
szących się nad Kanałem Sueskim.

Na drugim obraz był wyraźniejszy.
W „chmurze" było jakieś sto pięćdziesiąt kropek.

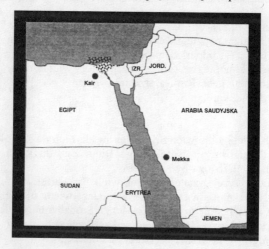

— Co to za kropki? — spytał Rufus.

Zamiast pułkownika odpowiedział mu Schofield:

— Samoloty. Myśliwce z przynajmniej pięciu afrykańskich krajów. Francuzi widzieli, że się zbierają, ale nie wiedzieli po co. My już wiemy. To pięć krajów Afryki, które zamierzają zmienić porządek świata. Krajów, które nie chciałyby, abyśmy zatrzymali odpalenie ostatniej rakiety — skierowanej na Mekkę. To ostatnia gwardia Killiana. Powietrzna armada mająca osłaniać ostatnią rakietę.

B-52 mknął z łoskotem po pasie startowym — z dwoma wiszącymi pod skrzydłami X-15.

Po chwili wzbił się w niebo i zaczął się wznosić na wysokość przewidzianą do zwolnienia samolotów rakiet.

Schofield siedział razem z Rufusem w dwuosobowym kokpicie prawej maszyny. Wielkiemu Rufusowi było trochę ciasno, ale jakoś sobie radził. Knight siedział w drugim samolocie — z pilotem NASA.

Schofield przypiął sobie CincLock do kamizelki — dodając urządzenie rozbrajające do zestawu innych użytecznych przedmiotów. Plan był ryzykowny, ale ponieważ nikt inny na świecie nie mógł rozbroić skierowanej na Mekkę rakiety, będzie musiał wejść tylko z Knightem u boku do bazy rakietowej w Jemenie.

Spodziewali się oporu — najprawdopodobniej afrykańskich komandosów — Schofield poprosił więc o przysłanie z Adenu oddziału marines. Nie wiedzieli jednak, czy zdążą przybyć na czas.

Zadzwonił Scott Moseley z Londynu.

— *Kapitanie, chyba znaleźliśmy to, czego pan szuka. Atlantic Shipping Company jest właścicielem dwóch tysięcy akrów pustyni w Jemenie, jakieś dwieście mil na południowy zachód od Adenu, przy Morzu Czerwonym. Są tam pozostałości starej sowieckiej bazy naprawczej okrętów podwodnych. Nasze zdjęcia satelitarne pochodzą z lat osiemdziesiątych, ale wygląda to na wielki magazyn, otoczony budynkami pomocniczymi...*

— To jest właśnie to. Poproszę o współrzędne.

Moseley natychmiast mu je przesłał.

Schofield wpisał wszystkie dane do komputera kontroli lotu.

Droga do Jemenu południowego: **3481 mil**.

Czas lotu przy prędkości 4350 mil na godzinę: **48 minut**.

Czas do odpalenia rakiety na Mekkę: **1 godzina**.

Wyglądało na to, że będą musieli działać na styk.

— Rufus — gotów?

— Jasne, dziecino...

Gdy B-52 osiągnął wysokość uwalniania X-15, odezwał się pilot bombowca:

— *X-piętnaście, właśnie dostaliśmy wiadomość z USS Nimitz, stojącego na Morzu Śródziemnym. Jest jedynym lotniskowcem w zasięgu naszej trasy. Wysyłują wam jako eskortę wszystkie F-czternaście, F/A-osiemnaście, przyleci nawet kilka prowlerów. Musi pan być ważnym człowiekiem, kapitanie Schofield. Przygotować się do sprawdzianu układów. Odczepienie za minutę...*

Kiedy pilot się wyłączył, w słuchawkach Schofielda i Rufusa odezwał się głos Knighta:

— *Cześć, Ruf. Życzę szczęścia. Pamiętaj: jesteś najlepszy. Najlepszy. Nie wychylaj się. Koncentruj się. Ufaj swoim odruchom.*

— Dzięki, szefie.

— *Schofield?*

— Tak?

— *Przywieź mojego przyjaciela żywego do domu.*

— Spróbuję.

Znów odezwał się pilot B-52.

— *Sprawdzian układów zakończony. Gotowi do odczepienia. Panowie, przygotować się do startu. Na mój znak· pięć, cztery...*

Schofield wziął głęboki wdech.

— *Trzy...*

Rufus mocno złapał drążek.

— *Dwa...*

Knight popatrzył na X-15 Schofielda i Rufusa.

— *Jeden... start!*

Oba X-15 odpadły od skrzydeł bombowca, po czym...

— Włączam rakiety... teraz! — powiedział Rufus i wcisnął przyciski napędu.

Paliwo w silnikach zapaliło się, z ogona X-15 trysnął stustopowy jęzor ognia.

Schofield poczuł, jak potężna siła wciska go w fotel.

Ich X-15 pomknął w niebo — rozrywając powietrze, niemal drąc strukturę nieba — z rykiem, który mieli słyszeć przez całą drogę nad Morzem Śródziemnym.

Oba X-15 mknęły na południowy wschód, w kierunku Kanału Sueskiego, Morza Czerwonego i maleńkiej bazy wojskowej w Jemenie, skąd wkrótce miała zostać wystrzelona rakieta, mogąca zniszczyć istniejący porządek świata.

Na ich drodze stała największa w historii armada powietrzna.

Ujrzeli ją po dwudziestu minutach lotu.

— Mój Boże... — jęknął Rufus.

W pomarańczowym słońcu jak chmara owadów wisiały szwadrony afrykańskich samolotów.

Widok był niesamowity: nad wybrzeżem Egiptu drgała ściana migoczących kropek, zamykająca dostęp do przestrzeni powietrznej nad Kanałem Sueskim.

Sto pięćdziesiąt myśliwców szturmowych.

Armadę tworzyły przeróżne typy maszyn.

Stare, nowe, czerwone, niebieskie — wszystko, co było w stanie unieść rakietę — zbieranina niegdyś znakomitych maszyn, kupionych przez kraje afrykańskie, gdy skończył się termin ich użyteczności w Pierwszym Świecie.

Su-17, zbudowany w 1966 roku i od dawna nieużywany przez Rosjan.

Mig 25 — wyparty w 1980 roku przez nowocześniejsze wersje, ale w dalszym ciągu zdolny do walki z wieloma amerykańskimi samolotami.

Francuski mirage V/50 — jedna z najlepiej sprzedających się francuskich maszyn wojskowych, eksportowana także do Libii, Zairu i Iraku.

Było tu nawet kilka delikatnych czeskich L-59 albatros — bardzo cenionych w krajach afrykańskich.

Wszystkie te samoloty ustępowały pola takim nowoczesnym maszynom jak F-22 raptor czy F-15E, ale uzbrojone w najnowocześniejsze rakiety powietrze-powietrze — sidewindery, phoeniksy, rosyjskie R-60T i R-27, bez trudu osiągalne na bazarach z bronią w Rumunii i na Ukrainie — mogły się mierzyć z najlepszymi. Myśliwce są drogie i trudne do kupienia, lecz dobre rakiety można kupować na pęczki.

Choć może nie mają technicznej przewagi, to ilościową na pewno, pomyślał Schofield.

Nawet najlepiej wyposażony F-22 nie oprze się tak zmasowanej sile. Masa pokona nawet najnowocześniejszą technologię.

— Co ty na to, Rufus?

— Ta dziecina nie została zbudowana do walki, kapitanie. Jest po to, aby prędko latać, więc wykorzystamy to. Będziemy lecieć nisko i bardzo szybko i uciekniemy przed wszystkimi rakietami, które w nas wystrzelą.

— Goniące nas rakiety... miłe.

— Mamy tylko jeden jednolufowy karabinek na dziobie. Moim zdaniem jest tylko dla dekoracji.

W tym momencie w ich słuchawkach rozległ się nowy głos:

— *Amerykańskie X-piętnaście, mówi kapitan Harold Marshall z USS Nimitz. Mamy was na naszych ekranach. Jolly Rogers są już w drodze. Przejmą was, kiedy dotrzecie do wroga. Przodem leci pięć prowlerów w odstępach stu mil — dadzą wam osłonę elektroniczną. Będzie gorąco, panowie, ale mam nadzieję, że uda nam się wybić dziurę wystarczająco dużą, żebyście mogli przeskoczyć. Kapitanie Schofield, życzę szczęścia. Wszyscy jesteśmy z panem.*

— Dziękuję, kapitanie Marshall — odparł Schofield. — No, Rufus — dawaj!

Prędkość.

Czysta, niczym nie zakłócona prędkość. 4350 mil na godzinę, czyli 2000 jardów na sekundę. Siedmiokrotna prędkość dźwięku to bardzo szybki lot.

Oba X-15 pędziły w kierunku chmary samolotów wroga.

W odległości dwudziestu mil od afrykańskich samolotów natknęli się na pierwsze rakiety — mknęło ku nim czterdzieści smug dymu.

Ledwie wystrzelono rakiety, jeden z samolotów, które je wystrzeliły — rosyjski mig 25 — eksplodował w kuli pomarańczowego ognia.

Zaraz potem eksplodowało sześć następnych rosyjskich myśliwców, trafionych rakietami AIM-120 AMRAAM, a dwadzieścia wystrzelonych rakiet wybuchło w powietrzu, trafiając w kawałki metalowej folii, które rozrzuciły specjalne rakiety dezorientujące, wystrzelone z...

...nadlatującej eskadry amerykańskich F-14 z groźnymi symbolami na statecznikach pionowych: czaszkami z piszczelami.

Był to sławny oddział Jolly Rogers z „Nimitza": dwanaście F-14, flankowanych przez zwinne F/A-18.

Rozpoczęła się największa bitwa powietrzna w dziejach współczesnego świata.

Przelatując przez szeregi afrykańskiej armady, oba X-15 kładły się na skrzydła i podskakiwały, uciekając przed nurkującymi myśliwcami, seriami pocisków smugowych i przemykającymi z ogromną prędkością rakietami.

Po niebie śmigały przeróżne typy maszyn — migi, mirage, tomcaty i hornety — obracając się, nurkując, atakując i wybuchając.

Kiedy w którymś momencie maszyna Schofielda obróciła się do góry brzuchem, aby uniknąć ataku afrykańskiego myśliwca — znalazła się na kursie kolizyjnym z kolejnym Afrykańczykiem. Samoloty już miały się czołowo zderzyć, gdy Afrykańczyk wybuchł w powietrzu — trafiony od spodu przez rakietę AMRAAM — i X-15 przemknął przez płonące resztki. Dymiące blachy podrapały mu poszycie, a oderwana ręka pilota umazała krwią owiewkę tuż przy twarzy Rufusa.

Żadna afrykańska rakieta nie trafiła samolotów rakietowych NASA ani obu X-15.

Podlatywały blisko, po czym odbijały na boki, jakby oba samociki tkwiły w ochronnym bąblu.

I rzeczywiście tak było — dzięki należącym do marynarki wojennej USA samolotom EA-6B Prowler, wyposażonym w urządzenia do zakłócania elektronicznego sterowania rakiet AN/ALQ-99F, które leciały równolegle z X-15, w odległości mniej więcej dziesięciu mil.

Ciężkie i mocne prowlery nie miały szans nadążyć za X-15, rozciągnęły się więc równolegle do trasy ich przelotu i przekazywały sobie obie maszyny jak sztafetową pałeczkę.

— *Amerykańskie X-15, mówi dowódca prowlerów* — odezwał się w słuchawce Schofielda głos jednego z pilotów prowlerów. — *Możemy was osłaniać do kanału, ale na dalszą pomoc jesteśmy za wolni. Potem będziecie sami.*

— Już i tak dość zrobiliście.

— Jezu! Popatrz! — krzyknął nagle Rufus.

Nie mogąc przebić pociskami elektronicznej osłony prowlerów, afrykańskie samoloty postanowiły zastosować inną taktykę.

Zaczęły atakować X-15 w stylu kamikaze, usiłując się z nimi zderzyć.

Elektroniczne środki destabilizujące potrafią wprawdzie zakłócić pracę systemu naprowadzającego rakiety, ale nawet najlepsze z nich nie powstrzymają samolotu, który zostanie świadomie skierowany na inny samolot.

Na oba X-15 rzuciło się z rykiem silników sześć myśliwców i każdy zaczął strzelać ze wszystkich swoich działek.

X-15 rozdzieliły się.

Rufus skręcił w prawo i obniżył pułap, a drugi X-15 odbił w lewo, mijając najbliższego przeciwnika o dwadzieścia cali. Zabłąkany pocisk z działka jednego z atakujących ich maszyn przebił z boku owiewkę kabiny samolotu Knighta i wyleciał z drugiej strony — po drodze przebijając głowę pilota.

Wnętrze kabiny zostało obryzgane krwią i mózgiem, a samolot pomknął w dół i na wschód, oddalając się od strefy walki.

Knight szybko przelazł na przedni fotel, odpiął martwego pilota i rzucił jego ciało do tyłu, po czym przejął stery i zaczął rozpaczliwie walczyć o wyprostowanie maszyny, zanim wpadnie do morza.

Woda mknęła ku niemu coraz szybciej...

Schofield i Rufus sunęli tuż nad wodą — jakieś dwadzieścia stóp nad falami. Wzbijali za sobą wysoki gejzer spienionej wody, a z lewej i prawej strony raz za razem waliły w wodę wystrzeliwane z różnych stron rakiety.

— Widzę kanał! — wrzasnął Rufus, przekrzykując hałas.

Brakowało im jeszcze dwudziestu mil do ujścia Kanału Sueskiego — współczesnego cudu inżynieryjnego. Wejście do potężnej drogi wodnej, pozwalającej dotrzeć do Morza Czerwonego, flankowały dwie ogromne betonowe kolumny.

Nad nimi krążyły samoloty z afrykańskiej armady.

— Rufus! Odbij w lewo! — wrzasnął Schofield, wyglądający przez owiewkę w górę.

Ledwie Rufus zrobił, co mu kazano, po obu stronach przeleciały z rykiem dwa czeskie L-59 i wpadły do morza.

Nagle znaleźli się w obrębie Kanału Sueskiego...

...i utracili elektroniczną ochronę, jaką dawały im prowlery.

X-15 pomknął wzdłuż kanału, tuż nad wodą, omijając zakotwiczone statki. Przy jego prędkości kanał, który ma naprawdę wysokie ściany, wydawał się pełnym przeszkód płytkim rowem, najważniejsze było jednak to, że przez cały czas lecieli — pod powietrzną armadą.

Przebili się przez blokadę.

Nagle do kanału za ich plecami wpadły dwie amerykańskie rakiety Phoenix, które jakimś sposobem znalazły się pod skrzydłami afrykańskiego myśliwca szturmowego.

X-15 wciąż pędził wypełnionym wodą wykopem.

Phoeniksy prawie go doganiały.

Z prawa i z lewa zanurkowały do kanału dwa zamierzające zderzyć się z nimi samoloty, ale Rufus uskoczył i oba myśliwce minęły ich o cale, po czym huknęły w piaszczyste brzegi kanału i eksplodowały w gejzerach piachu i ognia.

Obie rakiety Phoenix były tak blisko, że Schofield mógł przeczytać napisy na ich bokach:

XAIM-54A — HUGHES MISSILE SYSTEMS

— Rufus! — wrzasnął.

— Widzę!

— Zrób coś!

— Właśnie zamierzałem!

Rufus skręcił w prawo, wyleciał nad brzeg kanału, zrobił wielkie półkole i zawrócił w kierunku Morza Śródziemnego.

Obie rakiety natychmiast podążyły za nimi, zataczając identyczne półkola.

Ponieważ główne siły afrykańskie blokowały egipski brzeg, w okolicy pozostało jedynie sześć samolotów przeciwnika.

Ich piloci na widok zawracającego X-15 uznali, że mają szczęśliwy dzień.

Popełnili błąd.

X-15, cały czas zataczając krąg, przeleciał między nimi jak pocisk między drzewami, przemknął między dwoma migami w odległości nie większej niż dziesięć stóp od każdego...

...i oba samoloty znalazły się na trasie rakiet.

Migi eksplodowały, a X-15 zakręcał dalej, aż znalazł się ponownie w wykopie kanału i mógł kontynuować lot na południowy wschód.

Kiedy zataczał krąg o średnicy co najmniej stu trzydziestu mil, jeden z afrykańskich samolotów wystrzelił amerykańską rakietę AIM-120 AMRAAM, najlepszą na świecie rakietę powietrze-powietrze.

AMRAAM pomknęła za X-15 niczym głodny jastrząb.

— Nie pozbędę się jej! — krzyknął Rufus.

— Jak długo będzie nam siedzieć na ogonie? — spytał Schofield. — Nie ma wyłącznika aktywującego się, gdy pogoń trwa za długo?

— Nie! Na tym właśnie polega specyfika AMRAAM-a! Ściga cię dzień i noc! Wymęcza przeciwnika, a potem go zabija!

— Ale jeszcze żaden AMRAAM nie gonił X-piętnaście! Daj pełny gaz! Może uda nam się...

Przerwał mu głos w słuchawce.

Mówił Scott Moseley:

— *Kapitanie Schofield... Mam złe wieści.*

— Co się stało?

— *Nasz satelita systemu wczesnego ostrzegania przechwycił właśnie charakterystykę rakiety balistycznej, wystrzelonej z południowo-środkowego Jemenu. Cechy lotu wskazują na rakietę Jerycho-dwaB, lecącą w kierunku Mekki. Kapitanie, Killian wie, że pan nadlatuje. Wystrzelił rakietę wcześniej.*

— To niemożliwe! — wrzasnął Schofield. — Chyba pan żartuje! To nie fair! To nie jest fair!

Popatrzył na przypiętą do swego munduru jednostkę rozbrajającą, którą zamierzał posłużyć się w Jemenie. Była w tej chwili bezużyteczna.

Uniósł CincLock-VII i pokręcił głową.

Przez chwilę nad czymś się zastanawiał, po czym znowu popatrzył na CincLocka.

— Panie Moseley... macie telemetrię sygnału tej rakiety? — zapytał.

— *Oczywiście.*

— Proszę mi ją przesłać.

— *Robi się.*

Chwilę później komputer pokładowy zapiszczał i na ekranie pojawiła się mapa — podobna do tych, jakie pojawiały się na nim poprzednio. Ikona w kształcie strzałki, reprezentująca rakietę Kameleon, sunęła w górę ekranu — w kierunku Mekki.

Schofield wpisał do komputera sygnał nadawany przez ich transponder i na ekranie pojawiła się druga ikona — przesuwająca się na południe.

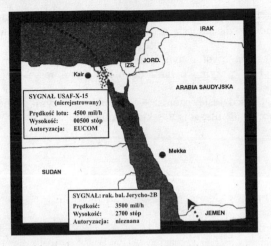

SYGNAŁ USAF-X-15
(nierejestrowany)

Prędkość lotu: 4500 mil/h
Wysokość: 00500 stóp
Autoryzacja: EUCOM

SYGNAŁ: rak. bal. Jerycho-2B

Prędkość: 3500 mil/h
Wysokość: 2700 stóp
Autoryzacja: nieznana

Schofield przyjrzał się tym wszystkim danym: cechom identyfikacyjnym obiektów, prędkościom lotu, wysokościom.

Nie musiał niczego obliczać.

Mapa mówiła wszystko.

Oba obiekty latające poruszały się kursem na Mekkę: X-15 oraz rakieta Kameleon, określona przez automatyczny satelitarny system rozpoznawczy jako międzykontynentalna rakieta balistyczna Jerycho-2B.

Oba obiekty poruszały się prawie z tą samą prędkością i znajdowały się w podobnej odległości od Mekki.

— Rufus!

— Tak?

— Nie lecimy do Jemenu.

— Tak też pomyślałem — mruknął Rufus. — A dokąd?

Schofield nie odpowiedział, bo był zajęty obliczeniami. Jeżeli to, co świtało mu w głowie, udałoby się, byłby to niemal cud.

Znajdowali się mniej więcej 650 mil od Mekki. CZAS DO CELU: **8:30**.

Przeliczył dane dla rakiety Kameleon.

Była odrobinę dalej. Jej odliczanie wyglądało następująco:
CZAS DO CELU: 9:01... 9:00... 8:59...

Doskonale, pomyślał Schofield. Te dodatkowe trzydzieści sekund przyda nam się na przelecenie nad Mekką i zawrócenie...

Na samą myśl o tym manewrze błysnęły mu oczy. Popatrzył na przymocowany do piersi CincLock i wziął go do ręki.

— Sześćdziesiąt stóp... — szepnął, po czym powiedział głośno: — Rufus, ścigałeś kiedyś rakietę?

CZAS DO CELU: 6:00... 5:59... 5:58...

X-15 mknął po ciemniejącym niebie z prędkością pocisku karabinowego — cały czas z rakietą AMRAAM na ogonie.

— Chcesz, żebym leciał razem z nią? Obok? — spytał Rufus, nic nie rozumiejąc.

— Właśnie. Możemy rozbroić rakietę wystrzeloną na Mekkę, ale musimy znaleźć się nie dalej niż sześćdziesiąt stóp od niej.

— W czasie lotu? Nikt nie jest w stanie lecieć samolotem obok rakiety przy szybkości mach sześć.

— Myślę, że ty potrafisz tego dokonać.

Na brodatej twarzy Rufusa pojawił się szeroki uśmiech, ale Schofield nie mógł go dostrzec ze swojego miejsca.

— Co chcesz, abym robił? — spytał pilot.

— Rakiety balistyczne lecą bardzo wysoko, a potem spadają na cel niemal pionowo. Kameleon jest teraz na wysokości dwudziestu siedmiu tysięcy stóp. Powinien utrzymać ten pułap niemal do samej Mekki, po czym zacznie nurkować. Lecąc z prędkością mach sześć, od obrócenia się w dół do dotarcia do celu będzie potrzebować jakichś pięciu sekund, ale ja do rozbrojenia potrzebuję dwudziestu pięciu sekund, co oznacza, że będziemy musieli polecieć kawałek obok rakiety, kiedy jeszcze będzie w locie poziomym na wysokości dwudziestu siedmiu tysięcy stóp. Gdy zacznie opadać, będzie za późno. Myślisz, że mogłoby ci się udać polecieć kawałek obok niej?

— Wiesz co, kapitanie? — powiedział cicho Rufus. — Jesteś bardzo podobny do Aloysiusa. Kiedy ze mną rozmawiasz, mam wrażenie, że byłbym w stanie zrobić wszystko. Uznaj zadanie za wykonane.

CZAS DO CELU: 2:01... 2:00... 1:59...

X-15 ruszył w górę, wciąż ścigany przez rakietę AMRAAM, i przecinał Morze Czerwone wzdłuż, równocześnie wznosząc się do pułapu 24 600 stóp.

— Właśnie minęliśmy Mekkę! — krzyknął Rufus. — Zaczynam zawracać! Rozglądaj się, lada chwila powinniśmy ją zobaczyć...

Położył rozpędzoną do granic możliwości maszynę na skrzydło i zaczął zataczać gigantyczne koło, które — przynajmniej taką należało mieć nadzieję — miało się zamknąć tuż przy pędzącej na Mekkę rakiecie z głowicą atomową.

Nagła zmiana kursu pozwoliła pędzącej za nimi rakiecie AMRAAM zbliżyć się jeszcze bardziej. Była sto metrów z tyłu i powoli, ale nieustannie skracała dystans.

CZAS DO CELU: 1:20... 1:19... 1:18...

— Jest! — krzyknął Rufus. — Prosto przed nami!

Schofield walczył z przeciążeniem, próbując spojrzeć nad ramieniem Rufusa w zaciągające się mrokiem arabskie niebo.

Po chwili ujrzał ją.

Widok międzykontynentalnej rakiety balistycznej mógł zaprzeć dech w piersi.

Była niesamowita.

Klon Jerycho-2B wyglądał jak statek kosmiczny rodem z filmu science fiction: zbyt wielki, zbyt smukły i zbyt szybki, aby mógł pochodzić z Ziemi.

Mający siedemdziesiąt stóp długości obiekt ciął powietrze jak oszczep, wyrzucając za siebie jaskrawobiały, przypominający magnezjową flarę ogon, i pozostawiał po sobie niezwykłej długości smugę dymu. Dym ciągnął się wężowato niczym monstrualny pyton, znikając nad Jemenem.

Niesamowity był także dźwięk.

Nieustanny, ogłuszający ryk.

Jeżeli o samolocie Schofielda można by powiedzieć, że rwał

strukturę nieba, to międzykontynentalna rakieta balistyczna rozszarpywała ją na strzępy.

Położony na skrzydło X-15 zataczał wielkie półkole — pędził na rakietę balistyczną, sam ścigany przez AMRAAM-a.

CZAS DO CELU: 1:00... 0:59... 0:58...

Pozostawała minuta.

W końcu — jak ukośne ramiona wielkiego Y, dążące do spotkania u szczytu pionowej kreski — X-15 i rakieta Kameleon znalazły się tuż przy sobie.

Nie leciały jednak jeszcze obok siebie.

X-15 mknął z lewej strony i nieco z tyłu, ale już równolegle do smugi dymu, wyrzucanej przez rakietę.

CZAS DO CELU: 0:50... 0:49... 0:48...

X-15 poruszał się odrobinę szybciej i był już prawie na wysokości rakiety.

Ryk naddźwiękowego lotu był ogłuszający.

RAAAAAAAAAAAAAAAAAAAAAAAAAAA!

CZAS DO CELU: 0:40... 0:39... 0:38...

— Rufus, bliżej!

Po chwili nos X-15 znalazł się na wysokości ogona rakiety.

CincLock-VII nie reagował jednak. Ciągle jeszcze byli za daleko od procesora rakiety.

X-15 pełzł do przodu cal po calu.

— Bliżej!

CZAS DO CELU: 0:33... 0:32... 0:31...

W dole widać było światła miasta.

Święta Mekka.

CZAS DO CELU: 0:28... 0:27... 0:26...

Nos X-15 znalazł się na wysokości środkowej części rakiety i CincLock zapiszczał.

PIERWSZY PROTOKÓŁ (ZBLIŻENIE): ZREALIZOWANY
START: DRUGI PROTOKÓŁ

— Zaraz cię dostanę... — wymamrotał Schofield do rakiety.

Na ekranie zapaliły się światełka i kapitan zaczął naciskać kółko po kółku.

Dwa obiekty latające o napędzie rakietowym cięły niebo, pędząc łeb w łeb z ogromną prędkością.

W tym momencie AMRAAM postanowił zaatakować.

Rufus natychmiast zauważył, co się dzieje.

— Kapitanie... szybciej...

— Najpierw muszę... skończyć... to... — mruknął Schofield, skoncentrowany na teście szybkościowym.

CZAS DO CELU: 0:19... 0:18... 0:17...

AMRAAM przyspieszył, kierując się prosto na płomień gazów, wyrzucanych przez X-15.

— Zaczyna osiągać śmiertelny dystans! — krzyknął Rufus. Dla AMRAAM-a odległość, z której zabija, wynosi dwadzieścia jardów. Rakieta nie musi trafić w cel — wystarczy, jeżeli wybuchnie wystarczająco blisko. — Masz jeszcze tylko pięć sekund!

— Nie mamy pięciu sekund! — odkrzyknął Schofield, nie odrywając wzroku od ekranu i błyskawicznie przebierając palcami.

CZAS DO CELU: 0:16... 0:15... 0:14...

— Nie mogę zrobić żadnego uniku! — zawołał Rufus. — Za bardzo oddali nas to od rakiety! Jezus Maria! Nie możemy przegrać w takiej chwili! Dwie sekundy!

Schofield przez cały czas wciskał białe i czerwone kółeczka.

CZAS DO CELU: 0:13... 0:12...

— Sekunda!

AMRAAM osiągnął w tym momencie dystans wystarczający do zniszczenia przeciwnika — dwadzieścia jardów od dyszy wylotowej X-15.

— Nie! — wrzasnął Rufus. — Za późno!

— *Jeżeli wam pomogę, wystarczy* — powiedział nagle w ich słuchawkach jakiś głos.

W tym samym momencie z boku śmignęło coś czarnego i tak szybkiego, że rozmazywało się przed oczami — i wpadło między X-15 a AMRAAM-a. Rakieta nie trafiła w samolot Schofielda, lecz w obiekt, który nadleciał.

Powietrzem wstrząsnęła potężna eksplozja. Rufus błyskawicznie obrócił się w fotelu i ujrzał koziołkującą tuż obok przednią połowę drugiego X-15 — pozbawionego ogona.

X-15 Knighta.

Musiał po śmierci swojego pilota przejąć stery, obrać ten

sam kierunek co oni i dogonić ich, kiedy wykonywali dwa czasochłonne nawroty. Aby uratować Schofielda i Rufusa, wleciał na tor rakiety AMRAAM, która zamierzała ich unicestwić.

Zniszczony przód X-15 Knighta spadał dziobem w dół. Po chwili owiewka kabiny odpadła i ze środka, niczym wystrzeliwujący z szampana korek, wyprysnął fotel katapultowy. Po sekundzie rozwinął się nad nim spadochron.

CZAS DO CELU: 0:11... 0:10...

Schofield ledwie zauważył eksplozję. Całą jego uwagę pochłaniało prawidłowe naciskanie światełek na ekranie: białe, czerwone, białe, białe, czerwone...

CZAS DO CELU: 0:09...

— Jasna cholera! — krzyknął Rufus. — Zaczyna pikować!

Wykonując manewr, który unicestwiłby wiele samolotów, rakieta Kameleon nagle zmieniła kurs. Jej nos opadł gwałtownie w dół i skierował się prosto ku ziemi.

Rufus przesunął drążek i X-15 skopiował manewr rakiety. Dwa obiekty zaczęły lecieć z wielokrotną prędkością dźwięku pionowo w dół!

— Aaaaaaa! — zawył Rufus.

Oczy Schofielda wciąż były przyklejone do ekranu, miał maksymalnie skoncentrowany umysł, jego palce poruszały się błyskawicznie.

CZAS DO CELU: 0:08...

X-15 i rakieta balistyczna mknęły ku ziemi jak dwa pociski.

CZAS DO CELU: 0:07...

Światła Mekki pędziły ku nim z przerażającą prędkością.

CZAS DO CELU: 0:06...

Palce Schofield wciąż tańczyły po ekranie.

CincLock zapiszczał.

DRUGI PROTOKÓŁ (SCHEMAT REAKCJI): ZREALIZOWANY
TRZECI PROTOKÓŁ (WPISANIE KODU): AKTYWNY
PROSZĘ WPISAĆ AUTORYZOWANY KOD ROZBRAJAJĄCY

CZAS DO CELU: 0:05...

Schofield wpisał Uniwersalny Kod Rozbrajający i ekran znów zapiszczał.

TRZECI PROTOKÓŁ (WPISANIE KODU): ZREALIZOWANY
AUTORYZOWANY KOD ROZBRAJAJĄCY: WPISANY

Pojawiła się najważniejsza linijka:

LOT RAKIETY PRZERWANY

Kolejne wydarzenia potoczyły się bardzo szybko.

Wysoko nad minaretami Mekki lecąca z naddźwiękową prędkością rakieta Kameleon dokonała samozniszczenia, wybuchając w wielkiej kuli ognia. Wyglądało to tak, jakby na niebie wybuchł olbrzymi ładunek sztucznych ogni — we wszystkie strony buchnęły potężne snopy iskier.

Rakieta poruszała się z tak wielką prędkością, że jej kawałki znajdowano później na obszarze o średnicy ponad stu mil.

X-15 z Schofieldem na pokładzie nie zdążył umknąć na czas.

Wywołana eksplozją fala uderzeniowa sprawiła, że samolot wpadł w korkociąg i szaleńczo wirując, pomknął w kierunku ziemi.

Rufus bohatersko walczył z drążkiem, osiągnął jednak tylko tyle, że X-15 nie spadł na zamieszkany teren.

Sekundę później X-15 huknął w pustynię jak nadlatujący z kosmosu meteoryt. Uderzenie pionowo spadającej maszyny było tak potężne, że dało się je słyszeć w promieniu pięćdziesięciu mil.

Pustynne niebo rozświetliła ognista eksplozja, sprawiając wrażenie, jakby na chwilę powrócił dzień.

X-15 uderzył w pustynię z potrójną prędkością dźwięku i w ułamku sekundy samolot zamienił się w kulę ognia.

Nikt nie mógł przeżyć katastrofy.

Ale tuż przed zetknięciem się samolotu z ziemią z jego kabiny wystrzeliły dwa fotele i pomknęły skosem w niebo — niosąc Rufusa i Schofielda.

Po chwili zaczęły opadać na spadochronach i wkrótce wylądowały jakąś milę od krateru, wskazującego miejsce ostatecznego spoczynku rozbitego X-15.

Oba fotele niemal równocześnie uderzyły w piach, po czym przewróciły się na bok.

Nic się w nich nie poruszało.

Shane Schofield i Rufus leżeli bezwładnie na oparciach — obaj stracili przytomność z powodu ogromnego przeciążenia podczas wystrzelenia foteli przy naddźwiękowej prędkości.

Schofielda obudził dźwięk ludzkich głosów.

Obraz, który ujrzał, był zamazany, czuł spływające po twarzy strużki krwi i okropnie bolała go głowa.

Widział otaczające fotel cienie. Jacyś ludzie próbowali go odpiąć.

Po chwili znów usłyszał głosy:

— Co za szajbusy! Katapultować się przy takiej prędkości...

— Pospiesz się, zanim zjawią się ci pojebani marines!

Do półprzytomnego Schofielda dotarło, że otaczający go ludzie mówią po angielsku.

Z amerykańskim akcentem.

Westchnął z ulgą. Gehenna się skończyła.

Świsnął przecięty nożem pas i Schofield wytoczył się z fotela na piach.

Na skraju jego pola widzenia pojawił się jakiś człowiek. Był w wojskowym mundurze, najwyraźniej zachodniego pochodzenia. Mimo mgły przed oczami Schofield rozpoznał ten mundur: był to indywidualnie zmodyfikowany strój bojowy oddziału specjalnego Delty.

— Kapitanie Schofield... — powiedział mężczyzna. — Kapitanie Schofield... już po wszystkim. Jest pan bezpieczny. Jesteśmy z Delty. Jesteśmy po waszej stronie. Kilka mil stąd znaleźliśmy też pańskiego przyjaciela, kapitana Knighta.

— Kim... — wydukał Schofield — ...kim... pan jest?

Oficer Delty uśmiechnął się, nie był to jednak miły uśmiech.

— Nazywam się Wade Brandeis. Z Delty. Przybyliśmy z Adenu. Proszę się nie martwić, kapitanie Schofield. Przy mnie jest pan całkowicie bezpieczny.

SIÓDMY ATAK

FRANCJA
27 PAŹDZIERNIKA, GODZINA 07.00 (FRANCJA)
EST (NOWY JORK) GODZINA 01.00

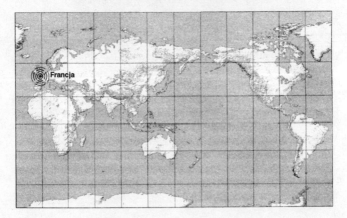

Strzeż się wściekłości cierpliwego człowieka.

John Dryden

Schofield spał.

Śniło mu się, że wyciągają go z rozbitego fotela katapultowego... skuwają plastikowymi kajdankami... i ładują na tył prywatnego odrzutowca, który po chwili startuje...

Przez opary snu przebijały głosy.

— Pierwszy raz usłyszałem o tym od kilku kumpli z Afganistanu — mówił Brandeis. — Opowiadali, że pojawił się w jaskini, w której walczyli. Miało to mieć związek z jakimś polowaniem na kogoś za duże pieniądze. Kilka godzin temu zadzwonił do mnie kumpel z ISS, prawdziwy agent CIA starej szkoły... taki, co to wie wszystko o wszystkich i dlatego jest nietykalny. Był też w ICG. Niezły gość, choć strasznie pojebany i do tego wygląda jak szczur. Nazywa się Noonan, Cal Noonan, ale wszyscy mówią na niego Szczur. Jak zwykle wiedział o wszystkim. Na przykład to, że operuję z Adenu. Potwierdził, że za głowę Schofielda jest wyznaczona nagroda: ponad osiemnaście baniek. Powiedział mi też, że Schofield właśnie leci do Jemenu i jeśli jestem zainteresowany, może mnie i dwóm zaufanym ludziom zorganizować wyjazd. Potem dodał, że z Schofieldem jest Aloysius Knight, za którego głowę też jest nagroda: dwa miliony. Cholera, dałbym mu Knighta nawet za darmo! A jeśli ktoś chce mi zapłacić za to dwa miliony, to tym lepiej!

Samolot leciał, a Schofield spał.

Obudził się na chwilę, bo wszystko go bolało. Miał na sobie kamizelkę sprzętową, ale ogołocono ją z broni. Zostawili mu jedynie sowiecki worek na trupy. Nie była to szczególnie groźna broń.

Zmienił pozycję i kątem oka ujrzał Knighta i Rufusa. Również byli skuci, siedzieli kilka rzędów za nim, pod strażą ludzi z Delty. Rufus spał, ale Knight czuwał. Zauważył, że Schofield się porusza, ale nie mógł się z nim porozumieć, bo kapitan nie był w stanie utrzymać otwartych oczu i po chwili znów zapadł w sen.

W jakimś momencie Schofield ponownie się obudził.

Niebo na zewnątrz zmieniło się z czarnego na bladobłękitne. Świtało.

Znów usłyszał głosy.

— Dokąd go zabieramy?

— Do jakiegoś zamku — odparł Brandeis. — Gdzieś we Francji.

Forteresse de Valois, Bretania
27 października, godzina 7.00

Kiedy odrzutowiec z Schofieldem na pokładzie wylądował na prywatnym lotnisku Jonathana Killiana w Bretanii, lało jak z cebra.

Szybko przeszli do przykrytej plandeką ciężarówki i wkrótce — pod czujnym okiem Brandeisa i jego pięcioosobowego oddziału — Schofield, Knight oraz Rufus jechali w dół stromej drogi w kierunku dobrze im znanego zamku, zbudowanego na skale, stojącej w morzu tuż obok klifów stałego lądu.

Była to Forteresse de Valois.

Samotna ciężarówka przejechała przez potężny most zwodzony, łączący zamek ze smaganym ulewą i atakowanym przez błyskawice kontynentem.

W czasie krótkiej podróży Knight opowiedział Schofieldowi o swoim spotkaniu z Wade'em Brandeisem — o nocy w Sudanie i kontaktach Brandeisa ze zdrajcami z ICG.

— Wiem, czym było ICG — powiedział Schofield.

— Od dawna próbuję wyrównać rachunki z Brandeisem — oświadczył Knight.

Uwagę Schofielda ponownie zwróciły dwa tatuaże na ramieniu Knighta: ŚPIJ Z OTWARTYM OKIEM oraz BRANDEIS — i nagle dotarło do niego, że jest to jeden napis: ŚPIJ Z OTWARTYM OKIEM, BRANDEIS.

— Brandeis nie jest łowcą głów, to widać — stwierdził Knight.

— Po czym?

— Właśnie złamał pierwszą zasadę...

— To znaczy?

— Jeżeli możesz wybierać między dostarczeniem kogoś żywego albo martwego, lepiej dostarcz go martwego.

Ciężarówka wjechała na żwirowany dziedziniec zamku i zatrzymała się ze zgrzytem opon.

Schofielda, Rufusa i Knighta wypchnięto na zewnątrz. Przez cały czas pilnowali ich ludzie z Delty.

Monsieur Delacroix czekał już na nich.

Stał w wejściu do garażu i jak zwykle wyglądał, jakby właśnie wyszedł od krawca.

Otaczali go Cedric Wexley i dziesięciu najemników z Executive Solutions — prywatnego oddziału Jonathana Killiana.

— Majorze Brandeis, witamy w Forteresse de Valois — zaczął Delacroix. — Spodziewaliśmy się pana. Tędy, proszę.

Delacroix wprowadził przybyszy do garażu, po czym powiódł ich kamiennymi schodami w dół, do doskonale znanego Schofieldowi pomieszczenia. Nie skręcił jednak stamtąd w lewo — w kierunku długiego posępnego korytarza, prowadzącego do gabinetu weryfikacyjnego — lecz w prawo. Przeszli przez mały, wykuty w kamieniu otwór drzwiowy i znaleźli się na wąskich, spiralnych schodach.

Oświetlone pochodniami schody prowadziły coraz niżej i niżej, zakręcały i zakręcały, sprowadzając wszystkich głęboko w trzewia zamku.

U podnóża zamykały je osadzone w solidnej kamiennej ościeżnicy grube stalowe drzwi.

Delacroix nacisnął guzik i drzwi zaczęły się unosić z ponurym chrzęstem. Kiedy zniknęły we framudze, szwajcarski bankier odsunął się na bok, by Brandeis i więźniowie weszli pierwsi.

Weszli i...

...znaleźli się w obszernym okrągłym pomieszczeniu. Wypełniała je woda, z której wystawały kamienne wysepki. Pomiędzy nimi krążyły w wodzie dwa rekiny. Na kamiennym postumencie stała...

...dwunastostopowa gilotyna.

Schofield zesztywniał.

Knight opowiadał mu o tym pomieszczeniu. W tym strasznym miejscu skończyła życie Libby Gant.

Jama Rekina.

Kiedy wszyscy znaleźli się w środku, stalowe drzwi za ich plecami zasunęły się ponownie, zamykając drogę ucieczki.

Monsieur Delacroix pozostał na zewnątrz.

Czekał tu na przybyszy ktoś inny.

Był to mężczyzna o włosach koloru młodej marchewki i paskudnej, szczurzej gębie.

— Cześć, Noonan! — powiedział Brandeis, podszedł do przodu i podał tamtemu rękę.

Schofield ze wszystkimi szczegółami pamiętał przerażający opis śmierci Gant i wiedział, że za dźwignię spuszczającą ostrze gilotyny, które zakończyło jej życie, pociągnął rudzielec o szczurzej gębie.

Wbił wzrok w rudego mężczyznę.

Szczurza Gęba odwzajemnił jego spojrzenie.

— A więc to jest Strach na Wróble... — wycedził. — Strasznie z ciebie uparty mały skurwiel. Zorganizowanie tej wczorajszej syberyjskiej misji kosztowało mnie sporo trudu... trzeba było znaleźć coś o odpowiednim wystroju, wysłać chłopaków z ExSol, żeby na ciebie czekali, i zadbać o to, by wysłano tam także McCabe'a i Farrella. Potem musiałem uniemożliwić ci kontakt z Alaską. McCabe i Farrell nie byli wystarczająco dobrzy, ale ty się sprawdziłeś. Przeżyłeś. Teraz jednak nie uciekniesz. Skończysz tak samo jak twoja dziewczyna. — Odwrócił się do ludzi Delty. — Wpakujcie go do gilotyny.

Dwóch ludzi Brandeisa zaprowadziło Schofielda do gilotyny. Wsadzono mu głowę w dyby, pozostawiając ręce skute na plecach.

— Stać! — zawołał nagle jakiś głos z przeciwległego końca pomieszczenia.

Wszyscy się odwrócili.

Na balkonie stał Jonathan Killian — w towarzystwie Cedrica Wexleya, dziesięciu najemników ExSol oraz *monsieur* Delacroix.

— Połóżcie go twarzą do góry! — polecił milioner. — Chcę, aby kapitan Schofield widział, jak ostrze spada.

Komandosi Delty zrobili, co im kazano. Schofield popatrzył w górę: dwunastostopowej długości drewniane prowadnice biegły wysoko ku kamiennemu sufitowi, a całą konstrukcję wieńczyło nieruchome błyszczące ostrze.

— Kapitanie, dzięki odwadze i zuchwałości uratował pan istniejący porządek świata — powiedział Killian. — Uratował pan życie milionom ludzi, którzy nigdy nie poznają pańskiego nazwiska. Jest pan bohaterem w najprawdziwszym znaczeniu tego słowa, pańskie zwycięstwo jest jednak tylko chwilowe, bo ja będę żył dalej i któregoś dnia moja chwila nadejdzie, pana zaś czeka to, co zawsze przydarza się bohaterom. Panie Noonan — proszę spuścić ostrze, a potem zastrzelić towarzyszy kapitana...

— Killian! — krzyknął Schofield.

Wszyscy zamarli.

— Dostanę cię — oświadczył spokojnie Schofield.

Killian uśmiechnął się.

— Nie w tym życiu, kapitanie. Spuścić ostrze!

Szczurza Gęba podszedł do dźwigni, popatrzył na Schofielda i ujął rączkę.

W tym samym momencie Wade Brandeis uniósł pistolet i wycelował w głowę Knighta.

— Zobaczymy się w piekle, Strachu na Wróble... — syknął Szczurza Gęba.

Szarpnął dźwignię, zwalniając blokadę ostrza.

Stalowa tafla pomknęła w dół prowadnic.

Schofield mógł jedynie patrzeć, jak zbliża się do jego szyi.

Zamknął oczy i czekał na koniec.

Koniec nie nastąpił.

Schofield niczego nie poczuł.

Otworzył oczy i...

...zobaczył skośne ostrze gilotyny dwanaście cali nad swoją twarzą — zablokowane przez wbity w prowadnicę *shuriken*.

Latające kółko z ostrzami jeszcze drżało.

Przeżył także Aloysius Knight: ułamek sekundy po tym, jak *shuriken* wbił się w gilotynę, trzymającą pistolet dłoń Wade'a Brandeisa przeszył pocisk i najemnik wypuścił broń z ręki.

Schofield odwrócił się i...

...ujrzał wynurzającą się z wody postać.

Miała na sobie szary kombinezon bojowy, była wyposażona w sprzęt do nurkowania i obładowana całą masą broni — i rzucała latającymi ostrzami.

Była to Matka.

Wyprysnęła z wody, trzymając w każdym ręku plujące ogniem MP-7. Dwóch z pięciu komandosów z Delty padło natychmiast, trafionych w środek piersi.

Dalsze wydarzenia potoczyły się błyskawicznie.

Chwila zaskoczenia, jakie wywołało wkroczenie Matki do akcji, wystarczyła Knightowi i Rufusowi do unieszkodliwienia pilnujących ich ludzi ciosami głową, przełożenia skutych na plecach rąk pod stopami, wyciągnięcia nadgarstków do przodu i uniesienia ich.

Matka nie potrzebowała instrukcji, co ma robić.

Dwa strzały i plastikowe kajdanki przestały istnieć. Knight i Rufus byli wolni.

Stojący na balkonie Cedric Wexley dał swoim ludziom znak do ataku: czterech najemników zeskoczyło z balkonu, a pozostałych sześciu wyszło tylnymi drzwiami na korytarz.

Wexley uniósł M-16 i pociągnął Jonathana Killiana za sobą.

Knight złapał leżący obok martwego komandosa Delty karabinek szturmowy i zaczął strzelać do najemników ExSol, którzy zeskoczyli z balkonu.

Rufus — jeszcze bez broni — zawirował na pięcie i kantem dłoni, ciosem w nasadę nosa zabił trzeciego komandosa z Delty.

— Rufus! — wrzasnął Knight. — Wyjmij Schofielda!

Wielki pilot zaczął wspinać się na podest.

Noonan Szczurza Gęba schował się za gilotyną, by nie trafił go rykoszetujący pocisk. Był na wyciągnięcie ręki od ciągle jeszcze unieruchomionego Schofielda.

Kiedy nastąpiła krótka przerwa w strzelaninie, sięgnął po wbity w prowadnicę gilotyny *shuriken*, blokujący ostrze gilotyny tuż nad głową Schofielda. Gdyby udało mu się go wyrwać, ostrze gilotyny opadłoby i obcięło głowę Schofieldowi.

Dłoń Noonana chwyciła *shuriken*...

...ale w tym momencie z dołu wyprysnęła potężna pięść Rufusa, trafiła Szczurzą Gębę prosto w szczękę i odrzuciła go do tyłu.

Wylądował na brzuchu przy samym skraju kamiennej platformy i z przerażeniem stwierdził, że patrzy prosto w ślepia jednego z rekinów. Natychmiast poderwał się jak dźgnięty nożem.

Tymczasem Rufus, osłaniany przez Knighta, otworzył dyby i uwolnił Schofielda.

Wystarczył jeden strzał Knighta i plastikowe kajdanki zostały rozerwane, ale nagle Rufus gwałtownym ruchem obrócił Schofielda i zasłonił go własnym ciałem.

Ułamek sekundy później w plecy potężnego pilota załomotały pociski.

— Aaaaa! — zawył.

Każde uderzenie wstrząsało całym jego ciałem.

Na jednej z pobliskich kamiennych wysepek stał Wade Brandeis i strzelał jak wściekły z trzymanego w lewej ręce colta commando.

— Nie!!! — wrzasnął Aloysius Knight.

Skierował lufę swojego karabinka na Brandeisa, ale kiedy pociągnął za spust, okazało się, że nie ma naboi. Odrzucił broń i skoczył na śliską wysepkę, przejechał po niej na brzuchu i z impetem uderzył w nogi Brandeisa, przewracając go. Obaj mężczyźni wpadli do wody, w której krążyły wygłodzone rekiny.

Uwolniony Schofield poszukał wzrokiem Noonana — Szczurza Gęba kierował się ku stalowym drzwiom, zamierzając uciec z Jamy Rekina.

Gdy do nich dotarł, wyjął z kieszeni pilota i wcisnął klawisz.

Stalowe drzwi zaczęły się unosić.

— Jasna cholera! — wrzasnął Schofield i ruszył w pogoń. — Matka!

Kiedy Schofield ją zawołał, Matka znajdowała się na jednej z sąsiednich wysepek — schowana za kamiennym występem, ostrzeliwała z pistoletu dwóch pozostałych przy życiu komandosów Delty.

Natychmiast odwróciła się i puściła serię w kierunku uciekającego Noonana. Nie trafiła go, ale odcięła mu drogę ucieczki, zmusiła do zatrzymania się i ukrycia za blokiem kamienia.

Nie dowiedziała się już jednak, czy pomogło to Schofieldowi, ponieważ chwila, którą mu poświęciła, wystarczyła jej dwóm przeciwnikom, aby skutecznie zaatakować.

Jeden z nich puścił z karabinka szturmowego serię prosto w jej pierś. Oczywiście kamizelka kuloodporna Matki była wystarczająco mocna, więc pociski jedynie odrzucały ją do tyłu — zatoczyła się jednak raz, drugi, trzeci, czwarty...

...a kiedy ostrzeliwujący ją komandos uniósł broń, aby skończyć z nią strzałem w głowę...

...nagle spadła do wody i pocisk przeszedł wysoko górą.

Zanurzyła się i na chwilę otoczyła ją łaskawa cisza.

Natychmiast jednak zaczęła się wynurzać.

Wiedziała, że będą na nią czekać, więc kiedy tylko przebiła powierzchnię wody, błyskawicznie wyciągnęła przed siebie pistolet i zanim komandosi z Delty zdążyli otworzyć do niej ogień, trafiła ich.

Osunęli się na skały, ich twarze zamieniły się w krwawe maski.

Matka odetchnęła z ulgą.

W tym momencie poczuła w wodzie za plecami jakiś dziwny prąd.

Odwróciła się i... ujrzała sunącą na nią falę, pchaną przez wielkie cielsko z wystającą wysoko nad wodę płetwą grzbietową.

— Jasna cholera! Mowy nie ma! Za dużo dziś przeżyłam, aby skończyć jako karma dla ryb!

Zaczęła strzelać do nadpływającego rekina.

Rekin jednak nie zwalniał.

Pociski Matki trafiały, ale potężny kształt wciąż pędził z taką samą prędkością.

Kiedy uniósł łeb nad wodę i szeroko rozwarł paszczę, Matka odruchowo uniosła lewą nogę i rekin zacisnął na niej zęby.

Matka nawet się nie skrzywiła.

Jej lewa noga była tytanową protezą — pamiątką po akcji sprzed lat.

Dwa zęby drapieżnika rozprysnęły się na kawałki.

— Spróbuj zjeść to, skurwielu! — wrzasnęła Matka i wycelowała w łeb zwierzęcia.

Padł strzał.

Rekin stanął dęba, a kiedy opadł do wody, był już martwy, choć nadal zaciskał szczęki na protezie, jakby nawet w ostatniej chwili życia nie zamierzał rezygnować z łupu.

Matka odepchnęła dziesięciostopowego martwego drapieżnika i wyskoczyła na brzeg, aby powrócić do akcji.

Kiedy Matka walczyła z rekinem, Schofield dogonił Noonana — tuż przy otwartych drzwiach — i przewrócił go na podłogę rzutem ciała.

Szczurza Gęba próbował kopniakami pozbyć się przeciwnika, ale Schofield mocno go trzymał i wściekle okładał pięściami.

Noonan zachwiał się już po pierwszym ciosie.

— Wiem, że to ty pociągnąłeś za dźwignię... — wysyczał Schofield.

Drugi cios i nos rudzielca pękł, a z jego twarzy trysnęła fontanna krwi.

— Wiem, że umierała, cierpiąc...

Trzeci cios złamał Noonanowi szczękę.

— Zabiłeś coś pięknego...

Schofield złapał Szczurzą Gębę obiema rękami i wepchnął go głową do przodu pod gilotynę. Szyja Noonana znalazła się dokładnie pod ostrzem, blokowanym przez *shuriken*.

— Teraz umrzesz tak samo...

Schofield wyszarpnął *shuriken* z drewnianej prowadnicy gilotyny i ostrze ruszyło ostatnie dwanaście cali w dół.

— Nieeeee! — wrzasnął Noonan.

Ruda głowa huknęła o podłogę, odbiła się od niej jak piłka i odtoczyła na bok, ukazując wybałuszone oczy, zamarłe na zawsze w wyrazie straszliwego przerażenia.

Dziesięć jardów od gilotyny, unosząc się w wodzie, w której krążyły rekiny, Knight walczył z Brandeisem.

Obaj przeciwnicy byli tak samo perfekcyjnie wyszkoleni, zadawali te same ciosy i stosowali identyczne techniki. Wynik mógł być tylko jeden: śmierć któregoś z nich.

Nagle wysunęli się wysoko nad wodę, niemal stykając się twarzami. Brandeis przyciskał do podbródka Knighta mały pistolecik.

— Nigdy cię nie lubiłem — oświadczył.

— Wiesz co, Brandeis? — syknął przez zaciśnięte zęby Knight. — Od tamtej nocy w Sudanie przez cały czas myślałem, jak cię zabić, ale ten sposób nie przyszedł mi do głowy...

— Hę...?

Knight szarpnął przeciwnika, obrócił go i ustawił tuż przed szarżującym rekinem.

Dziesięciostopowy drapieżnik wpadł na Brandeisa z pełną prędkością, objął go potężnymi szczękami i zaczął miażdżyć. Ostre jak brzytwa zęby minęły ciało Knighta o cale, lecz rekin — zwabiony krwią z dłoni najemnika — interesował się jedynie swoją ofiarą.

— Śpij z otwartym okiem, pojebie... — syknął Knight.

Unieruchomiony w straszliwym imadle Brandeis mógł jedynie wrzeszczeć — pożerany żywcem.

Knight wyskoczył z krwawej piany, w której właśnie skończył żywot Wade Brandeis, i ruszył do Schofielda.

Znalazł go za gilotyną, gdzie kapitan odciągnął rannego Rufusa spod ognia czterech najemników ExSol, idących na nich przez wystające z wody kamienne wysepki.

Schofieldowi udało się zebrać całkiem pokaźny arsenał: dwa karabinki szturmowe Colt Commando, jeden karabinek MP-7, jeden z pistoletów H&K Knighta i do tego jeszcze zabraną któremuś z zabitych komandosów Delty kamizelkę sprzętową Knighta z pełnym wyposażeniem.

Po chwili dołączyła do nich Matka.

— Cześć, Matka! — zawołał Knight. — Kiedy widziałem cię po raz ostatni, tkwiłaś w blaszanej budce na „Talbocie", która została ostrzelana przez ludzi Demona. Co zrobiłaś, schowałaś się w podłodze?

— Pieprzyć podłogę! Ta cholerna budka wisiała pod sufitem ładowni i miała klapę w dachu. Wlazłam na górę. Potem jednak cała łajba poszła na dno...

— Skąd wiedziałaś, że tu jesteśmy? — spytał Knight.

Matka wyjęła z wodoszczelnej kieszeni palmpilota.

— Ma pan wiele ciekawych zabawek, panie Knight, a ty, młody człowieku... — odwróciła się do Schofielda — masz na dłoniach mnóstwo MicroDotów.

— Wspaniale znów cię widzieć, Matka — ucieszył się Schofield. — Dobrze, że się zjawiłaś.

Nagle o gilotynę załomotały pociski z broni najemników ExSol.

Schofield rozejrzał się szybko. Popatrzył na znajdujące się dziesięć jardów od nich otwarte drzwi.

— Idę na górę — oświadczył. — Po Killiana. Matka, zostań z Rufusem i zajmij się tymi dupkami. A ty, Knight... możesz iść ze mną albo zostać. Jak chcesz.

Knight popatrzył na niego.

— Idę.

Schofield dał mu jeden z karabinków i pistolet, po czym ściągnął z siebie pełną sprzętu kamizelkę.

— Masz. Lepiej ode mnie będziesz wiedział, co z tym robić — powiedział. — Idziemy! Matka, poproszę o osłonę ogniową.

Matka natychmiast uniosła karabinek i zasypała ludzi ExSol gradem pocisków.

Schofield skoczył do drzwi, a Knight ruszył za nim — przedtem biorąc jeszcze coś od Matki.

— Po co ci to?! — krzyknęła za nim.

— Mam przeczucie, że mi się przyda!

Knight i Strach na Wróble, dwaj doskonale wyszkoleni wojownicy o niezwykłych umiejętnościach.

Szli w górę oświetlonych pochodniami spiralnych schodów, wychodzących z lochu. Osłaniali się nawzajem, strzelając z coltów commando. Poruszali się jak idealnie zgrany tandem. Broniący schodów najemnicy nie mieli z nimi szans.

Tak jak Schofield podejrzewał, Cedric Wexley posłał swoich ostatnich sześciu ludzi właśnie tutaj, aby odciąć im drogę ucieczki.

Komandosi ExSol podzielili się na trzy pary, rozstawili w regularnych odstępach na schodach i ostrzeliwali ich z zagłębień w ścianach.

Schofield i Knight niemal od razu zlikwidowali pierwszą dwuosobową przeszkodę.

Druga para nawet nie usłyszała nadchodzącej śmierci. Dwa *shuriken*, rzucone specjalną techniką, zakręciły w locie jak bumerangi — pokonując łuk spiralnych schodów — i wbiły się w ich głowy.

Trzecia para najemników okazała się jednak sprytniejsza.

Zastawili pułapkę.

Zaczaili się w długim kamiennym korytarzu za okrągłym przedsionkiem — korytarzu, do którego można było wlać wrzący olej — prowadzącym do gabinetu weryfikacyjnego, gdzie znajdowali się teraz Wexley, Killian i Delacroix.

Gdy Schofield i Knight dotarli do szczytu schodów, zobaczyli zarówno obu najemników w korytarzu, jak i trzech mężczyzn, do których chcieli się dostać.

Kapitan ruszył do przodu, ale Knight został.

Schofield wpadł do przedsionka i zaczął strzelać do obu najemników w korytarzu.

— Czekaj! To puła... — zdążył jedynie krzyknąć Knight.

Za późno.

Z sufitu korytarza opadło troje stalowych drzwi, a czwarte zamknęły schody, schodzące z przedsionka w dół.

Schofielda i Knighta rozdzielono.

Kapitan został uwięziony w korytarzu, wraz z ciałami dwóch najemników.

Łowca nagród utknął w przedsionku.

Schofield znieruchomiał.

Popatrzył na leżących na podłodze najemników — jeden nie żył, ale drugi cicho jęczał.

Z głośników rozległ się głos Killiana:

— Panowie, miło mi było was poznać...

Knight rozejrzał się wokół — i natychmiast dostrzegł sześć umieszczonych pod sufitem urządzeń do emisji mikrofal.

— Jasna cholera... — zaklął.

— ...czas jednak kończyć już tę zabawę — zadudnił głos Killiana. — Myślę, że zapracowaliście sobie na śmierć...

Killian wyglądał przez małe pleksiglasowe okienko, pozwalające zajrzeć do korytarza. Widział Schofielda, tkwiącego w pułapce jak szczur.

— Do widzenia panom — powiedział, po czym wcisnął na pilocie dwa guziki, uruchamiające śmiercionośne urządzenia: emitery mikrofal i wylew wrzącego oleju do korytarza.

W poczekalni rozległo się buczenie, a zaraz po nim padło kilka strzałów.

Coś podobnego już się zdarzało.

Ludzie czasami próbowali się uwolnić, atakując stalowe

przegrody, ale nikomu jeszcze się to nie udało. Kilku więźniów próbowało zniszczyć strzałami z broni palnej emitery mikrofal, pociski były jednak za słabe, by przebić ich opancerzone stanowiska w kamiennej ścianie.

Po chwili na pleksiglasowe okienko bryznął żółty olej, zasłaniając Killianowi widok korytarzyka, w którym tkwił Schofield.

Nie musiał go jednak widzieć, aby wiedzieć, co się tam dzieje.

Kiedy wrzący olej zalewał korytarz, więzień darł się wniebogłosy.

Minutę później, gdy zarówno wrzaski, jak i odgłosy strzałów ucichły, Killian otworzył stalowe drzwi.

To, co zobaczył, mocno go zaskoczyło.

Na podłodze korytarzyka leżały ciała dwóch najemników ExSol — spalone przez wrzący olej. Jeden z trupów miał uniesione w obronnym geście ręce — widać było, że człowiek ten zmarł w straszliwych cierpieniach, próbując osłonić się przed olejem.

Schofielda nigdzie nie było.

Jeśli nie liczyć trupów najemników, korytarzyk był pusty — jedynie w przeciwległym końcu tunelu majaczył ciemny cień wielkości człowieka.

Była to stojąca pionowo torba na zwłoki.

Markov typu III.

Wykonana z czarnego polimerowego tworzywa, była najlepszą rzeczą tego rodzaju, jaką wyprodukowali Sowieci, i jedyną, której ludzie Wade'a Brandeisa nie zabrali z kamizelki sprzętowej Schofielda. Zabezpieczała przed każdym rodzajem skażenia chemicznego — i wyglądało na to, że przed wrzącym olejem również.

Nagle błysnął rozsuwany od środka suwak i z worka wychynął Shane Schofield z wyciągniętym do przodu MP-7.

Pierwszy pocisk wytrącił Killianowi pilota z ręki, toteż zamykające tunel drzwi pozostały otwarte.

Drugi oderwał mu jedynie kawałek lewego ucha, bo widząc Schofielda, Killian błyskawicznie schował się za stalowymi drzwiami. Gdyby nie zareagował tak szybko, kula trafiłaby go w głowę.

Schofield popędził przed siebie wąskim korytarzem. Jego MP-7 pluł pociskami.

Ukryty za ościeżnicą drzwi gabinetu Cedric Wexley odpowiadał mu ogniem.

Wszędzie latały kule.

Od stojących wzdłuż korytarza kolumn odpryskiwały ostre kawałki kamienia.

Sięgające od podłogi do sufitu panoramiczne okno w gabinecie weryfikacyjnym rozprysnęło się na kawałki.

W tego rodzaju walce — jeden na jednego — zawsze najistotniejsze jest pytanie, komu najpierw skończy się amunicja.

Wypadło na Schofielda.

Dziesięć stóp przed gabinetem.

— Cholera! — wrzasnął i schował się za kolumną, która ledwie go zasłaniała.

Wexley uśmiechnął się. Miał przeciwnika na widelcu.

Nagle, zupełnie nieoczekiwanie, na ościeżnicę, za którą ukrywał się Wexley, posypał się grad pocisków. Strzelano zza pleców Schofielda — od strony okrągłego przedsionka.

Schofield był nie mniej zaskoczony od Wexleya. Odwrócił się i...

...zobaczył pędzącego korytarzem Aloysiusa Knighta, strzelającego z wysoko uniesionego colta commandera.

Dostrzegł także to, co leżało na podłodze przedsionka, w którym był uwięziony Knight: łuski po nabojach 9 milimetrów — kilkanaście sztuk — pozostałe po ostrzelaniu przez Knighta promienników mikrofal.

Nie były to jednak zwykłe łuski.

Każda miała namalowany dookoła pomarańczowy paseczek.

Gniazda sześciu emiterów mikrofal mogły wytrzymać uderzenia zwykłych pocisków, nie były jednak wystarczająco mocne dla gazowych superpocisków Knighta.

Wkroczenie Knighta do akcji zmusiło Wexleya do odpowiedzenia ogniem i w ciągu dwóch sekund skończyła mu się amunicja. Niestety Knightowi też.

Schofield skoczył do przodu.

Jak bomba wpadł do gabinetu, trafił Wexleya w już raz złamany nos i rozgniótł mu go na miazgę.

Wexley ryknął z bólu.

Zaczęli walczyć. Brutalnie i zajadle, jak dwa bulteriery. Marynarka królewska i korpus piechoty morskiej Stanów Zjednoczonych.

Kiedy wymieniali błyskawiczne ciosy, podszedł do nich *monsieur* Delacroix. Z jego prawego rękawa wysunęło się błyszczące ostrze, którym natychmiast zamachnął się na Schofielda.

Stal przeszła o cal od pleców kapitana, a nadgarstek bankiera unieruchomił mocny chwyt — i Delacroix nagle stwierdził, że patrzy prosto w oczy Aloysiusa Knighta.

— To nie fair... — wycedził Knight, nie zdążył jednak dokończyć, bo w tym momencie został pchnięty głęboko w udo drugim nożem — który wysunął się z lewego rękawa Delacroix.

Ręce bankiera poruszały się tak szybko, że ostrza rozlewały się w koliste smugi. Zmusiło to Knighta do cofnięcia się.

Czubek jednego z noży smagnął go po twarzy, natychmiast rysując na jego policzku krwawiącą linię.

Człowiek, który jeszcze przed kilkoma minutami był eleganckim szwajcarskim bankierem, zamienił się w znakomitego szermierza, demonstrującego doskonałą umiejętność walki nożem.

— Gwardia Szwajcarska, co? — mruknął Knight. — Nigdy o tym nie mówiłeś. Dobry jesteś.

— W moim zawodzie... — Delacroix wyszczerzył zęby — ...trzeba sobie umieć radzić...

Schofield i Wexley walczyli przy drzwiach.

Wexley był wyższy od Schofielda i silniejszy, kapitan był jednak szybszy, a doskonałe wyszkolenie pozwalało mu unikać najgroźniejszych ciosów przeciwnika.

Niestety po wysiłku minionej doby, katastrofie X-15 i podróży do Francji w roli więźnia jego energia była na wyczerpaniu.

Wystarczyło jedno chybione uderzenie.

Wexley natychmiast to wykorzystał, zadając mu straszliwy cios w nasadę nosa, który każdego innego człowieka by zabił, choć i Schofielda zwalił z nóg. Ale padając, kapitan zdołał jeszcze uderzyć przeciwnika w jabłko Adama.

Obaj mężczyźni upadli — Wexley przeleciał przez otwarte drzwi, a Schofield załomotał plecami o ościeżnicę.

Wexley zacharczał, podźwignął się na kolana i wyciągnął z cholewy buta komandoski nóż bojowy.

— Za późno, palancie — oświadczył Schofield.

Zabrzmiało to dość dziwnie, nie miał bowiem w ręku żadnej broni. Miał jednak coś znacznie lepszego: pilota Killiana.

— To za McCabe'a i Farrella — dodał i wcisnął guzik.

Stalowe drzwi, schowane w suficie dokładnie nad jego przeciwnikiem, spadły jak kafar. Załomotały w głowę Wexleya, rozgniatając ją w ułamku sekundy. Krew brysnęła na boki jak z rozdeptanego balonu z farbą.

Pozbywszy się Wexleya, Schofield mógł się zająć człowiekiem, o którego przede wszystkim mu chodziło.

Jego wróg stał za biurkiem.

Jonathan Killian.

Knight w dalszym ciągu walczył z Delacroix, zobaczył jednak, że Schofield podchodzi do młodego milionera.

Killian nie był problemem, ale Knighta martwiło to, co zamierzał Schofield.

Niestety nie mógł zostawić Delacroix...

Schofield stanął przed Killianem.

Nie mogli się bardziej różnić: Schofield był oblepiony brudem i smarem, krwawił, był straszliwie poobijany i wyczerpany. Killian był schludny i elegancki, jego ubranie było starannie wyprasowane.

Tuż obok nich ział wielki otwór rozbitego okna, ukazującego panoramę Atlantyku.

Na zewnątrz szalała burza. Niebo przecinały błyskawice. Do środka wpadały strugi deszczu.

Schofield patrzył spokojnie na milionera.

Ponieważ się nie odzywał, Killian zapytał:

— No i co pan zamierza, kapitanie Schofield? Zabić mnie? Jestem bezbronnym cywilem. Nie mam wojskowych umiejętności. Nie jestem uzbrojony. — Jego oczy zwęziły się. — Nie sądzę, żeby w tej sytuacji pan mnie zabił... bo gdyby pan to zrobił, byłoby to moje ostateczne zwycięstwo i być może największe osiągnięcie. Udowodniłbym w ten sposób, że pana złamałem. Że udało mi się zamienić ostatniego porządnego człowieka na tym świecie w mordercę, z zimną krwią pozbawiającego ludzi życia. A do osiągnięcia tego wystarczyło jedynie zabić pana dziewczynę...

Oczy Schofielda nawet nie drgnęły.

Był nienaturalnie spokojny.

Kiedy się odezwał, jego głos był bardzo cichy — przerażająco cichy:

— Powiedziałeś kiedyś, że ludzie Zachodu nie rozumieją samobójców, którzy wysadzają się bombą, ponieważ nie walczą fair... Że dla kogoś takiego przegranie walki nie ma znaczenia, bo on chce wygrać coś znacznie ważniejszego: wojnę psychologiczną, w której przegrywa ten, kto umiera w strachu... ten, kto ginie wbrew swej woli. — Schofield zamilkł na chwilę, po czym dodał: — A wygrywa ten, kto jest do tego emocjonalnie przygotowany.

Killian zmarszczył czoło.

Schofield uśmiechnął się złowrogo, złapał milionera za gardło, przyciągnął go do siebie i wywarczał:

— Nie jesteś emocjonalnie przygotowany na śmierć, Killian. Ja natomiast jestem, więc wygrałem.

— Boże... nie... — jęknął Killian, do którego dotarło, co się zaraz wydarzy. — Nie!!!

Ciągnąc go za sobą, Shane Schofield wyszedł przez rozbite panoramiczne okno i obaj mężczyźni — bohater i łotr — polecieli w smaganą wichrem i deszczem czterystustopową przepaść, kończącą się na dole poszarpanymi skałami.

Dokładnie w tej samej chwili, gdy Schofield złapał Killiana za gardło, Aloysius Knight odskoczył w bok i jeden z noży bankiera wbił się głęboko w boazerię na ścianie gabinetu. Dało to Knightowi czas na wyciągnięcie z kamizelki lutlampy, wepchnięcie jej dyszy Delacroix do ust i naciśnięcie odpowiedniego przycisku.

Jaskrawoniebieski płomień przebił czaszkę bankiera jak stalowa igła, wyrzucając na pokój kawałki spalonego mózgu. Szwajcar natychmiast zwiotczał — zginął w ułamku sekundy — i padł na ziemię z wypaloną w głowie dziurą.

W tym samym momencie Schofield wyszedł przez okno, zabierając ze sobą wrzeszczącego Killiana.

Spadali przez deszcz.

Skalny klif przemykał w górę z ogromną prędkością, w dole widać było poszarpane skały, które miały zakończyć ich życie.

Schofield poczuł dziwny spokój. Nadchodził koniec, a on był przygotowany.

Nagle coś uderzyło go bardzo mocno w plecy, potężnie nim szarpnęło i...

...zatrzymał się.

Ale Jonathan Killian leciał dalej. Po chwili załomotał o poszarpane skały i umarł w fontannie własnej krwi. Do ostatniej chwili życia darł się jak opętany.

Schofield unosił się w powietrzu.

Zwisał na lince maghooka, wystrzelonej z panoramicznego

okna zamku przez Aloysiusa Knighta — maghooka, którego Knight wziął od Matki. Na szczęście pękaty magnes maghooka trafił w cel i przykleił się do metalowej pancernej płyty, wszytej w plecy kamizelki kapitana.

Schofield pozwolił się wciągnąć na lince jak złowiona na wędkę ryba.

— Przepraszam, kolego, ale nie mogłem ci pozwolić tak odejść — powiedział Knight. — Choć w zupełności zgadzam się z tym, co powiedziałeś Killianowi.

Dziesięć minut później, gdy na horyzoncie pojawiło się słońce, z Forteresse de Valois wyjechał aston martin — z Aloysiusem Knightem za kierownicą oraz Shane'em Schofieldem, Matką i Rufusem w środku.

Pojechali na lotnisko, po krótkiej potyczce przywłaszczyli sobie helikopter należący do firmy Axon i polecieli w kierunku słońca.

W ciągu następnych sześciu miesięcy na całym świecie miało miejsce sporo dziwnych wydarzeń.

W Mediolanie ogłoszono, że na terenie wystawy lotniczej Aerostadia włamano się do jednego z hangarów i skradziono samolot.

Po wcześniejszym odwołaniu pokazów z udziałem legendarnych amerykańskich samolotów z napędem rakietowym X-15 był to kolejny cios dla organizatorów.

Świadkowie twierdzili, że ukradziono czarny myśliwiec szturmowy, który podobno wystartował pionowo. Choć opis pasował do eksperymentalnego rosyjskiego suchoja-37, organizatorzy pokazu i włoscy oficjele oświadczyli, że na terenie wystawy nie było tego typu maszyny.

Przed świętami Bożego Narodzenia doszło do wielu zagadkowych zgonów wśród członków najbogatszych rodzin świata.

Randolph Loch zniknął podczas afrykańskiego safari. Nic odnaleziono ani jednego członka ekspedycji, w której uczestniczył.

W czasie snu — z powodu ostrej niewydolności krążenia — zmarł grecki armator Cornelius Kopassus.

Arthura Quandta znaleziono martwego — wraz z kochanką — w łaźni jego willi w Aspen.

Warrena Barkshire'a zamordowano na terenie jego odizolowanej od świata posiadłości wiejskiej.

J. D. Canton, magnat farmaceutyczny, zmarł w wyniku

potrącenia przez jadącą z nadmierną prędkością ciężarówkę przed nowojorską centralą firmy. Kierowcy nie odnaleziono.

Imperia przejęli spadkobiercy.

Świat toczył się dalej.

Jedynym dokumentem, mogącym świadczyć o istniejącym między tymi zgonami związku, była tajna notatka, sporządzona dla prezydenta Stanów Zjednoczonych.

Jej treść brzmiała: SIR, JUŻ PO WSZYSTKIM. M-12 NIE ISTNIEJE.

Majorka
9 listopada, godzina 11.00

Wynajęty volkswagen okrążał wyłożony kostką plac na Majorce, kryjówce bogatych i nie pragnących towarzystwa ludzi.

— Dokąd jedziemy? — spytał Rufus.

— Na spotkanie z naszym pracodawcą — odparł Knight. — Osobą, która zatrudniła nas do ochrony kapitana Schofielda.

Zaparkował przed uliczną kawiarnią.

Ich pracodawca już czekał.

Siedziała przy jednym ze stolików, paląc papierosa. Jej oczy były schowane za opalizującymi okularami przeciwsłonecznymi Diora.

Zbliżała się do pięćdziesiątki, miała ciemne włosy, wydatne kości policzkowe i skórę jak porcelana. Wyglądała bardzo dystyngowanie, a cała jej postawa wyrażała pewność siebie.

Nazywała się Lillian Mattencourt.

Była właścicielką imperium kosmetycznego Mattencourt.

A także najbogatszą kobietą świata.

— Któż to, jeśli nie mój książę w błyszczącej zbroi... — powiedziała, gdy się zbliżyli. — Aloysiusie, mój drogi... Siadajcie.

Kiedy pili herbatę, uśmiechała się do nich.

— Doskonale się spisałeś, Aloysiusie. Zostaniesz hojnie wynagrodzony.

— Dlaczego? — spytał Knight. — Dlaczego nie chciała pani, żeby zginął?

— Mój drogi książę... czy to nie oczywiste?

Knight nieraz się nad tym zastanawiał.

— M-dwanaście chciało rozpocząć wojnę, Jonathan Killian dążył do globalnej anarchii, a pani fortuna opiera się na przeciwieństwie anarchii — powiedział po chwili. — Chce pani, aby ludzie czuli się bezpiecznie, pewnie, aby byli szczęśliwymi konsumentami. Pani bogactwo zależy od utrzymania światowego pokoju i dobrobytu. W czasie wojny nie kupuje się kosmetyków. Wojna by panią zrujnowała.

Machnęła ręką.

— Drogi chłopcze, zawsze jesteś taki cyniczny? Masz oczywiście rację, ale był to tylko jeden z moich motywów.

— Jakie były inne?

Lillian Mattencourt uśmiechnęła się, jej głos nabrał jednak twardości.

— Aloysiusie... choć mam majątek większy niż którykolwiek z nich i choć mój ojciec był członkiem ich nędznego klubu, Randolph Loch i jego przyjaciele od lat odmawiali mi wstępu do Rady — tylko dlatego, że jestem kobietą. Krótko mówiąc, po latach wysłuchiwania obelg pod moim adresem i seksualnych ofert uznałam wreszcie, że mam dość. Tak więc, kiedy dowiedziałam się z moich francuskich źródeł o zorganizowanym przez nich polowaniu, stwierdziłam, że czas dać im nauczkę. Najlepszym sposobem było zabranie im tego, na czym im najbardziej zależało — uniemożliwienie realizacji ich planu. Chcieli zabić Schofielda — więc postanowiłam go ratować. Chcieli zniszczyć porządek świata — postanowiłam go utrzymać. Sporo dowiedziałam się o kapitanie. Jego reputacja jest dobrze znana. Podobnie jak ty, jest dość wytrzymałym młodzieńcem. Jeżeli ktoś był w stanie zniszczyć M-dwanaście, to tylko on — z tobą u boku. I właśnie dlatego miałeś go chronić. — Lillian Mattencourt uniosła głowę i wciągnęła do płuc aromatyczne śródziemnomorskie powietrze. — A teraz już idź, mój odważny żołnierzu. Dobrze wykonałeś swoje zadanie. Pieniądze będą na twoim koncie jeszcze przed wieczorem. Całe sto trzydzieści milionów dolarów — to chyba równowartość siedmiu głów...

Powiedziawszy to, wstała, założyła kapelusz i wyszła z kawiarni, kierując się do stojącego na skraju placu mercedesa 500.

Wsiadła do samochodu i właśnie zamierzała przekręcić kluczyk, gdy Knight ujrzał stojącą w pobliskiej alejce ciemną postać.

— Och, ty draniu... — jęknął.

W tym momencie Lillian Mattencourt przekręciła kluczyk zapłonu.

Placem wstrząsnęła potężna eksplozja.

Poprzewracały się wszystkie rośliny w wielkich donicach, a parasole nad stolikami zostały wywinięte na drugą stronę. Przechodnie rzucili się biegiem w kierunku płonących szczątków mercedesa.

Stojący w cieniu mężczyzna podszedł spokojnym krokiem do stolika Knighta i usiadł.

Jego popaloną twarz i łysą czaszkę osłaniała czapka i okulary.

— A niech mnie, jeśli to nie Demon — mruknął Knight.

— Witam, kapitanie Knight — powiedział Damon Larkham. — Dwa tygodnie temu coś mi pan ukradł. Z samolotu lecącego z Afganistanu do Francji. Jeśli dobrze pamiętam, były to trzy głowy. Warte pięćdziesiąt pięć koma osiem miliona dolarów nagrody.

Knight dostrzegł jeszcze trzech członków IG-88, z bronią pod kurtkami, zbliżających się do stolika. Nie dałby rady uciec.

— Eee... chyba tak — przyznał.

Damon Larkham powiedział bardzo cicho:

— Ktoś inny zabiłby cię za coś takiego, ale ja tego nie zrobię. W naszym zawodzie zdarzają się podobne rzeczy. Taka jest natura tej gry i podoba mi się to. Uważam, że wszystko, co się dzieje na polu bitwy, powinno zostać na polu bitwy. Biorąc pod uwagę ten niefortunny incydent... — machnął ręką w kierunku dymiących resztek mercedesa Lillian Mattencourt — i pieniądze, które ci właśnie umknęły sprzed nosa, powiedziałbym, że twój dług został wyrównany.

— Myślę, że to dobry pomysł — odparł Knight obojętnym tonem, ale jego szczęki zacisnęły się mocno.

— Na pewno, kapitanie — powiedział Demon i wstał. — Do zobaczenia na następnym safari.

Kiedy Larkham i jego ludzie odchodzili, Aloysius Knight popatrzył na nich ponuro i pokręcił głową.

Dom Matki, Richmond, stan Wirginia
1 marca, godzina 12.00
Cztery miesiące później

Słońce jasnymi promieniami oświetlało odbywające się na podwórzu za domem Matki przyjęcie przy grillu.

Była niedziela i zebrało się niewielkie, ale za to doborowe towarzystwo.

Mąż Matki Ralph — kierowca tira — obracał kiełbaski, a jej siostrzenice — śpiewając ostatni przebój Britney Spears — biegały po całym domu.

Na krześle pod sznurem do rozwieszania bielizny siedział David Fairfax — trzymał w ręku butelkę piwa i rozmawiał z Bookiem II i Matką o wydarzeniach minionego października: o syberyjskiej wyprawie, pościgach, potyczkach z łowcami nagród i atakach na supertankowce po obu stronach Stanów Zjednoczonych.

Rozmawiali także o Aloysiusie Knighcie.

— Słyszałem, że rząd wyczyścił mu papiery, odwołał nagrodę za jego schwytanie i wykreślił go z listy najbardziej poszukiwanych — powiedział Fairfax. — Podobno gdyby chciał, mógłby nawet wrócić do sił specjalnych.

— I co zrobił? — spytał Book II.

— Chyba nic. Nie sądzę, żeby zechciał wrócić do Stanów. Matka, co wiesz o Knighcie?

— Dzwoni od czasu do czasu, ale nie wrócił do Stanów. Na jego miejscu też bym tego nie zrobiła. A jeśli chodzi o siły specjalne, to moim zdaniem Knight już nie jest żołnierzem. Jest łowcą nagród — odparła Matka i spojrzała przez ramię.

W kącie podwórza — sam — siedział Schofield, gładko ogolony, w dżinsach i bawełnianym podkoszulku, z lustrzanymi okularami na nosie. Popijał colę i wpatrywał się w niebo.

Od swojego przyjścia zamienił ledwie kilka słów, ale nikt się temu nie dziwił. Śmierć Gant mocno nim wstrząsnęła. Od tego czasu był na bezterminowym urlopie i nic nie wskazywało na to, że szybko powróci do służby.

Starano się nie zakłócać mu spokoju.

Kiedy Ralph smażył cebulę, rozległ się dzwonek do drzwi.

Przesyłka kurierska. Dla Shane'a Schofielda, na adres Matki. Była to duża tekturowa koperta.

Matka zaniosła ją Schofieldowi na podwórko. W środku znajdowała się składana kartka ze sklepu z prezentami z nieudolnym rysunkiem przedstawiającym kowboja i napisem: DZIŚ ZACZYNA SIĘ TWOJE NOWE ŻYCIE, KOWBOJU!

Między karty pocztówki włożono napisany ręcznie list:

Strachu na Wróble!

Przepraszam, że nie mogłem dziś wpaść, ale pojawiła się nowa robota.

Kiedy rozmawiałem ostatnio z Matką, doszedłem do wniosku, że już kilka miesięcy temu powinienem Ci coś powiedzieć.

Czy wiedziałeś, że wykonałem moje zadanie — aby utrzymać cię przy życiu — już wtedy, gdy rozbroiłeś rakietę nad Mekką? Miałem utrzymać Cię przy życiu do 12.00 26 października albo do chwili, gdy powód wyeliminowania kapitana Schofielda przestanie istnieć.

Podczas wykonywania wszystkich moich wcześniejszych zadań zawsze trzymałem się warunków umowy. Mówiąc szczerze, myślałem o tym, żeby zostawić cię w tej rekiniej jamie — w końcu powód do wyeliminowania Cię już wtedy nie istniał.

Kiedy jednak zobaczyłem, jak twoi ludzie stoją murem przy Tobie przez cały ten okropny dzień, postanowiłem zostać i walczyć u Twojego boku.

Lojalność nie rodzi się sama z siebie, kapitanie — zawsze poprzedza ją jakiś dobrowolny, bezinteresowny czyn: życzliwe słowo, uprzejmy gest, wyciągnięcie pomocnej dłoni. Twoi ludzie są wobec Ciebie lojalni, kapitanie Schofield, ponieważ jesteś dobrym człowiekiem.

Proszę Cię — zacznij znowu żyć. To zajmie trochę czasu — wiem, co mówię — ale nie porzucaj jeszcze świata. Bywa okropnym miejscem, bywa też jednak piękny, a teraz bardziej niż kiedykolwiek potrzebuje takich ludzi jak Ty.

Strachu na Wróble — zyskałeś moją lojalność, czego nikomu się od bardzo dawna nie udało.

Zawsze i wszędzie, kiedy tylko będziesz potrzebował pomocy — zadzwoń, a natychmiast przybędę.

Twój przyjaciel
Czarny Rycerz

PS Jestem pewien, że Ona właśnie w tej chwili patrzy ma Ciebie.

Schofield złożył kartkę i wstał.

Ruszył w kierunku stojącego na podjeździe samochodu.

— Hej! — krzyknęła zaniepokojona Matka. — Co robisz, mistrzu?!

Schofield odwrócił się do niej i uśmiechnął smutno.

— Dzięki, Matka. Dzięki za troskę. Niedługo będziesz mogła przestać się o mnie martwić.

— Co chcesz zrobić?

— Spróbować znowu zacząć żyć — odparł.

Następnego dnia rano zjawił się w dziale kadr kwatery głównej korpusu piechoty morskiej w Quantico.

— Dzień dobry — przywitał dyżurnego pułkownika. — Nazywam się Shane Schofield. Jestem gotów do powrotu do pracy.